KB101135

에센스 B국어사전

에센스
B국어사전

학부모, 교사, 직장인, 언론인, 노인,
탈북인, 다문화 이주민, 외국인을 위한
비표준 한국어 사전

propaganda

차례

이 사전의 특색

인터넷과 사회관계망 서비스(SNS)가 현대인의 의사소통에 주요 채널로 등장하면서 새로운 말과 표현이 놀랄 만한 속도로 확산되고 있습니다. 유행에 민감한 젊은 층조차 '어~' 하는 사이에 대화에서 소외될 정도로 신조어의 생성 속도는 무섭게 빠릅니다.

젊은이들도 이 같은 환경에 숨 가쁘게 적응해야 한다면, 학부모와 교사, 언론인, 직장인 등은 이런 말의 뜻을 알기 위해 남다른 노력을 기울여야 할 것입니다. 타인과의 의사소통이 중요한 입장일수록 더욱 그렇겠죠. 가령 학부모나 교사의 경우, 아이들이 사용하는 말을 잘 이해하는 것이 또래 문화를 수긍하는 것은 물론 그들을 바람직한 방향으로 인도하는 출발점이 될 것입니다.

이 책은 또한 우리 사회의 언어 약자들, 탈북인, 다문화 이주민, 외국인, 노인을 위한 사전이기도 합니다. 우리말에 어느 정도 능숙하다고 해도, 여러 상황에서 때 없이 출몰하는 신조어의 뜻을 알아차리지 못해 모종의 위축감을 느끼는 경우가 비일비재합니다. 안타까운 일이 아닐 수 없고, 이에 따른 사회적 비용도 적지 않을 것입니다.

《에센스 B국어사전》은 근래에 등장한 수많은 신조어 중 가장 많이 사용되는 어휘를 가려 뽑아, 이를 아는 것만으로도 이즈음의 의사소통에 어려움이 없도록 편집한 사전입니다. 일상 대화는 물론 문자 대화, 온라인 댓글 작성, 인터넷 글쓰기 등 여러 방면에서 유용하게 활용될 수 있도록 만들었습니다. 부디 독자 여러분의 활기찬 사회생활을 위한 도구로 쓰이길 바랍니다.

그 외 한국에서 처음 발간되는 이 사전을 편찬함에 있어 편집진은 다음과 같은 특색을 살리고자 노력했습니다.

1. 국어사전에 등장하지 않는 한국어 사전

이 사전에 실린 거의 대부분의 어휘는 국립국어원이 편찬하는 표준국어대사전에 수록되어 있지 않지만 보통 사람들의 생활 속에서 광범위하게 통용되는 표현입니다. 말하자면 이 책은 'B급' 어휘의 사전이지요. 사회적으로 공인된 단어는 아니지만 이를 체계적으로 수집하고 정리할 필요는 충분합니다. 그 뜻을 상호 알고 있어야 의사소통이 될 수 있으니까요. 또한 새로운 말이 생성되고 확산되는 현상은 동시대 구성원의 의식과 감수성을 반영한다는 측면에서, 이 사회를 잘 알기 위해서도 새로운 말의 목록을 작성하는 것이 마땅하다고 생각합니다. 이러한 관점에서 특정 집단에 대한 멸시와 혐오를 드러내는 어휘 또한 몇몇 예외를 제외하고는 모두 수록했습니다.

2. 명확하고 중립적인 어휘 해설

인터넷 포털 사이트에서 검색하는 것으로도 신조어의 뜻을 '대충' 알 수는 있을 것입니다. 그와 견주어 이 사전은 분명하고도 명쾌한 해설을 통해 보다 정확한 뜻풀이가 되도록 했습니다. 특히 집필에 있어 중립적인 입장을 견지해 성별, 세대, 집단 간의 갈등을 반영하는 단어의 해설도 어느 한쪽에 치우치지 않는 객관적인 서술이 되도록 하였습니다.

3. 뜻풀이를 보완하는 풍부한 예문

이 사전의 중요한 특징 중 하나는 표제어를 보다 분명하고 예리하게 설명해 주는 예문을 작성하는 데 심혈을 기울였다는 점입니다. 누구나 예상할 수 있는 뻔한 것보다는 말의 현장성이 살아 있는 생생한 예문을 배치했습니다.

4. 일러스트로 시각적 이해를 도모

뜻풀이와 예문만으로는 충분히 이해하기 어려운 단어는 일러스트를 곁들여 그 의미가 더욱 친절하게 전달되도록 하였습니다. 특히 신조어를 많이 접해 보지 못한 중·장년층, 외국인, 다문화 이주민 등에게 큰 도움이 될 것입니다.

5. 우리 시대, 거리의 국어사전
이 사전은 공인받지 않은 거리의 국어사전, 막 태동해 조금 유행하다 사라질 시한부 말의 사전입니다. 말 하나하나의 뜻도 중요하고 그것을 알려 주는 것이 이 사전의 목적이지만, 이런 말들이 왜 나타나고 어떻게 쓰이다 소멸하는지 한번쯤 성찰해 보는 것도 필요할 듯합니다. 우리 사회의 자화상 같은 것이니까요. 감사합니다.

편집부

일러두기

표제어 1. 총 2,174개의 표제어를 수록하였다.

2. 표제어는 가나다순으로 배열하였다.

3. 가나다순 이후에는 초성어, 숫자, 영어순으로 배열하였다.

4. 권말에 '찾아보기'를 두었다.

5. 표제어의 해당 품사는 다음과 같이 분류하여 표기하였다.

ⓖ 감탄사

ⓟ 관용어

ⓓ 동사

ⓜ 명사

ⓑ 부사

ⓢ 수사

ⓔ 어미

ⓙ 접사

ⓗ 형용사

예문 1. 해당 표제어의 용례를 뜻풀이에 이어 ¶ 기호로 구분해 수록하였다.

2. 실생활에서 사용되는 표현이므로 문법에 맞지 않는 경우도 상당수 존재한다.
   예: Don't 개솔.(표제어 '개솔' 항목 참조)

가

가루쿡 명 가루에 물을 붓고 반죽하는 방식으로 돈가스, 초밥, 햄버거, 도시락 등의 음식 모형을 만드는 일본산 제품. 햄버거를 만들 수 있는 제품의 경우 각각 빵과 패티, 콜라, 감자튀김 등이 될 가루에 물을 섞어 저어 주고, 필요에 따라 전자레인지에 가열해 앙증맞은 형태의 미니어처 햄버거 세트를 완성하는 식이다. 초밥용 제품의 경우 흰 가루에 물을 부으면 쌀밥 모양이 되고, 노란색 가루는 달걀, 빨간색 가루는 참치가 된다. 실제로 먹을 수 있는 가루쿡은 2015년 이후 초등학생 사이에 큰 인기를 끌었다.

가맛가맛 명 '감사, 또 감사'라는 뜻. 키보드로 '감사감사'를 입력할 때 한글 자판 배열의 특징상 자주 발생하는 오타를 차용한 표현이다. #오타체

가면 명 가입비 면제. 이동전화 서비스 이용 시 통신사를 변경할 경우 또는 특정 통신사와 계약 해지 후 재가입할 경우, 통신사에 지불해야 하는 비용인 가입비를 면제해 주는 것. 단통법(이동통신단말장치 유통구조 개선에 관한 법률) 시행을 앞두고 통신사들의 실적 확보를 위해

성행했던 편법의 일종이다.

가성비 명 가격 대비 성능 비율. 어떤 상품의 가격에 따른 성능(품질)의 정도를 말한다. 싼값에 비해 성능이 흡족할 만하다면 가성비가 뛰어난 상품이다. '고가 제품의 명성과 품질에는 미치지 못해도 그럭저럭 쓸 만하다'라는 타협의 뉘앙스를 담고 있다. 저성장 시대를 맞아 저가 상품이 속출하고, 구매 대행이나 소셜 커머스 등 새로운 거래 방식의 쇼핑몰에서 기존 제품을 큰 폭으로 할인 판매하는 경우가 잦아지면서 가성비는 소비자가 구매 의사를 가늠하는 매우 중요한 척도가 되었다.

가싶남〔녀〕 명 가지고 싶은 남자〔여자〕. 굉장히 매력이 있어 사귀고 싶은 사람을 가리킨다. 2011년 방영된 SBS 드라마 〈시티 헌터〉에서 여주인공 역을 맡은 배우 박민영의 별명에서 유래했다.

가오 명 '자존심', '체면', '허세' 등을 뜻하는 말. '얼굴'을 뜻하는 일본어 かお・顔(카오)에서 온 표현으로, 동사 '잡다' 혹은 '서다'와 결합하여 많이 쓰인다. '가오 잡다'는 허세를 부리거나 개폼을 잡는 행위를 뜻하는, 다소 불량스러운 뉘앙스를 가진 표현이다. '우리가 돈이 없지,

가오가 없냐'는 '우리가 가진 것은 변변치 않지만 자존심마저 없는 것은 아니다'는 뜻으로 통용된다.

가위치기 [명] 서로의 다리를 교차시켜 성기끼리 문지르는, 레즈비언 간의 성행위 자세.

가즈아 [명] '가다'의 청유형인 '가자'를 늘려 발음한 것. 일종의 언어유희로, 인터넷 게시판 등에서 어떤 염원을 담을 때 감탄사처럼 사용하거나 혹은 그에 동조하는 표현으로 사용한다. 스포츠토토, 증권, 암호 화폐 등의 분야에서 돈을 걸거나 투자를 할 때, 대박이 나기를 바라는 마음으로 이 표현을 일종의 주문처럼 쓰는 일이 흔하다. 가령 증권 분야에서 어떤 종목의 주식을 특정가에 매수한 후 게시판에 '백만 원 가즈아'라고 하는 식이다. 한편 '한강 가즈아'는 큰 폭의 손실을 입은 후 물에 빠져 죽기 위해 '한강으로 가자'라는 표현으로, 장난성 과장과 체념이 뒤섞인 말이다. 최근에는 사행 분야뿐 아니라 일상생활에서도 흔히 사용되는데, '술이나 마시러 가즈아', '여행 가즈아' 등이 그 예다.

각 [명] [접] 어떤 행위를 하기에 딱 알맞은 상황 혹은 시점이라는 느낌, 또는 어떤 일이 일어날 것 같다는 느낌을 표현할 때 사용하는 말. 주로 10대들이 쓰는 용어이며, 의존명사로 쓰이거나 혹은 접미사처럼 '—각' 앞에 다양한 단어를 붙이는 방식으로 사용된다. 가령 망할 각(망할 것 같은 느낌이 든다), 사망각(죽을 것 같은 느낌이 든다), 병원각(병원에 가야 할 것 같다), 파산각(파산할 조짐이 온다), 고소각(고소할 상황이다) 등이다. ¶ 시험 망했어… 자살각.

간년 [명] 20대 여성 중심의 온라인 커뮤니티 '여성시대'(cafe.daum.net/subdued20club/)에서 커뮤니티 규칙을 어겨 활동이 중지된 회원을 가리키는 말.

간지 [명] '멋', '느낌', '센스'를 뜻하는 말. '느낌'이라는 뜻의 일본어 感じ(칸지)에서 비롯된 용어로 '간지 난다', '간지가 산다' 하는 식으로 쓴다. 우리말 접사 '—나다'와 결합하여 자주 쓰이며, '쩐다'와 결합하여 의미를 강조하기도 한다. 가령 '간지 쩐다'는 멋이 차고 넘친다는 뜻이다. 최근에는 '간지 아이템', '간지 스타일', '간지남', '간지 대박', '간지 포스' 등 다양한 변종 표현이 대중 매체를 통해 전파되고 있다. 일제 강점기부터 사용된 용어로 1980~1990년대까지 영화·광고·패

선계 종사자 사이에서 주로 사용되었으나, 이후 대중화되면서 널리 퍼졌다. ¶ 소지섭, 목 늘어난 옷 입어도 간지가 철철.

갈비 몡 '갈수록 비호감'을 줄인 말. 보면 볼수록 호감이 떨어지는 사람을 가리킨다. 다른 단어와 결합해 쓰이기도 하는데, 가령 레알갈비는 '진짜(레알) 갈수록 비호감'인 사람을 말한다. 반대말은 '볼매'(볼수록 매력).

갈토 몡 '가는 토요일'을 줄인 말. 초등학교·중학교에서 휴교하는 매달 둘째·넷째 토요일을 제외한, 학교 가는 토요일을 뜻하는 말이다. 반대로 휴교하는 토요일을 가리켜 '놀토'라고 한다. ¶ 학교에 주 5일제가 적용되면 갈토가 영원히 사라지게 된다.

감기몰 몡 현대백화점그룹의 인터넷 쇼핑몰인 '현대H몰'의 별칭. 알파벳 H의 발음이 재채기 소리를 가리키는 우리말 부사 '에취'와 유사하여 붙은 말이다. 공원몰(인터파크), 안녕몰(하이마트) 등 주요 인터넷 쇼핑몰의 이름을 변형해 부르는 말 중 하나다.

감성팔이 몡 감성을 자극하는 소재를 내세워 관심을 끌거나 불리한 상황에서 벗어나고자 하는 행위. 대상이 논리적 정합성을 내세우기보다 사람들의 감정에 호소한다고 비하하는 의미가 담겨 있다. 왕따, 가난, 콤플렉스 등 자신의 약한 모습을 극적으로 전달하기 위한 스토리텔링 능력이 감성팔이의 필요조건이다. 인터넷 특유의 냉소주의 문화가 유행시킨 말. ¶ 저 광고 감성팔이인 거 뻔한데 볼 때마다 울컥ㅜㅜ

감쪽남(녀) 몡 성형수술을 했지만 수술한 티가 전혀 나지 않는 남자(여자). 성형수술로 외모를 바꾼 사람들을 비하하는 말인 성괴(성형괴물), 의란성쌍둥이(성형외과 간의 비슷비슷한 수술 경향에 따라 외모가 개성을 잃고 서로 흡사해진 사람들) 등에 대한 반응으로서 등장한 단어라고 볼 수 있다. 실제로 이 용어는 한 성형외과가 마케팅 차원에서 기획한 이벤트에서 처음 등장했다.

감튀 몡 감자튀김. 패스트푸드점의 프렌치프라이와 호프집의 구색맞추기용 안주로 양분되어 있던 시장에 감자튀김을 전문으로 취급하는 점포들이 끼어들면서 널리 쓰이게 되었다.

갑 몡 젭 쌍방의 관계에서 권력을 가진 사람. 갑, 을, 병, 정으로 이어지

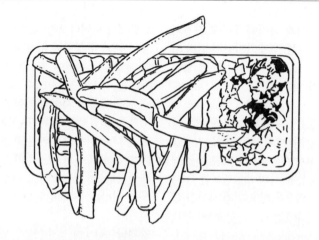

감튀

는, 무기명의 법적 주체를 지칭하는 용어 중 첫째로, 일반적으로 일을 내려보내는 원청 업체 혹은 일자리를 제공하는 고용인 등을 가리킨다. 사회관계 속에서 갑은 을 위에 군림하거나, 적어도 규칙을 자신의 의지대로 결정하는 것이 대부분이다. 이것이 사사로운 인간관계에서 아쉬울 게 없는 사람을 가리키는 데까지의미가 확장됐다가, 최근에 와서는 '몸매갑', '연기갑' 등 특정 분야에서 빼어난 사람이라는 뜻을 더하는 접미사로도 쓰인다.

갑분싸 관 '갑자기 분위기 싸해지다'의 줄인 말. 누군가의 말이나 행동이 주변 사람들을 일순간 싸늘하게 만드는 상황에서 이 표현을 쓴다. 웃자고 던진 농담이 분위기와 맞지 않아 사람들을 얼어붙게 만들 때, 팀

경기에서 결정적인 순간에 실수를 저질러 망연자실할 때 등이 전형적인 '갑분싸' 상황이다. 파생 표현에는 갑분싸와 비슷한 의미인 갑분아(갑자기 분위기 아이스에이지), 갑분떠(갑자기 분위기 떠용) 외에 갑분핫(갑자기 분위기 핫), 갑존똥(갑자기 존나 똥 마렵다) 등이 있다.

갑오브갑 명 갑 오브(of) 갑, 즉 갑 중에서도 최고의 갑. 찬사와 비난, 둘 다에서 쓰일 수 있는데, 예를 들어 '동안 미모 갑오브갑'이라고 하면 최고의 동안을 가진 이에게 바치는 찬사에 가깝다. 반면, 어느 재벌 회장 부인은 타의 추종을 불허하는 가공할 갑질로 '갑오브갑'이란 불명예를 얻은 바 있다.

갑질 명 힘을 가진 사람 혹은 집단

이 약자에게 자신의 권력을 휘두르며 군림하는 행동. 흔히 강자를 '갑', 약자를 '을'이라 하는데, 가령 계약서 등을 작성할 때 원청 회사를 갑(甲), 하청 회사를 을(乙)로 약칭하는 관행을 빗대 붙인 이름이다. 예를 들어 계약 관계에서 우유를 공급하는 대기업이 갑이라면 그것을 각 가정에 유통하는 대리점이 을이 되는데, 계약은 물론이고 상시적인 활동에서 갑이 언제나 을 위에서 활동을 주도하게 된다. 마찬가지로 고용주인 회사가 갑이라면 고용인인 회사원이 을, 주택이나 상가를 빌려주는 임대인이 갑이라면 그것을 빌리는 임차인이 을이다. 하지만 이는 도식적인 분류일 뿐이고, 양자 간의 역학에 따라 갑과 을의 권력 관계는 수시로 역전되기도 한다. 어느 경우건 갑질은 양자 사이에서 권력을 가진 자가 상대를 몰아세우며 자신의 이익을 일방적으로 취하는 행동을 뜻한다.

갑툭튀 '갑자기 툭 튀어나온 것 또는 그런 사람'을 줄인 말. 난데없이 귀신이 등장해 깜짝 놀라게 하는 짤방(이미지 파일)에서부터 특출한 실력으로 사람들의 시선을 일순간 독차지한 사람을 가리키는 데까지 널리 사용된다. 연예인이나 스포츠 선수 가운데 갑작스럽게 이슈가

된 사람을 지칭하는 말로 쓰는 경우가 상대적으로 많다. 90년대에 데뷔한 남성 아이돌 그룹 '신화'의 신혜성이 이 용어를 처음 만들어 냈다는 설이 있다.

갓— (접) 갓(god). 우월한 존재 혹은 상태를 지칭하는 접두사로 사용한다. 뛰어난 재능의 연예인이나 스포츠 선수, 기타 유명인의 이름에 '갓'을 붙여 우러르는 경우가 많은데, 갓수지(연예인 수지), 갓원빈(연예인 원빈), 갓대호(야구 선수 이대호) 등이 그 예다.

갓물주 (명) 건물주를 신(god)에 빗대 부르는 칭호. '조물주 위에 건물주 있다'는 세태를 꼬집는 말이다. 직장인을 비롯한 서민은 뼈 빠지게 일해도 겨우 입에 풀칠하는 정도지만 건물주는 특별히 하는 일 없이 숨만 쉬고 있어도 매달 들어오는 막대한 임대료로 온갖 호사를 누리는 것도 모자라, 자식에게 물려줘 대대손손 왕같이 살 수 있는 대한민국의 현실을 풍자한 말.

갓수 (명) 갓(god)+백수. 워낙 가진 게 많아서 특별한 직업 없이 풍족하게 사는 백수를 뜻할 때도 있으나, 대부분은 오랜 기간 취직하는 데 실패하여 달관한 취업 준비생들이 스

스스로를 자조하면서 지칭하는 말이다. 이때 갓수는 회사에 매일같이 출근하는 사람들을 뜻하는 '출근충'과 정반대의 생활 양식을 영위한다. 가령, 출근충은 누적되는 피로에 시달리고, 상사에게 욕먹고 담배 피우다 폐병 걸리고, 잦은 회식으로 간 기능이 마비되기 십상이지만 갓수는 충분한 수면으로 피로라는 게 아예 없고 삼시 세끼 집 밥 먹으며 싱글벙글이다. 출근충은 또한 매일 회사에 처박혀서 업무 외에는 아는 게 하나도 없으나 갓수는 어디 매여 있지 않으므로 정치, 경제, 사회, 연예, 스포츠 등 모든 분야의 지식을 알차게 습득할 수 있다. 다분히 자기 비하의 뉘앙스가 풍기는 용어다.

갓양남 [명] 갓(god)+서양 남자. 원래는 잘생긴 서양 남자를 일컫는 말이었으나, 차츰 여성에 대한 성차별적 행동을 일삼는 일부 한국 남성과 대조되는 상징으로 사용되는 경우가 더 많아졌다. 즉, 갓양남은 김치남(여성 혐오를 일삼는 지질한 한국 남자)에 비해 모든 것이 뛰어난 서양 남자라는 뜻.

갓치 [명] 갓(god)+김치녀. 여성 혐오에 맞서는 온라인 커뮤니티 회원들이 서로를 칭하는 말. 대표적인 여성 비하어인 김치녀(한국 여성을 남성의 기회를 박탈하여 이득을 취하는 이기적인 존재라고 매도하는 말)에 최상급 표현 갓(god)을 붙여 그 위상을 뒤집은 것.

강남언니 [명] 성형수술 후 비슷비슷한 외모를 갖게 된 여성. 서울 강남 일대에서 닮은 얼굴의 사람들이 자주 목격된 데서 유래했다. 필명 마인드C가 2012년 발표한 웹툰 〈강남미인〉에 등장하는 캐릭터를 가리키기도 한다. 이 웹툰은 한국 여성들이 똑같은 스타일로 성형수술을 받아 천편일률적인 얼굴('강남형 얼굴')로 변한다는 내용을 담고 있다.

강된장남 [명] 여성을 혐오하는 성질이 된장처럼 발효되어 심각한 상태에 이른 남자를 비꼬는 말. 남성의 경제력에 의존하여 분수에 맞지 않는 사치를 부린다는, 여성 일반에 대한 편견을 강화시킨 '된장녀' 프레임에 대한 대항 성격으로 나온 말이다. '돈만 있으면 다 되는 것 아니냐'는 어떤 남성의 연애 상담 글이 시초가 됐다.

강려크하다 [형] '강력하다'보다 훨씬 강력하다는 뜻. 단어의 끝소리를 늘이는 인터넷 특유의 오탈자 표현이다. ¶ 당신의 카리스마는 정말 강려크했다.

강추 몡 강력 추천. 자신이 경험해
본 것을 남에게도 권할 때 사용한다.
공구(공동 구매), 방가(반가워요)
등과 함께 2000년 전후 나타난 표현
으로, 현재는 일상어처럼 쓰인다.

강퇴 몡 강제 퇴장. 인터넷 방송, 채
팅, 게임 등에서 타인을 비방하거나
욕설을 내뱉는 사람을 관리자가 강
제로 퇴장시키는 것. 주로 'ㄱㅌ'로
줄여 말하며, 그것을 영어 자판으로
입력한 'rx'로 불리기도 한다.

같비 몡 '같은 비행기'의 줄인 말.
아이돌 팬덤 관련 용어로, 스타의
일정을 따라 '같은 비행기'로 이동
하는 것을 '같비 탄다'라고 한다. 비
행 중인 스타의 모습을 담은 사진은
팬들 사이에서 인기가 매우 높기 때
문에 이런 목적으로 '같비'를 하는
팬들도 있지만, 많은 비용이 들고
스타의 일정을 꿰고 있어야 하므로
아무나 할 수 있는 일은 아니다. ¶
우연히 목적지가 같아서, 졸지에 같
비 탔어ㅋㅋㅋ

개— 쩝 개(dog). 표현의 정도를
강조하는 접두사로 쓰인다. 좋은 것
은 더 좋게, 나쁜 것은 더 나쁘게 강
조하나 일반적으로 부정적인 표현

과 함께 쓰이는 빈도가 더 높다. 긍
정 강조의 예에는 '개멋지다', '개맛
있다', '개좋음', '개신나' 따위가 있
다. 반면, '개후지다', '개짱난다'(개
+짜증 난다), '개망했다', '개멍청이'
등은 부정 강조의 예다. '개조져 버
려', '개터짐' 등 행위를 강조하는
경우도 있고 '개독'(개+기독교)처
럼 특정 집단이나 계층을 비하하는
사례도 있다.

개객기 몡 상대를 비하하는 욕설
인 '개새끼'를 귀엽게 이르는 말. 비
난의 강도를 순화하지 않지만 상스
러운 욕을 하는 데서 오는 심리적
부담을 덜 수 있는 이점이 있다.

개그돌 몡 탁월한 개그 감각을 가
진 아이돌. 예능 프로그램에서 재미
있는 입담을 보여 주는 것뿐만 아니
라 SNS 등을 통해 팬들을 웃기는 재
주가 있는 아이돌을 말한다.

개꿀잼 몡 개+꿀+잼. 꿀을 발라 놓
은 것처럼 달콤한 재미가 있다는
뜻의 '꿀잼'에 강조의 의미를 더하
는 접두사 '개—'가 붙은 것. 영어로
'dog honey jam'이라고도 하며, '핵
꿀잼'이라는 표현으로도 대체 가능
하다.

개나운서 몡 개그맨+아나운서. 예

능 프로그램에 자주 출연하여 마치 개그맨과 같은 인기몰이를 하는 아나운서. 일부 아나운서들이 반듯한 이미지를 내려놓고 망가지기를 서슴지 않는 모습으로 호응을 얻게 되면서 생긴 용어. 비슷한 말로 '개아나'라고 부르기도 하고, 엔터테이너(entertainer)와 결합하여 '아나테이너'라고 하는 경우도 있다.

개냥이 몡 개처럼 애교 많은 고양이. 경계심이 많고 독립적인 고양이와 달리 천성이 친근하고 상냥한 고양이를 말한다. 마치 강아지처럼 이름을 부르면 달려오거나, 공을 물어오며, 사람의 무릎에 파고드는 등의 행동을 한다. ¶ 꼬리까지 흔들어? 진정한 개냥이!

개너자이저 몡 '개'와 건전지 브랜드 '에너자이저'의 합성 조어. 워낙 활발해 지치지도 않고 뛰어다니는 개를 가리킨다.

개념 몡 일반적으로 사회에서 통용되는 가치관. 누군가를 '개념이 없다'라고 평하는 경우가 많은데, 사회생활을 하는 데 필요한 규칙을 준수하지 못하고 협동심과 동료애 등이 결여되어 있다는 뜻이다. 반대로 자신의 할 일을 묵묵히 하면서 상대를 배려하는 등 인성이 원만

하고 생각이 올바른 사람을 가리켜 '개념이 있다'고 한다.

개념남〔녀〕 몡 인성이 바르고 행동거지가 모범적이며 주관이 뚜렷한 남성〔여성〕. 한편, 특별히 개념녀라고 할 때는 분수에 맞지 않게 허영에 빠져 있는 여성을 '된장녀' 혹은 '김치녀'라고 부르는 한국 남성의 관점에서, 김치녀라는 습속에서 벗어나 각성된 여성을 가리키기도 한다. 그들에 따르면 개념녀란 남성의 경제력에 기대어 사치를 부리지 않고, 성별을 구실로 남성을 이용하지 않는 여성이다.

개념리스 혱 개념+리스(less). '개념'에 '~이 없는'이란 뜻의 영어 접미사 —less를 붙인 말로, 특정한 사람 혹은 게시물의 '개념 없음'을 지적하는 말. '무개념'과 거의 같은 뜻이다. 상식적이지 않은, 어이없는 상황에 맞닥뜨릴 때 내뱉는 식으로 쓴다. ¶ 백화점에서 커플이 함께 난리를 치는데, 아주 쌍으로 개념리스더군.

개니폼 몡 개+유니폼. 개에게 입힐 수 있는 유니폼을 말한다. 우리나라 프로야구 구단들은 개들이 착용할 수 있는 개니폼을 공식 판매한다.

개니폼

개독 몡 '개'(犬)와 '기독교'의 합성어로 기독교 혹은 기독교인을 조롱할 때 쓰는 말. 세상을 정화하고 사랑을 전파해야 할 기독교의 사명을 외면하고 재물을 탐하고 부정부패를 일삼는 한편, 사회의 약자에는 무관심한 대신 권력에 빌붙어 권세를 누리며, 타 종교를 인정하지 않고 노방 전도를 해 대는 교회와 교인을 욕하는 용어다.

개돌 몡 '개같이 돌격'의 줄인 말. 총기를 사용하는 온라인 슈팅 게임에서 무작정 앞으로 진격하는 행위를 뜻한다. 비슷한 말로 '닥치고 돌격'하라는 뜻의 '닥돌'이 있다. 반대로 돌격하지 않고 진영에 숨은 채적을 기다리는 것을 가리켜 '캠핑'이라 한다. ¶ 전반 10분은 무조건 개돌하세요.

개드립 몡 개 같은 애드립. 주위를 싸늘하게 만드는 실패한 농담을 지칭하지만, 간혹 재치 있는 응변에 대한 찬사로 쓰이기도 한다. 사회적으로 이슈가 되는 황당한 일이 벌어졌을 때, 온라인에서는 이를 희화화하는 집단적인 개드립 현상이 벌어지곤 한다. 2015년 서울시가 'I. SEOUL. U'라는 서울 브랜드를 발표했을 때, 수많은 개드립이 SNS 타임라인을 가득 채웠다.

개린이 몡 '개'와 '어린이'의 합성조어. 성견이 되기 전으로, 강아지에서 어느 정도 성장한 개를 말한다. "우리 집 리트리버가 어느새 개린이가 되었어요", "이빨 관리는 개린이 때부터 철저하게", "생후 9개월을 향해 무럭무럭 자라는 우리 개린이" 하는 식으로 쓴다. 어린 고양이의 경우 묘린이(묘+어린이)라고 한다.

개맛 몡 개+맛. '굉장히 맛있다'는 뜻. 비슷한 말로 '존나 맛있다'는 뜻의 '존맛', 이를 강조한 '개존맛' 등이 있다. 이러한 단어들이 맛에 대한 모든 수사를 잡아먹었다고 해도 과언이 아니다. ¶ 여기 떡볶이집 존맛, 개맛!

개멋 몡 개+멋. '멋'을 강조하는 말. "오늘따라 너 진짜 개멋!" 하는 식으로 사용한다. ¶ 사춘기의 특징은 온갖 개멋을 부리기 시작한다는 것.

개묘차 몡 個猫差(낱 개, 고양이 묘, 다를 차). 고양이마다의 성격과 개성을 이르는 말. 애묘인들 사이에서 쓰이는 용어다. 사람마다 성격이 다르다는 뜻의 '개인차'(個人差)를 차용한 표현으로, 본디 타고난 것도 있지만 성장 과정에서 형성되는 것이 보통이다.

개무룩 몡 개가 시무룩한 표정을 짓는 것. '개'와 '시무룩'의 합성 조어로, 여러 상황에서 개가 보이는 허망하고 기운 없는 표정이나 행동을 일컫는 용어다. '멍무룩'과 동의어. 한편 고양이가 이와 비슷한 표정을 짓는 것은 '냥무룩'이라고 한다.

개뿜 몡 갑자기 터져 나오는 웃음을 뜻하는 '뿜'의 강조형. '격뿜'이라고도 한다. ¶ 이 영상 1분 20초부터 개뿜 장면 나옴.

개새 몡 ① 개새끼. 진짜 개를 지칭할 수도 있고, 인간 개새끼를 가리킬 수도 있다. ¶ 옆집 개새가 밤새 짖네요. ② 머리는 개, 몸통은 새인 이미지 합성 동물. 영어로는 'dird'라고 한다. 2000년대 중반 유행한 인터넷 유희 문화의 하나.

개소름 깜 개+소름. 너무 충격적이어서 소름이 돋는 상황에 쓰는 감탄사. ¶ 내일 월요일, 문득 개소름.

개솔 몡 '개소리'를 귀엽게 줄여 부르는 말. 허튼소리 혹은 듣기 싫은 소리를 뜻한다. ¶ Don't 개솔.

개싸라기 몡 영화계 은어로 개봉 첫 주보다 이후에 점점 흥행이 잘되는 현상. 일종의 '역주행' 흥행으로, 처음에는 기세가 미약했으나 입소문 등의 영향을 받아 시간이 갈수록 흥행에 가속이 붙는 양상을 가리킨다. 개봉 첫 주에 가장 많은 관객이 들고, 갈수록 관객이 적어지는 흥행 산업의 일반적 현상에 반하는 이례적인 일이다. ¶ 그 영화가 개싸라기 날 줄 누가 알았겠냐.

개쌍마이웨이 몡 누가 뭐라 해도 내 식대로 살겠다는 결의를 표현한 말. 중·고등학생들 사이에서 학교생활이나 덕후 생활과 결부해 쓰던 표현이었으나 점차 사용층이 확산되는 추세다. '주변 분위기에 휩쓸려 자아를 잃어버리지 않겠다', '따돌림을 당하는 상황에서도 흔들리지 않고 꿋꿋하게 지내겠다'는 뜻이다. 저속한 어감이 우려된다면 'ㄱ

씨마이웨이'라고 표현하면 된다.

개엄마 몡 개와 동거하며 마치 엄마처럼 개를 정성스럽게 돌보는 사람.

개이득 몡 개+이득. 뜻밖의 이득을 가져다줄 어떤 것을 가리키는 말. 혹은 기대치를 초과하는 이익을 봤을 때 쓰는 말. 접두사 '개—'를 붙여 강조한 용례이며, 다른 말로 '핵이득'이라고도 한다. 초성만으로 'ㄱㅇㄷ', 또는 그것을 영문 타자로 입력한 'rde'로도 활용된다. ¶ 오늘 학교 안 갔는데 휴강이래 개이득~

개저씨 몡 '개'와 '아저씨'의 합성어. '개 같은 아저씨' 혹은 '개처럼 구는 아저씨'를 뜻한다. 밑도 끝도 없이 매사에 무례하게 행동하는 중년 남성을 비하하는 의미를 담고 있는데, 자신보다 어리고 약한 사람, 특히 여성을 하대하고 희롱하거나, 습관적으로 언어폭력을 일삼는 부류를 포함해 대인 관계에서 비상식적이고 자기중심적인 사람 등이 전형적인 개저씨 유형이다. 범위를 조금 더 넓히면, 중년 남성 중 술자리 등에서 젊은 여성만 만나면 '작업'에 착수하는 사람, 젊은이들에게 맥락 없는 훈계를 버릇처럼 늘어놓는 사람 등도 포함할 수 있다.

개존잘 몡 ① 굉장히 잘생긴, 아름다운 사람. '존나(매우) 잘생긴 사람'을 뜻하는 '존잘'에 강조형 접두사 '개—'를 더한 말이다. ② '매우 잘 그리는 사람'을 줄인 말인 '존잘'을 칭송하는 표현. 오타쿠나 후조시(腐女子; 남성 간 동성애를 그린 소설이나 만화를 좋아하는 여성) 문화에서 훌륭한 2차창작물(기존의 만화, 애니메이션 등을 기반으로 가공한 작품)을 만드는 사람을 가리키는 말이다.

개줌마 몡 개 같은 아줌마. 공공장소에서 몰염치한 행동을 막무가내로 벌여 타인에게 물리적 혹은 정신적 피해를 입히는 중년 여성을 비하하여 부르는 말. 개줌마와 개저씨는 성별을 갈라 얘기할 뿐 사실상 의미는 같다.

개철 몡 개통 철회. 구입한 휴대전화의 개통을 철회하는 것. 휴대전화 구매 정보 커뮤니티에서 자주 쓰이는 말이다.

개총 몡 개강 총회. 학기 초 개강을 맞아 학과 혹은 동아리에서 여는 모임. 대개 술로 귀결되는 이 모임의 특성상 모든 구성원이 모이기보다는 신입생과 소위 인싸('인사이더'의 줄인 말로, 대학 생활에 잘 적응하고 적극적으로 어울리는 사람) 위주의 자리가 벌어지기 쉽다.

개춘기 [명] 개+사춘기. 개는 생후 약 8개월에서 1년이 되면 사람의 사춘기와 같은 '개춘기'가 찾아온다. 반항심이 커지고 독립성이 형성되는 한편 활동량이 많아진다.

개취 [명] 개인 취향. "취향입니다. 존중해주시죠"라는 말이 주로 일본 만화, 애니메이션, 게임 등을 소비하는 커뮤니티를 중심으로 번졌는데, 흔히 오타쿠라고 불리는 사람들의 취미와 기호를 무작정 비난하는 것에 대한 반응이었다. 이를 취존(취향 존중)이라고 줄여 부르면서 남의 취향을 함부로 평가하거나 거기에 간섭하지 말라는 뜻이 더해졌다. 이후 비슷한 의미에서 '개취', '개취존'과 같은 말이 생겨났다. 이러한 단어들은 자신에게 가해진 타인의 비판을 차단하는 용도로 곧잘 쓰이는데, 보편적인 것을 부정하면서 모든 문제를 논쟁 불가능한 것으로 만들어 버린다는 지적도 있다.

개취존 [관] 개인 취향 존중. '취향 존중'이라는 의미의 '취존'과 유사한 뜻이다.

개턱 [명] 성형수술 관련 속어로, 사각턱 축소 수술을 할 때 턱을 지나치게 많이 깎아 귀밑 각이 없어져 버린 상태를 말한다. 개의 턱 모양을 닮았다고 하여 생긴 표현이다.

개털 [명] ① 최소한의 경제적 여유. ¶ 저번 달도 그랬지만 이번 달은 진짜 개털도 없다. ② 잦은 염색과 파마 등으로 끝이 갈라지고 엉켜 푸석푸석한 머리카락. ¶ 제 머리 지금 개털인데, 복구펌하면 새털 되나요? ③ 돈도 면회자도 없는, 별 볼 일 없는 죄수. 거물급 죄수를 가리키는 '범털'과 대비되는 용어다. ¶ 예전에 개털들은 교도관에게 개만도 못한 취급을 받는 일이 다반사였다.

개티 [명] 이동통신 회사 'KT'를 일컫는 말. 주로 휴대전화 정보 공유 커뮤니티 사용자들이 쓴다.

개티즌 [명] 개+네티즌. 인터넷상에서 악플을 일삼는 등 매너를 상실한 네티즌.

개파 [명] 개강 파티. 개강을 기념하여 술을 마시며 노는 모임이다. '개강 총회'를 줄여 부르는 '개총'과 비슷한 뜻.

개한민국 [명] '개 같은 대한민국'을

줄인 말. 한국의 불합리한 정치 과정부터 불평등한 법 판결과 빈부 격차에 이르기까지, 한국 사회의 면면에 대한 분노가 응집된 표현. 이 단어에는 2002년 월드컵 4강 진출 이후 한껏 고조된 집단주의 풍조를 되돌아보고 자조한다는 측면도 있는데, 거리 응원이 유행했을 당시 '대한민국'이라는 말이 전에 없이 많이 쓰이며 사람들의 애국심을 자극했기 때문이다. 고(故) 신해철의 밴드 넥스트(N.EX.T)가 2004년 발표한 5집 〈The Return Of N.EX.T Part III〉의 부제이기도 하다.

갠소 [명] 개인 소장. 인터넷에 게시된 자료를 저장하여 개인적으로 보관하는 행위를 뜻한다. 일반적으로 마우스 오른쪽 버튼을 클릭해 저장 메뉴를 선택하여 실행한다. 인터넷의 특성상 개인이 자유로이 할 수 있는 행동인데도 특별히 해당 자료가 마음에 들었다는 의미를 전달하기 위해 '갠소'하겠다는 코멘트를 남기는 사람들이 있다. 인터넷상에서 저작권 문제가 화두가 되었을 때, 카피라이트(copyright)를 지지하며 원게시자의 독점권을 인정하자는 목소리가 높아지자 네티즌들이 만들어 유행하게 된 표현이다. 일부 웹 페이지는 무단 공유를 방지한다는 명목으로 마우스 오른쪽 버튼 기능을 막아 두곤 한다. ¶ 어머 이 사진, 갠소해도 될까요?

갠쇼 [명] 인터넷 개인 쇼핑몰.

갠쇼 모델 [명] 인터넷 개인 쇼핑몰의 상품 착용 모델. ¶ 요즘 갠쇼 모델 중에서 이 언니가 제일 이쁨, 웃는 것도 청순.

갠춘 [명] '괜찮다'의 준말. '갠찬', '갠챦', '괜춘' 등 변형 표현이 많다. 대답하기 귀찮은 듯한 느낌이 약간 있다. 뒤에 물음표를 붙여 현재 상태가 괜찮은지 확인할 때 사용하기도 한다. ¶ A: 머리 새로 했는데 괜춘? B: 갠춘.

갠톡 [명] 개인 톡. 메신저 애플리케이션 카카오톡(Kakao Talk)에서 일대일로 하는 채팅을 뜻한다. 다수가 참여하는 단체 채팅인 단톡의 경우 자신이 보낸 메시지를 몇 명이 읽었는지만 확인할 수 있는 데 비해, 갠톡은 메시지 옆의 숫자 1이 사라지는 것을 통해 읽씹(메시지를 읽었으나 답문을 남기지 않는 것) 여부를 확인할 수 있다는 특징이 있다. 갠톡은 일반적으로 사적인 영역으로 간주되나, 웃음을 유발하는 대화 일부가 네티즌 사이에서 공유되기도 한다. 또한 유명인이 시비에 휘

말렸을 때 중요한 증거 자료가 되는 경우도 있다.

갤 [명] 인터넷 커뮤니티 사이트인 디시인사이드 내 게시판을 지칭하는 '갤러리'의 줄인 말. 디시인사이드는 본래 디지털카메라 정보 공유 커뮤니티로, 모든 게시판이 사진을 올리기 위한 용도로 개설되었기에 '갤러리'라는 이름이 붙었다. 그러나 실제로는 짤방('짤림 방지 사진'을 줄인 말로, 이미지 파일을 첨부하지 않으면 게시물이 삭제되는 규칙 때문에 생겨난 것)이나 기본 짤(해당 갤러리마다 자동으로 첨부되는 이미지)을 첨부한 채 잡담하는 공간으로 활용되는 경우가 많다.

갤러 [명] 갤+er. 주로 인터넷 커뮤니티 사이트인 디시인사이드의 '갤러리'에서 활동하는 사람. '역사 갤러', '방탄소년단 갤러' 등 특정 갤러리 이름 뒤에 붙여 쓰는 경우가 많다. 갤러는 흔히 유동닉과 고정닉으로 나뉘는데, 유동닉은 갤러리에 접속할 때마다 다른 아이디(닉네임)을 써서 익명성을 유지하는 부류이며, 고정닉은 회원 가입을 통해 개인 정보를 제공하고 하나의 아이디(닉네임)를 중심으로 아이덴티티를 구축하는 부류이다.

갬성 [명] '감성'을 다르게 발음한 말. 장난스럽고 재미있게 들리는 면이 있다. '인스타 갬성'이란, 사회관계망서비스 인스타그램에 올렸을 때 딱 어울릴 만한 분위기를 말한다. ¶ 음 좋아, 너 오늘 빈티지 갬성 물씬~

갭모에 [명] 갭(gap)+모에. 평소의 이미지, 혹은 겉보기와 전혀 다른 모습이나 행동에서 발생하는 차이(gap)에 매력을 느끼거나 열광하는 것. '모에'란 싹틈(萌え) 또는 불타오름(燃え)을 뜻하는 일본어로, 사람을 끌어당기는 어떤 대상 혹은 그러한 매력 요소에 호감을 갖거나 열광하는 것을 가리킨다. 즉, 갭모에는 누군가가 평소 이미지와는 정반대의 행동을 할 때 타인이 느끼는 모에라고 할 수 있다. 예를 들어 차갑고 무뚝뚝한 사람이 문득 앳된 미소를 보일 때 '이런 면이 있었나?' 하면서 느끼는 호감 같은 것이다. 일본 만화, 애니메이션, 게임 등에 열광하는 오타쿠들 사이에서 쓰이기 시작해 현재는 일반인들도 곧잘 사용하는 표현이다. ¶ 우리 부장님 갭모에 터짐.

갭이어 [명] gap year. 진로를 결정하기 위해 봉사와 체험, 여행 등의 다양한 활동을 경험해 보는 기간. 영국에서 유래한 것으로 본래는 고등학교를 졸업한 후 대학교에 입학하기 전, 혹은 대학 생활을 마치고 대학원에 들어가기 전, 여행, 인턴, 스포츠 활동, 봉사, 어학 공부, 예술 공부 등 여러 활동을 체험하면서 독립심을 키우는 한편 진로 결정에 필요한 정보를 얻는 1년여 기간을 뜻한다.

갱스오브부산 몡 부산. 한국 주요 도시의 이미지를 빗대어 만든 지역 비하 표현 중 하나로, 대형 조직폭력배 및 조직 폭력 사건이 많은 부산광역시를 일컫는다. 2005년경 인터넷 커뮤니티 사이트 디시인사이드의 '사건사고 갤러리'에서 퍼뜨렸다고 한다. 표현 자체는 레오나르도 디카프리오 주연의 2002년 영화 〈갱스 오브 뉴욕〉에서 가져온 것이다.

갸루 몡 영어 '걸'(girl)의 일본어 발음으로, 1990년대 중반 일본에서 유행한 독특한 화장법을 뜻한다. 피부에 구릿빛이 도는 진한 화장이 특징이다. 2012년 〈개그콘서트〉의 '멘붕스쿨' 코너에서 개그맨 박성호가 이 화장을 하고 갸루상이라는 캐릭터를 연기했다.

걍 뮈 '그냥'의 준말. 무신경함을 앙증맞게 표현하는 말로 친근한 사이에서 쓴다. 한 글자라도 줄여 쓰거나 말하기 위해 사용하기도 한다. 어떤 일의 방법 또는 이유를 설명할 때 수월함을 강조하는 데도 효과적이다. ¶ A: 왜 나야? B: 걍.

걍고 됭 걍+고(go). '그냥 계속하라'는 뜻. 여러 명이 모인 온라인 게임방, 단체 채팅방 등에서 한 사람이 다른 사람들의 의견을 물으며 템포가 늦어졌을 때, 이를 묵살하고 빨리 진행하도록 촉구하는 효과가 있다.

거악 몡 거대한 악(惡). 정권 실세가 얽힌 각종 권력형 비리, 비자금 및 분식 회계 같은 대기업 관련 범죄 등 상층부 세력가들이 저지르는 범죄 행위를 말한다. 크고 작은 민생 범죄와는 달리 민주적 질서를 해치기 때문에 이를 척결하는 것이 사정 기관의 중요한 과제다.

거유 몡 거대한 유방. 말 그대로 크기가 큰 가슴을 말한다. 일본 서브컬처 마니아 사이에서 자주 사용되다가 이후 널리 쓰이게 되었다.

거지존 몡 머리를 기르는 과정에서 어깨에 닿을 때쯤이면 애매한 길이와 스타일 때문에 보기에 지저분해지는데, 이 기간을 말한다. 드라이나 파마로 어느 정도 보완할 수는 있으나, 금세 풀리기 때문에 견디지 못하고 다시 자르는 경우가 많다. ¶ A: 거지존 입성했습니다. 앞머리는 옆으로 빼낸다고 쳐도, 뒷머리 거지존은 어떻게 극복해야 하나요? B: 바디펌 추천합니다.

건어물녀 명 연애보다는 혼자서 맥주에 건어물 따위를 즐기는 생활을 더 좋아하는 여성. 일본 만화 〈호타루의 빛〉의 주인공 아메미야 호타루의 생활상을 가리키는 말(干物女)에서 유래했다. 회사에서는 세련된 모습에 유능한 사원인 호타루는, 귀가하기만 하면 외출을 삼가고 난닝구 차림으로 맥주에 건어물을 곁들인다. 이와 같이 건어물녀는 연애 세포가 건어물처럼 바싹 말라 버린 상태의 여성을 뜻한다.

걸아 명 '걸어 다니는 아웃팅'을 줄인 말. 외모나 옷차림에서 레즈비언 또는 게이라는 인상이 짙게 풍겨서, 함께 있는 친구까지 아웃팅(커밍아웃하지 않은 성 소수자의 성 정체성을 타인이 폭로하는 일)되게 만드는 사람을 일컫는 말.

걸커 명 '걸어 다니는 커밍아웃'을 줄인 말. 외견상 레즈비언이나 게이라는 사실이 너무 티가 나는 사람을 가리키는 말.

걸크러시 명 주로 아이돌 팬 문화에서 쓰는 말로, 같은 여자가 보기에도 가슴이 뛰는 여성의 매력을 가리킨다. 영어에서 온 단어(girl crush)이며, 간단히 말해 여자가 여자에게 느끼는 감탄 혹은 애정의 감정이다.

검새 명 입신양명을 위해 권력자에게 아양을 떨며 충성하는 검사(檢事)를 이르는 말. 경찰을 비하하는 표현인 짭새와 유사한 용례로, 검사를 모욕적으로 부르며 검찰에 대한 불신을 상징한다. 여기서 '새'는 깎새(이발사), 찍새(사진가)처럼 특정 직업을 낮춰 부를 때 붙이는 접미사다.

검열삭제 명 성적 표현이나 욕설 대신 쓰는 말. 가령 '섹스', '붕가붕가', '자지', '보지' 등의 단어를 '검열삭제'로 바꿔 쓸 수 있다. 가장 많이 대체되는 단어는 '섹스'이며, 음란물 사이트 차단과 검색어 유입 제한 등 성인물 검열이 넘쳐 나는 한국의 인터넷 현실을 넌지시 비꼬고 있다. ¶ 나는 검열삭제를 천천히 그녀의 검열삭제에 밀착시켰다.

겁예 형 '겁나게 예쁘다'를 줄인 말. ¶ 애들 뭘 먹고 저렇게 이뻐? 진심 겁예.

겹쌍 ⓜ 겹쌍꺼풀. 눈꺼풀 안으로 말려 들어가 있는 속쌍(속쌍꺼풀)과 달리, 눈꺼풀 바깥에 굵게 파인 쌍꺼풀을 가리킨다. 한편, 쌍꺼풀이 없는 경우는 '무쌍'이라 부른다. ¶ 이렇게 생겼는데 겹쌍인가요, 속쌍인가요?

겉친 ⓜ '겉으로만 친구'를 줄인 말. 깊은 얘기를 할 정도가 아닌 대충 알고 지내는 친구, 혹은 앞에서만 친한 척하고 '뒷담화'를 하게 되는 친구를 뜻한다. 반대말은 '절친'.

게이 ⓜ ① '게시판 이용자'를 줄인 말. ② gay. 동성애자를 이르는 말.

게이다 ⓜ '게이'(gay)와 '레이다'(rader)의 합성어. 동성애자들의 풍속, 성격 및 외양 등의 특징을 근거로 누가 동성애자인지를 파악하는 기술 또는 능력을 말한다. 게이들이 서로를 알아보는 코드를 주로 일컬었지만, 게이들의 커밍아웃과 성 정체성 운동의 여파로 이런 종류의 감각이 발달하게 된 이성애자도 더러 있다.

겐세이 ⓜ '견제'를 뜻하는 일본어 けんせい(겐세이)에서 온 말. 오랫동안 당구 용어로 통용되었는데, 상대가 쉽게 점수를 낼 수 없도록 공을 치기 어려운 지점에 위치시키는 행위를 지칭한다. '수비', '견제' 등의 표현으로 순화되는 추세에 있다. ¶ "차분하게 하고 있는데 지금 겐세이 놓으신 거 아닙니까?" — 자유한국당 이은재 의원의 국회 상임위 발언 중, 2018년 2월 27일.

겨터파크 ⓜ 겨드랑이에서 땀이 솟구쳐 티셔츠가 흠뻑 젖는 것을 가리키는 말. '겨드랑이'와 '워터파크'의 합성 조어다. ¶ 애, 너 겨터파크 개장했다.

겨털 ⓜ 겨드랑이 털. 남성은 겨털

겨털

을 그대로 두는 반면 여성은 이를 수치스럽게 여겨 정기적으로 제거하는 경우가 많은데, 이를 성차별로 보고 제모에 반대하는 페미니즘 운동도 있다. ¶ 근데 겨털도 존나 귀여워.

격공 명 격하게 공감. 어떤 태도나 심정에 대해 거세게 동의할 때 이 표현을 쓴다. ¶ 직장인들이 격공하는 진상 상사 유형 5가지.

격뿜 동 격하게 뿜다. 너무 웃겨서 웃음을 참지 못하고 크게 터뜨리는 것. ¶ 격뿜주의. 입안에 음식물을 넣은 채 읽지 마시오.

격친 명 '격하게 친한 친구'를 줄인 말. 그런 사이를 '격친지간'이라 부른다.

견찰 명 개(犬) 같은 경찰 또는 검찰. 권력의 수족이 되어 주인이 물라고 하면 물고, 짖으라고 하면 짖는 공권력을 모욕적으로 부르는 말이다.

결계 명 어떤 것도 접근하지 못하게 하는 무형의 장벽. 온라인 게임 혹은 일본 만화의 판타지 설정에 주로 등장하는데, 마법의 힘으로 투명하게 펼쳐지는 보호막을 말한다. ¶

왜 그녀는 저에게만 결계를 치는 건지, 정말 여자 마음은 알다가도 모르겠습니다.

경단녀 명 경력 단절 여성. 결혼, 임신·출산, 육아, 자녀 교육, 가족 돌봄 등의 이유로 직장을 그만두어 경력이 단절된 여성을 말한다.

고고 동 '가자, 가자'(go, go)라는 뜻. 준비가 되었으니 어서 진행하라는 의미다. 의견에 동의하니 다음 단계로 넘어가라는 의미로 쓰이기도 한다. SNS 등에서는 초성만 사용해 'ㄱㄱ'로 자주 활용된다. ¶ A: 방장님, 준비됐습니다! B: ㄱㄱ

고고씽 동 고고(go, go)+씽. 다음 단계로 진행하자는 의미의 '고고'보다 귀엽고 빠르며 경쾌한 느낌을 주는 말.

고구마 명 고구마를 먹으면 목이 막히고 가슴이 답답해지는 것을 빗대, 느리고 답답한 상황임을 비유적으로 이르는 말. 가령, 전개가 매우 느리거나 그 내용이 답답해 시청자들을 속 터지게 하는 드라마를 가리켜 '고구마 드라마'라고 한다. 그 외에도 고구마 답변(답답한 답변), 고구마 캐릭터(답답한 캐릭터) 등의 표현이 흔하다. 탄산음료 사이다를 마신 것처럼 속 시원한 상황에 쓰는 표현인 '사이다'의 상대적인 의미로 사용된다.

고급지다 (형) '고급스럽다'를 질박하게 표현한 것. 외식 사업가 백종원이 방송에서 사용해 널리 퍼졌다. 적은 돈으로 사치품 못지않은 품격을 추구하려는 요즘의 세태를 반영한다. 줄인 말이나 신조어가 아닌 한국어의 변형 사례로 지적받는 표현이기도 하다. ¶ 고급진 너의 댄스.

고나련 (명) '관련'의 오타. 컴퓨터 키보드에서 한글 자판의 배열 특성상 자주 발생하는 오타를 일부러 쓴 것. ¶ 고수님들, 자격증 고나련 문의드립니다. #오타체

고나리 (명) '관리'의 오타. 컴퓨터 키보드 한글 자판의 배열 특성상 자주 발생하는 오타를 일부러 차용한 표현. 특정 대상에 과도하게 간섭해 '관리'하는 행위를 비꼬는 뜻으로 쓰이기도 한다. ¶ 남편: 맨날 이렇게 늦어도 됨? 아내: 지금 고나리질? #오타체

고나리자 (명) '관리자'의 오타. 컴퓨터 키보드 한글 자판의 배열 특성상 자주 발생하는 오타를 차용한 표현으로, '고나리질'(지나친 관리 행위)

하는 사람을 가리킨다. #오타체

고닉 (명) '고정닉'을 줄인 말. 인터넷 커뮤니티에서 자신의 닉네임을 특정한 것으로 고정해 놓고 글을 쓰는 것 또는 그런 사람을 가리킨다.

고달 (명) 여자 같은 남자를 일컫는 말. 어원은 '고추 달린 여자'다. 한편, 여성 캐릭터 같은 남성 캐릭터를 가리켜 '고달캐'라고 한다.

고담대구 (명) 사건·사고가 많이 일어나는 대구광역시를 영화 〈배트맨〉 시리즈의 배경이 되는 무법 도시 '고담'에 빗댄 것. 한국 주요 도시의 이미지를 빗대어 만든 지역 비하 표현 중 하나다. 대구 지하철 가스 폭발 사고(1995년 4월), 대구 지하철 방화 참사 사건(2003년 2월)을 비롯해 독극물, 염산 테러, 총기 강도 등의 사건이 연달아 발생해 이 같은 이미지가 형성되었다.

고답이 (명) '고구마 답답이'를 줄인 말. 고구마를 입에 쑤셔 넣은 것처럼 답답함을 주는 사람을 가리킨다.

고대유물 (명) 오래된 것. 고인돌이나 고려청자 같은 고대(古代)의 유물이라기보다는 기술이나 유행이 지나 터무니없이 옛날 것처럼 보이

는 것을 지칭할 때 이 말을 쓴다. 가령 카세트테이프나 초창기 휴대전화같이 이제는 사용되지 않는 사물, 데뷔 초창기의 아이돌 영상, 컴퓨터 하드디스크에 오랜 시간 보관해 온 사진이나 그림 등이다.

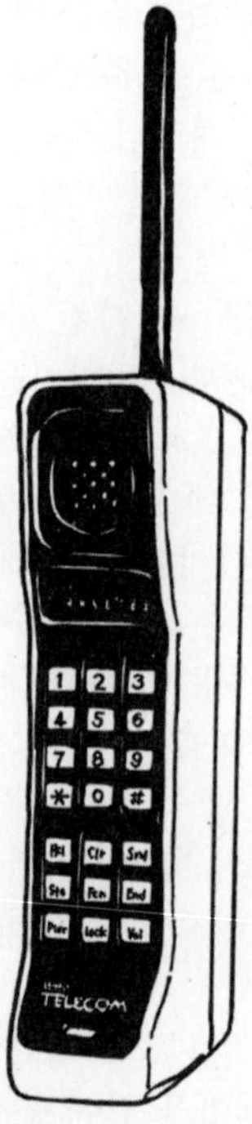

고대유물

고대짤 [명] 고대(古代)+짤방. 아주 오래 묵은, 왕년에 유행했던 '짤방'을 말한다. 짤방이란 '짤림 방지'를 줄인 말로, 이미지를 첨부하지 않은 게시물은 삭제되는 한 인터넷 커뮤니티의 규칙에 의해 생겨난 말이었다가 인터넷상의 모든 이미지 파일을 가리키는 말로 확장됐다. ¶ 갑자기 생각나서 고대짤 투척.

고두러 [명] 고양이. 만화 작가 이자혜가 자신의 작품에서 살찐 고양이들을 즐겨 묘사하며 난데없이 이들을 고두러라고 부른 데서 전파됐다. '—두러'를 접미사로 활용한 햄두러(햄스터), 토두러(토끼) 등의 파생어도 있다. 이때 '—두러'는 털이 푹신한 짐승들을 두루 지칭한다.

고딩 [명] 고등학생. 마찬가지로 대학생을 '대딩', 중학생을 '중딩', 초등학생을 '초딩'이라 한다. 1990년대 중반 PC 통신 시절에 생긴 말로 속어의 뉘앙스가 조금 있었으나 모두 탈색되고 일상어처럼 쓰인다.

고막남친 [명] 마치 연인처럼 다정한 목소리로 감미롭게 속삭여 주는 남성 가수 혹은 DJ 등의 연예인. 실제 애인은 아니지만 목소리만으로 위안을 주는 남자다. 포크 싱어송라이터 최낙타의 별명에서 유래한 말.

고막여친 [명] 마치 연인처럼 다정하고 감미로운 목소리로 마음을 설레게 하는 여성 가수 혹은 연예인.

'고막남친'의 여성 버전.

고막정화 명 듣기에 좋아서 매우 즐거운 느낌이 드는 것을 말한다. 매개체는 주로 음악, 목소리, 자연의 소리 등이다. 비슷한 표현으로는, 보기에 좋아서 마음의 평화와 즐거움이 생동하는 느낌이 드는 상태인 '안구정화'가 있다. ¶ 저를 고막정화 좀 해 줄 분 없음?

고막테러 명 고막을 자극해 괴로움을 유발시키는 행위. 가령 자신의 가창력을 과신한 나머지 고음을 있는 힘껏 불러 젖힐 때 주변 사람들이 느끼는 고통과 공포를 말한다.

고부 명 '고기 뷔페'(뷔페; buffet)를 줄인 말. 온갖 종류의 고기를 무한 리필로 먹을 수 있는 식당을 가리킨다. 비교적 값이 저렴해 지갑 얇은 학생들에게 사랑을 받고 있다. '황주고부'(황금 같은 주말, 고기 뷔페 먹으러 가자)라는 표현도 있다.

고삐리 명 '고등학생'을 이르는 속어. 마찬가지로 중학생은 '중삐리', 대학생은 '대삐리'라고 한다. 1970년대부터 청소년들 사이에서 쓰여 온 말.

고소미 명 어떤 사건의 피해자가 수사기관에 피해 사실을 고발하는 행위인 고소(告訴)를 회화화한 표현. 주로 동사 '먹다' 혹은 '먹이다'와 결합하여 쓰인다. 맛이 고소한 동명의 과자 덕분에 '고소미 냠냠', '고소미는 고소고소해' 등의 표현으로 널리 퍼졌지만, 근본적으로는 인터넷상에서 고소 행위가 빈번해진 것과 관련이 있다. 실제로 각종 혐오 · 차별 표현, 협박, 허위 사실 유포 등 도를 넘어선 악성 댓글이 지속적으로 증가함에 따라, 그 피해자가 작성자를 상대로 법적 대응을 하는 경우가 해마다 늘고 있다. ¶ 이러다 고소미 먹는 거 아니겠죠?

고시오패스 명 고시(高試) + 소시오패스(sociopath). 사법시험 등의 자격시험을 가리키는 '고시'라는 단어와 반사회적 인격 장애자를 뜻하는 '소시오패스'를 합친 단어다. 고시 공부에 열중한 나머지 사회성이 현저히 떨어지는 등 이상 성격을 갖게 된 사람을 가리킨다.

고완얼 관 '고백의 완성은 얼굴'을 줄인 말. 사랑을 고백할 때, 상대가 이를 받아 주는 데에는 감정의 진실성이나 애틋함보다는 고백하는 사람의 외모가 결정적으로 작용한다는 뜻. 예쁘고 잘생긴 사람이 고백하면 대부분 받아들여진다는 것. 비슷한 말로는 패완얼(패션의 완성은 얼굴), 헤완얼(헤어스타일의 완성은 얼굴) 등이 있다.

—고자 접 어떤 분야에 소질이 없거나 무능력한 사람임을 뜻하는 접미사. 연애고자(연애를 못하는 사람), 요리고자(요리를 못하는 사람), 셀카고자(셀카를 잘 못 찍는 사람), 패션고자(옷을 잘 못 입는 사람) 등 다양하게 활용할 수 있다. 여기서 고자(鼓子)는 본래 생식기가 불완전한 남자를 뜻한다.

고정닉 명 인터넷 커뮤니티에서 닉네임을 항상 똑같은 것으로 고정해 놓고 쓰는 것 또는 그런 사람. 게시물이 여럿 쌓이거나 재밌는 게시물을 올리면 해당 게시판에서 유명해져 '네임드'(named; 잘 알려진 사용자)의 칭호를 얻을 수 있다. 인터넷 커뮤니티 사이트 디시인사이드에서는 친목질(특정 유저끼리 친해져서 따로 모임을 갖거나 하는 것)을 막기 위해 모두에게 반말을 쓰고 익명으로 글을 남기는 풍조가 있었다. 디시인사이드 운영자 김유식은 이를 변화시키고자 로그인 후 개인 페이지에서 그간 쓴 글을 모아 볼 수 있는 갤로그 서비스를 도입했다고 한다. 줄여서 '고닉'이라 부르기도 한다.

고진감래 명 맥주잔 안에 콜라를 따른 소주잔을 넣고, 소주를 따른 소주잔을 그 위에 겹친 뒤 마지막으로 맥주를 채운 술. 맥주, 소주, 콜라순으로 마시게 되어 고진감래(苦盡甘來; '쓴 것이 다하면 단 것이 온다', 즉 '고생 끝에 낙이 온다'로 해석할 수 있음)의 묘미를 선사하는 폭탄주의 일종이다.

고퀄 명 고(高)+퀄리티(quality). 공들여 만들어 완성도가 높은 상태, 혹은 그런 대상을 말한다. 이를 응용한 쓸고퀄(쓸데없이 고퀄리티)이란 말을 흔하게 쓴다. 반대말은 '발퀄'(발로 만든 듯한 저퀄리티).

고터 명 '고속버스 터미널'을 줄인 말. 주로 지하철 3·7·9호선 고속터미널역 혹은 역내 지하상가를 가리킨다. ¶ 고터 꽃 시장에서 봅시다.

골이따분하다 형 누군가가 '고리타분하다'를 틀리게 표기한 것이 웃겨서 그대로 따라 쓰는 말. 이런 유형의 표현 중 대표적인 것에는 마마잃은중천공(남아일언중천금; 男兒一言重千金; 남자의 한 마디 말은 천금보다 무겁다), 일해라절해라(이래라 저래라), 인생의발여자(인생의 반려자), 수박겁탈기(수박 겉핥기) 등이 있다. 인터넷에서 장난

공갈티

처럼 쓰는 철자 오류. #맞춤법파괴

골좁이 몡 골반이 좁은 여성. 새로운 여성미의 기준으로 넓은 골반이 부상하면서 포토샵으로 골반을 비정상적으로 키운 사진들이 남초 사이트(남성 유저들이 주로 활동하는 사이트) 등지에서 유행하자, 그렇지 않은 체형을 골좁이라고 부르는 경우가 많아졌다. ¶ 무슨 옷을 입어도… 골좁이는 웁니다.

곰맘 몡 고무신+맘(mom). 군대 보낸 아들 걱정에 잠 못 이루는 엄마를 뜻한다. 여기서 '고무신'은 남자 친구를 군대에 보낸 여성을 말하는데 보통은 줄여서 '곰신'이라 부른다. 곰맘은 자식을 과잉보호하는 부모를 가리키는 말이기도 하지만, 군 관련 사고가 잇따라 발생하는 문제와도 관련이 있다. ¶ 군 위문품 시장, 곰맘이 곰신을 눌렀다.

곰손 몡 손재주가 영 없는 사람을 가리키는 말. ¶ 곰손들을 위한 메이크업 팁!

곰신 몡 '고무신'의 준말. 남자 친구를 군대에 보낸 여성을 뜻한다.

곱셈추위 몡 꽃샘추위. 어떤 사람이 맞춤법에 맞지 않게 쓴 것을 희화화하여 차용한 표현. #맞춤법파괴

공갈티 몡 목 부분만 있는 티셔츠. 그 위에 셔츠 등을 착용하면 영락없이 티셔츠를 입은 것처럼 보인다. 목도리 대용으로 보온 효과가 있고, 저렴한 예산으로 다양한 코디가 가

능하다는 장점이 있다.

공겹 [명] '공기업'을 빨리 발음한 것. ¶ 공겹이랑 대겹(대기업) 중에 어디가 좋을까요?

공구 [명] 공동 구매. 특정 상품을 싼 가격에 구매하기 위해 여러 사람을 모으거나, 최소 구매 수량을 맞추기 위해 같이 구입할 사람을 모집하는 행위를 뜻한다. 이것을 마케팅의 방법으로 응용한 사업이 2010년대 초 유행했던 소셜 커머스다.

공금 [명] 공유 금지. 인터넷 소설, 팬픽(Fan Fiction; 자기가 좋아하는 연예인을 등장시켜 쓰는 소설), BL(Boys' Love; 게이 로맨스 소설) 등의 작가가 본인의 작품을 다른 공간에 공유하지 말라고 선언하는 것.

공기 [명] 공기와 같이 있어도 없는 듯 존재감이 느껴지지 않는 사람을 가리킨다. 만화, 애니메이션, 드라마 등에서 비중이 적은 인물을 지칭하기도 한다.

공대아름이 [명] 남학생이 다수인 공과대학에 다니는 여학생. 여학생이 흔치 않아 남학생들이 여학생을 마치 공주처럼 대접해 준다는 속설이 있으나, 사실인지는 의견이 분분하다. 2008년 한 통신사 광고에서 공대생들이 홍일점인 아름이를 극진히 모시는 설정이 화제가 되면서 '공대아름이'란 말이 생겼다.

공뭔 [명] '공무원'의 축약어. 공무원을 빨리 발음하면 '공뭔'이 된다.

공방 [명] ① 공개 방송. 음악 방송 프로그램의 사전 녹화 방송 혹은 생방송을 말한다. 좋아하는 아이돌의 무대를 직접 보러 간다는 맥락에서 쓰인다. ② '공개 방'을 줄인 말. 온라인 게임에서 누구나 들어올 수 있도록 공개된 방을 뜻한다. 반대로 비밀번호가 설정된 방을 '비방'이라 한다.

공병템 [명] 화장품 중 바닥이 보일 때까지 써서 빈 병(공병)으로 남는 아이템. 그만큼 품질이 만족스러워 재구매할 만하다는 의미다. 뷰티 분야 용어.

공블러 [명] 공부+블로거. 중고생들이 쓰는 용어로 수업 내용과 예상 문제, 학습 방법 등 공부에 대한 여러 내용을 테마로 블로그를 운영하는 이를 말한다.

공시생 [명] 공무원 시험을 준비하는 사람을 일컫는 말. 구직난이 심화되면서 공무원 시험 경쟁률이 해마다 올라가고 있는데, 사기업에 비해 연봉은 적지만 연차가 올라갈수록 호봉이 꾸준히 오르고 연금과 정년이 보장된다는 점에서 청년층의 관심을 끌고 있다.

공시폐인 몡 오랜 기간 공무원 시험에 매진하고 있지만 합격하지 못해 피폐해진 사람. 진로를 바꾸기도 쉽지 않아서 점점 더 폐인이 되는 사람이다. '공시낭인'이라고도 한다.

공신 몡 공부의 신(神). 공부에 특출한 재능이 있어 대학수학능력시험 등에서 고득점을 올리는 이를 가리키는 말이다.

공원몰 몡 인터넷 쇼핑몰 인터파크(Interpark)의 별명. 이름에 파크(공원)라는 단어가 있어 생긴 별칭이다.

공출목 몡 '공항', '출근', '목격'을 줄인 말. 아이돌 팬덤 내에서 쓰는 말이다. 아이돌이 공항에 나타나거나, 음악 방송에 출연하기 위해 출근하거나, 길거리에서 우연히 목격된 모습을 찍은 사진을 뜻한다. 팬들 사이에서 인기가 많은 사진이지만, 사생활 침해 가능성이 있고 촬영 과정에서 사고가 발생할 수도 있어, 팬덤 안에서 공출목 소비를 자제하자는 움직임이 일기도 한다.

공카 몡 공개 카페. 아이돌 기획사, 게임 회사 등 대중을 상대로 하는 단체 측에서 공식적으로 운영하는 온라인 커뮤니티를 말한다.

공홈 몡 공식 홈페이지. 특정 기업 또는 단체가 공식적으로 운영하는 홈페이지다.

과떠리 몡 과학 고등학교(과학고) 입학을 지원했다가 떨어져서 일반 고등학교에 진학한 학생. 외떠리(외국어 고등학교에 떨어져 일반고에 다니는 학생), 민떠리(민족사관학교에 떨어져 일반고에 다니는 학생)와 함께 대치동 엄마들이 쓰는 말.

과먹빠 몡 '과거를 먹고 사는 빠순이'를 줄인 말. 아이돌의 과거 사진 혹은 영상을 꺼내 보며 추억에 잠기는 팬을 말한다.

과사 몡 ① 과거 사진. 연예인의 '과사'를 현재 모습과 비교해 품평하는 것이 오늘날 인터넷 문화의 한 부분이다. ② 대학 내 '학과 사무실'을 줄인 말. ③ '과학적 사회주의'를 줄인 말. 1960~70년대 대학 운동권 용어.

과잠 몡 학과 잠바. 등판에 대학 이름 및 소속 학과명이 새겨진 점퍼를 말한다. 소속감의 상징이면서 옷이 많지 않은 학생이 주로 입고 다니는 패션으로, 이중적인 의미를 담고 있다.

과즙상 몡 사과, 복숭아 등의 과즙이 흘러내릴 것처럼 상큼하고 앳된 인상. 이와 같은 느낌을 주기 위한 화장법을 '과즙상 메이크업'이라고 하는데, 촉촉한 파운데이션을 옅게 펴 바르고, 핑크나 옅은 레드 등의 컬러감을 이용해 귀여운 분위기를 더하는 기법이다.

관광 몡 스포츠, 게임 등 승부를 가리는 분야에서 한쪽의 일방적이고 압도적인 승리를 말할 때 쓰는 용어. 경기뿐만 아니라 일상에서 상대에게 맥없이 농락당할 때도 이 말을 쓴다. ¶ A: 축구 어떻게 됐어? B: 5대 0 관광이었음.

관심병 몡 남에게 관심을 받고 싶은 욕구가 지나쳐 이른 병적인 상태. 인터넷상에서 남들의 주의를 끌고 싶지만 그 방법이 엇나가 속셈이 빤히 보이거나, 지나치게 자기 자랑 혹은 사적인 이야기를 일삼는 경우를 주로 가리킨다. 일부러 남들이 싫어할 만한 이야기를 해서 비난 여론을 불러일으키려는 행위도 포함된다. 일부 문화 평론에서는 관심병을 뮌하우젠 증후군(Münchausen Syndrome)과 연관시키기도 한다. 뮌하우젠 증후군이란 18세기 독일의 폰 뮌하우젠 남작이 허위로 자신

의 병세를 지어낸 데서 유래한 말로, 거짓으로 신체적 이상 징후를 만들어 내어 관심과 동정을 받으려는 경향을 가리킨다.

관심종자 몡 타인의 관심을 받고자 하는 욕구가 강해 집착 수준에 이른 사람. 심하게는 관심병으로 남에게 해를 끼치는 사람을 일컫지만, '관심병자'보다는 뉘앙스가 다소 약한 용어. 간혹 연애 국면에서 상대방의 주의를 끌기 위해 노력하는 경우를 뜻하기도 한다. 관심종자의 등장은 SNS가 생겨나며 웹상에서 자기 이야기를 전시하는 행위가 일상화되고 허세 문화가 전파된 것과 긴밀한 연관이 있다.

관종 몡 관심종자. 타인의 관심을 끌고 싶은 욕구가 지나친 사람.

관태기 몡 관계+권태기. 즉 사람들과 관계를 맺는 데서 염증과 피로감을 느끼는 상태. 스마트폰의 보급과 더불어 많은 사람들과 연결되어 있으나 이는 허상임을 깨닫는 한편, 다양한 인간관계에서 사생활 간섭과 프라이버시 침해 문제가 제기되며 대인 관계의 어려움을 호소하는 현상과 함께 나온 말이다.

관피아 몡 관료+마피아. 공무원 출신이 조직의 영향력을 바탕으로 퇴직 후 산하 기관이나 협회 등의 요직을 독점하고 이른바 관민 유착의 형태로 정책을 왜곡하면서 기득권을 유지하는 시스템을 말한다. 그 작동 원리가 이탈리아계 범죄 조직인 마피아의 행태와 유사하다고 하여 생겨난 말. 과거 재무부의 영문 이니셜인 MOF(Ministry of Finance)에서 나온 모피아(MOF+마피아)를 비롯해 군피아(군대+마피아), 교피아(교육부+마피아), 해피아(해양수산부+마피아), 국피아(국회의원+마피아) 등 여러 하위 파생어가 있다.

광클 몡 빛(光)의 속도로 빠르게 클릭하는 것 혹은 광(狂)적으로 클릭하는 것. 이벤트 응모, 수강 신청, 티켓 예매 등을 위해 대기하고 있다가 시간에 맞춰 재빨리 마우스 클릭질을 하는 행위를 말한다. 일부 네티즌들이 포털 사이트의 실시간 검색어 순위를 높이기 위해 일심 단결하여 특정 검색어를 클릭하는 행위를 포함하기도 한다. 광클로 원하는 목표를 달성하기 위해선 정확한 시계와 타이밍 감각이 필수이나 인터넷 접속 환경이 좋지 않아 고배를 마시는 일이 비일비재다. 마케팅에서 광클은 해당 상품이 인기가 높아 경쟁을 뚫고 구매해야 한다며 조바심을 불러일으키는 용어로 인기가 높다. ¶ 초저가 항공권 이벤트, 광클 임박!

광탈 명 ① 입사 시험이나 입시, 고시, 각종 순위에서 빛의 속도로 탈락하는 것. 주로 취업 준비생 사이에서 쓰이는 표현인데, 이 경우 대기업 입사 공채에 지원서를 냈다가 1차 서류 심사에서 바로 떨어지는 것을 지칭한다. 대기업 공채의 경우 여러 곳의 발표 일자가 겹치는 경우가 많아 광탈 소식을 하루에 몇 개씩 접하는 일도 부지기수다. 그것이 반복되다 보면 자연스럽게 자신감과 자존감마저 광속으로 바닥을 향해 내쳐진다. ② 휴대전화의 배터리가 급속도로 소모되는 현상. 애플사의 아이폰이 특히 겨울에 배터리 소모가 심한 것을 두고 '아이폰 광탈'이라 한다.

괴랄하다 형 괴상하다+아스트랄(astral)하다. 혹은 괴상하다+지랄맞다. 매우 기괴하고 이상하며 엽기적이라는 뜻이다. ¶ 이 사전엔 괴랄한 신조어가 많구나.

교주 명 본래는 종교 단체의 우두머리를 가리키지만, 아이돌 팬덤에선 팬들에 의해 신격화된 아이돌을 지칭하는 말이다.

구글링 명 구글링(Googling). 검색엔진 구글로 무언가를 검색하는 것. 가장 대표적인 검색엔진이어서 일반적으로 구글링은 '검색하다'와 동의어로 쓰인다. 빠르고 정확하게 정보를 획득할 수 있으나 프라이버시 문제가 항상 따라다닌다.

구남친 명 과거에 사귀었던 남자 친구. 모두가 잠든 새벽에 뜬금없이 아련한 감정에 젖어 헤어진 여자 친구에게 문자메시지를 보내는 대상으로 희화화되었다. 흔히 욕을 먹을 만한 대상, 혹은 길에서 만날까 봐 꺼려지는 대상이다. '전남친'과 동의어. 한편, 지금 사귀고 있는 남자 친구는 현남친, 사귄 지 오래된 남자 친구는 헌남친이라 한다.

구남친타임 명 구남친(과거에 사귀었던 남자 친구)으로부터 자는지 안 자는지 확인하는 문자메시지(예: 자니?)가 도착하는 새벽 2시 무렵.

구여친 명 과거에 사귀었던 여자 친구. 많은 경우 나쁜 년이며, 적은 경우 자신 때문에 상처 받고 떠난 순수한 영혼으로 기억된다.

구조맹 명 構造盲. 어떤 사건이 발생할 때 눈에 보이는 현상에 집착하지만 그런 일이 일어나는 구조(構

造)에 대해서는 무지한 것. 또는 그런 사람. 글을 읽거나 쓰지 못하는 '문맹'(文盲)에서 갈라져 나온 신조어. 예를 들어 교통사고가 빈발하는 원인을 운전자 부주의로만 보는 것인데, 안전을 도외시한 도로 시스템과 부실한 신호 체제에 근본 원인이 있다는 것을 눈감는 식이다. 학문과 정치, 언론 영역뿐만 아니라 일상에서도 이런 부류의 사람들을 흔히 볼 수 있다. 말꼬리 잡고 안 봐주기, 작은 것을 크게 불리어 떠벌리기(침소봉대), 이치에 맞지 않는 말을 억지로 끌어 붙여 자기에게 유리하게 만들기(견강부회) 등이 구조맹들의 주요 증상이다. 사물이나 현상 따위가 서로 이어져 있는 것을 못 본다는 뜻으로 '맥락맹'(脈絡盲)이라고도 한다.

국개의원 몡 국회의원을 개(犬)에 비유한 표현. 대한민국 국회의원의 어두운 면, 주로 지위를 악용해 사익을 추구하거나 소모적인 정치 논쟁과 당리당략에만 골몰하는 모습 따위를 조롱하는 말이다. 이런 용어가 떠도는 데에는 국회의원 자신들이 자초한 면이 없지 않지만, 정부와 대기업, 언론 등 소위 대한민국 기득권 연합이 조장하는 정치 혐오 현상과도 관련이 깊다.

국까 몡 대한민국+까. 한국 사회를 무조건 비난하고 보는 사람.

국민— 몡 어떤 캐릭터 혹은 분야에서 국민적인 인정을 받는 것을 나타내는 접두어. 어떤 연예인을 말할 때, 가령 특유의 여동생 캐릭터가 강한 이에게는 '국민여동생', 허약한 체력을 타고난 이에게 '국민약골'이라고 부르는 식이다. 무엇이든 캐릭터와 관련지어 부를 수 있는데, 예를 들어 개그맨 유재석은 '국민개그맨'이자 '국민MC'로 불린다. '국민진상'처럼 부정적인 의미로 놀리고 비하할 때도 쓴다.

국빠 몡 대한민국+빠. 한국에 대해 대단한 자부심으로 무장한 사람.

국뽕 몡 대한민국+히로뽕. 한국인으로서의 자부심이나 집단 정체성에 과도하게 취해 있는 현상, 혹은 그것을 강조하고 강요하여 특정한 흐름으로 부추기려는 경향을 비꼬는 말. 전자의 의미에서 일반적으로 국뽕에 불을 붙이는 촉매는 넘버원 코리안, 글로벌 코리아 같은 수식어가 붙는, 세계적으로 활약하는 훌륭한 한국인 혹은 한국에서 만든 어떤 것이다. 보통 그 훌륭함이란 국가와는 별 상관이 없는 경우가 대부분이지만, 국뽕에 취한 사람들의 눈에는 그들과 자신 사이에 일말의 공통분모인 '한국'만이 빛나 보일 뿐이다. 반면 후자의 의미는 이러한 현상을 악용하는 경우에 해당한다. 정치적 또는 상업적 의도에서 국뽕 효과를 첨가하는 것이다. '국가주의' 혹은 '애국 마케팅'이라는 용어로도 대체 가능한 이러한 기획에서는 태극기나 애국가가 주요한 매개체가 되곤 한다.

군대리아 [명] 군대+롯데리아. 군대에서 배식 메뉴로 나오는 햄버거를 가리킨다. 패티와 야채 샐러드, 잼, 삶은 달걀과 (안 나오는 경우도 있지만) 치즈 한 장을 기본으로 하고 우유 한 팩, 수프 등이 곁들여진다. 짬버거, 빵식, 햄빵 등 다양한 별칭이 있다.

군대스리가 [명] 군대+분데스리가. 군대와 분데스리가(독일 프로 축구 리그)를 합친 말로 군대에서 하는 축구를 말한다. 대개 미드필더는 없고 공격수와 수비수, 골키퍼로 나뉘며 선임에게 패스가 집중되는 한

국뽕

군대리아

군대스리가

편 경기가 거칠어 반칙이 횡행하는 것이 특징이나, 연대급 단위의 공식 경기에서는 심판도 있고 오프사이드 규칙을 적용하는 등 사회 축구와 크게 다를 바 없다.

군부심 몡 군대+자부심. 자신이 있었던 부대 혹은 그곳에서의 경험을 과시하며 타 군 출신을 깔보거나 미필, 공익, 상근 예비역 등을 무시하는 행위.

군통령 몡 군인들에게 사랑받는 연예인, 특히 걸 그룹을 가리키는 말. 위문 공연 위주로 활동하는 걸 그룹에만 관심이 쏠리던 과거와 달리, 최근에는 점점 더 많은 걸 그룹들이 군통령으로 불리며 군인들의 사랑을 받고 있다.

굽신굽신 뷔 인터넷 게시판 등에서 모르는 것을 묻거나 자료를 요청할 때 쓰는 말. 상대에게 머리를 연신 조아리는 모양이다. ¶ 고수님덜, 영작문 좀 굽신굽신~.

굿엔딩 몡 어떤 작품에서 주인공이 무난한 결말에 이르는 것. 반면 좋지 않게 끝나는 경우는 '배드엔딩'이라 한다.

굿즈 몡 goods. 영어로 '상품', '제품'이라는 뜻으로 우리나라에서는 아이돌 산업 안에서 만들어지는 파생 상품을 뜻할 때가 많다. 가령 스타의 얼굴이 그려진 옷이나 문구, 스티커 등이다. 관련 시장이 커지면서 게임 업계, 공연 예술계, 출판계 등에서도 굿즈의 제작이 활발해지고 있다.

궁그미 몡 궁금하다는 사실을 귀엽게 표현한 것. 주로 정보를 요청하거나 도움을 청할 때 해시태그(#; SNS에서 자신이 쓴 글이 특정 카테고리로 엮이도록 붙이는 일종의 꼬리말)로 쓴다.

궁디팡팡 몡 ① 고양이 엉덩이를 손바닥으로 두드리는 행위. ② 수고했다며 엉덩이를 두드리는 것처럼 상대방을 격려하는 말. ¶ 괜찮아 잘했어, 궁디팡팡.

궁물 꽌 '궁금한 거 있으면 물어봐'를 줄인 말. 일부 인터넷 커뮤니티 게시판에서 특정 사안에 대해 질문을 받는다는 의미로 사용한다.

궁예질 몡 후고구려의 왕 궁예가 반란을 적발하고 정적을 축출하는 데 이용했던 관심법(觀心法)을 빗대, 제멋대로 남의 생각을 단정하는 행위를 비꼬는 말. 관심법은 사람의 마음을 읽는다는 비법으로 미륵을 자처한 궁예가 정적을 도륙할 때 명분으로 삼았던 수단이다. 타인의 속마음을 마치 들여다봤다는 태도로 댓글 등을 통해 함부로 말하는 행동을 이른다. ¶ 글도 안 읽어 보고 궁예질하지 마시오.

권색 명 검정에 가까운 어두운 남색을 가리키는 표현인 감색(紺色)이 식민 지배의 영향으로 일본어 발음인 '곤(こん)색'으로도 알려져 있는데, 이를 '권색'이라 잘못 쓴 것이 재미있어 일부러 사용하는 표현. ¶ 권색 난방 예쁘다. #맞춤법파괴

권투를빌다 관 건투를 빌다. 어떤 사람이 맞춤법에 맞지 않게 쓴 것이 재미있어 그대로 사용하는 표현. #맞춤법파괴

귀갱 명 불쾌한 소리를 들어서 귀가 공격당하는 것. 불쾌하거나 괴로운 사진을 봐서 눈이 공격당한다는 뜻의 '눈갱'에서 갈라져 나온 말이다. ¶ 노래를 불러 보았다… 귀갱 주의.

귀요미 명 귀여운 사람 혹은 사물. 처음에는 '귀여운 척하는 요다같이 생긴 미친년'을 줄인 말로, 한 인터넷 커뮤니티의 사용자들이 어떤 사람의 사진을 보고 못생겼다며 조롱하는 뜻으로 쓰였으니 당사자에게 사과하는 대신 그 뜻을 와전한 것이 널리 퍼져 욕의 의미가 희석되었다. 2013년 "1 더하기 1은 귀요미"로 시작하는 가수 하리의 '귀요미송' 이후 매스컴에서 자주 쓰는 말로 자리 잡았다. '긔요미'라고도 쓴다.

귀족인턴 명 부모나 지인을 통해 손쉽게 인턴 자리를 얻는 사람. 신입사원의 역량을 검증하고 실무를 교육하기 위한 인턴 제도가 국내 취업 시장에선 진작에 스펙(spec)의 일종이 돼 버렸다. 보수가 적고 기간도 짧은 인턴직일지라도 지원자가 구름처럼 몰려, 기회를 얻기란 취업하기만큼 어렵다. 이런 상황에서 공정한 경쟁을 거치지 않은 낙하산식 귀족인턴이 다수의 취업 준비생을 실의에 빠트리는 것은 당연하다.

귀차니스트 명 세상만사를 귀찮아 하는 사람. 혹은 더 이상 귀찮게 하면 죽을 수도 있는 사람.

귀차니즘 명 '귀찮다'와 주의(主義)를 뜻하는 영어 'ism'(이즘)을 합성한 말. 모든 것이 귀찮은 상태 혹은 그러한 삶의 태도를 말한다. 속도전을 방불케 하는 디지털 문화와 누군가와 끝없이 경쟁해야 하는 신

자유주의 체제하에서 대안적인 생활양식으로서 귀차니즘을 새롭게 조명하는 흐름도 있다.

귀척 몡 귀여운 척. 명확한 기준은 없지만 대체로 뜬금없고 부담스러운 애교를 지칭하는 용어. ¶ A: 친구가 너무 귀척하는데 어떻게 하죠? B: 더욱 강력하게 귀척하세요.

귀테러 몡 가창력이 심각하게 떨어져 들어 주기 힘든 사람의 노래, 이웃에서 한밤중에 내는 시끄러운 소리 등 예상치 못한 소음으로부터 갑자기 공격을 당하는 것.

귀호강 몡 음악, 목소리 등 어떤 소리가 특별한 정도로 아름답거나 매력 넘쳐 듣고만 있어도 행복해지는 상태.

—규 엄 문장을 끝맺을 때 쓰는 종결어미. 귀엽고 앙증맞은 느낌을 주기 위해서 이러한 표현을 쓴다. ¶ 왜 말끝마다 규를 붙이냐규~

그네어 몡 제18대 대한민국 대통령 박근혜의 알아듣기 힘든 입말을 가리키는 용어. 대표적인 예로 "우리의 핵심 목표는 올해 달성해야 할 것은 이것이다, 하는 것을 정신만 차리고 나가면 우리의 에너지를 분산

시키는 걸 해낼 수 있다는 마음을 가지셔야 할 것입니다"(국무회의 발언, 2015년 5월 12일)가 유명하다.

그래24 몡 인터넷 쇼핑몰 예스24(yes24.com)의 애칭. 영어 'yes'의 말뜻을 재치 있게 차용한 것이다. '응24'라고도 부른다.

그루밍 몡 grooming. 가해자가 피해자를 길들이고 조종하여 성적으로 착취하거나 그것을 은폐하는 행위. 아동·청소년 성폭력 사건에 자주 등장하는 범죄 유형이다.

그루밍족 몡 미용, 패션 등 외모 관리에 관심을 갖고 돈을 쓰는 남성. 외국에서 온 용어인 그루밍(grooming)의 사전적 의미는 '몸단장', '차림새'로, 이는 마부(groom)가 말을 빗질하고 훈련시키는 데서 유래했다. 한때 남성용 화장품 시장을 개척하기 위한 홍보 용어로 자주 쓰였다. ¶ 예뻐야 사는 남자들, 그루밍족.

그린라이트 몡 호감이 있는 상대로부터의 긍정적인 신호. 2013년부터 2015년까지 방영된 JTBC 예능 프로그램 〈마녀사냥〉에서 이 표현이 자주 쓰이며 인기를 끌었다. ¶ 웃으면서 인사 받아 주는 거 그린라

이트 맞나요?

그사세 명 '그들이 사는 세상'을 줄인 말. 호화로운 집과 고급 자동차, 사치품에 둘러싸인 삶을 사는 재벌가와 자산가, 연예계 스타 등의 세상을 일컫는다. 그들은 우리와는 다른 세상에 산다는 의미다. 2008년 방영된 현빈, 송혜교 주연의 KBS 드라마 제목이기도 하다.

그아탱 관 '그래도 아직 태연'을 줄인 말. 걸 그룹 소녀시대 멤버인 태연은 한 차원 높은 가창력의 소유자이자 뛰어난 스타일링 감각을 자랑하는 인스타그램 스타이기도 한데, 2007년에 데뷔한 이래 10년이 넘었음에도 여러 방면에서 한결같이 활약하는 모습에 찬사를 담은 표현. 믿듣탱(믿고 듣는 태연), 조련탱(특유의 매력으로 팬들을 좌지우지하는 태연)이란 말도 있다.

극一 접 極. '극도로' 또는 '극렬히'의 뜻을 더하는 접두사. 다른 단어와 결합하여 그 단어에 담긴 의미를 강조하는 기능을 한다.

극딜 명 총공세. 한순간에 힘을 모아 상대에게 피해를 준다는 뜻의 게임 용어 대미지 딜링(Damage Dealing)에 강조형 접두사 '극一'을 붙인 말. 게임, 논쟁, 싸움 등에서 모든 수단을 다해 힘을 쏟아붓는 것을 의미한다. 한자어 폭(爆)을 붙여 '폭딜'이라고도 한다.

극뽀옥 명 '극복'(克復)을 재미있게 표현한 말. 극복하려는 의지를 강조하는 어감이 있다. ¶ 복부 비만, 이번엔 정말 극뽀옥하고 말 거다.

극추 명 극(極)+추천. 어떤 것을 진심을 다해 추천할 때 쓴다. 어감상 강추(강력 추천)보다 추천의 강도가 세다.

극혐 명 극(極)+혐오. 극도로 혐오스러운 것을 지칭한다. 너무 잔인하거나 무서워서 혐오감을 불러일으키는 게시물 혹은 사람을 비하할 때 쓰는 말.

극호 명 극(極)+호감. 호감을 불러일으키는 게시물이나 사람에게 쓰는 말.

근자감 명 근거 없는 자신감. 자기 자신을 과신해 밑도 끝도 없이 나서는 경우를 말한다. 주변인들은 도통 그 자신감의 이유를 알 수 없는 경우가 대부분인데, 이처럼 신통한 능력을 지닌 자들에게 질시를 담아 근자감이라는 수식어를 붙이는 경우가 많다. 누구에게 쓰이냐에 따라 비난과 감탄을 오가는 말이기에 주의해서 받아들여야 한다. '나대다'라는 동사와 잘 들어맞는다. ¶ 걔는 근자감만 없어도 들이대는 족족 차이지는 않을 텐데.

글리젠 [명] 글+리제너레이(regeneration). 인터넷 게시판에 새로운 게시글이 올라오는 속도 혹은 정도.

글머 [부] 그럼. 컴퓨터 키보드 한글 자판의 배열 특징상 자주 발생하는 오타를 차용한 표현. #오타체 ¶ 글머 안녕히 계세요.

글삭튀 [관] '글을 삭제하고 튀는 것'을 줄인 말. 인터넷 게시판에 자신이 썼던 글이 스스로에게 불리한 내용을 담고 있어 삭제하고 도망가는 행위. ¶ 글삭튀하면 증거 수집이 힘드니 보는 즉시 캡처할 것.

글설리 [명] '글쓴이를 설레게 하는 리플'(reply; 댓글)을 줄인 말. 보통 댓글을 달면 작성자에게 알림이 가거나 댓글 수가 보여 글쓴이의 확인을 유도하는데, 실은 아무 내용도 없이 '글설리'라고만 달랑 쓰여 있는 낚시성 댓글도 많다. 유사 표현에는 글화리(글쓴이를 화나게 하는 리플), 글기리(글쓴이를 기분 나쁘게 하는 리플) 등이 있다.

금메달 [명] 대학 중간고사 혹은 기말고사에서 가장 먼저 시험지를 제출하고 시험장을 떠나는 자에게 수여되는 가상의 메달. ¶ A: 시험 잘 봤음? B: 금메달 땄어ㅋㅋㅋ

금사빠 [명] '금방 사랑에 빠지는 사람'을 줄인 말. ¶ 누가 조금만 잘해 줘도 호감이 생기는데, 저 미친 금사빠 맞죠?

금손 [명] 손재주가 뛰어나 무엇이든 잘 만드는 사람. 반대말은 '곰손'.

금수저 [명] 금으로 만든 수저. 부유한 집안에서 태어난 사람을 뜻한다. 재벌 2~3세, 고관대작의 자제, 국회의원 같은 정치인의 2세 등이 대표적인 금수저다. 이들은 사회 평균과 견줘 좋은 교육을 받는 것은 물론 능력과 상관없이 취업이나 사회생활에서도 확고한 비교 우위를 점한다. 그 외에도 다양한 '수저'가 있는데, 부모가 용돈 주고, 차 사 주고, 직장까지 구해 주는 자식들이 금수저라면, 견실한 부모에게 아파트 한 채 정도 상속받을 수 있는 자식들은 은수저, 부모로부터 전세금 정도 지원받을 수 있는 계층은 동수저 정도로 분류된다. 반면, 부모에게 거의 아무것도 지원받을 수 없는 이들은 흙수저라 불린다.

금턴 [명] 학벌과 인맥, 경제력, 권력 등 든든한 배경이 있어야 들어갈 수 있는 양질의 인턴 자리. 국회의원실, 공공 기관이나 대기업, 법무 법인, 국제기구 등이 모집하는 인턴직이다. 이른바 금수저들이 차지하는 자리로 허드렛일이나 단순 반복 노동만 하는 흙턴과 비교된다. 보통 금턴은 정규직이 이미 약속돼 있거나 정규직으로 전환될 확률이 높다.

급식체 [명] 학교급식을 이용하는 세대인 초등학생 및 중고등학생이 온라인에서 사용하는 특유의 문체. 빈도가 높은 표현의 예는 '오지구여', '지리구여', 'ㅇㅈ?'(인정?), '—각'(어떤 것을 하기에 딱 알맞은 상황이나 때) 등이다. 또래 사이에 통하는 표현들로 가득 차 있어 당초 일반인들에게는 해독하기 어려운 수준이었으나, 예능 방송의 소재로 자주 노출되어 이제는 누구나 한두 마디쯤은 아는 말이 되었다. 급식체의 원형으로 언급되는 것은 치킨을 주문하고 난 후 누군가 올린 다음과 같은 표현이다. "억ㅋㅋ아무생각없이 시켰는데 콜라 1.25리터 파겉절이 개이득인부분이구요ㅋㅋㅋ이거 최소 혜자각ㅇㅈ?어ㅇㅈ ㅇㄱㄹㅇㅂㅂㅂㄱ 치킨집에서 이런 이벤트하는건 다른 치킨집에서 못보는거 ㅇㅈ한 부분이죠..." 휴먼 급식체라고도 하는데 여기서 '휴먼'은 문서 프로그램 '한글'의 기본 글꼴 중 하나의 이름이다.

급식충 [명] 학교급식을 먹는 계층, 즉 초등학생 및 중고등학생을 가리키는 표현. '충'(蟲; 벌레)이란 말이 붙어 있지만 비하의 강도는 다소 약한 편으로 자기들끼리 스스로를 급식충이라 칭하는 경우도 흔하다. ¶ A: 뉘신지? B: 내년에 고등학생 되는 급식충임.

급식팬 [명] 아이돌 팬 중 10대 팬을 일컫는 말. 학교에서 급식을 이용하는 또래인 초등학생 및 중고등학생 팬을 말한다. 학식팬(20대 대학생 팬), 회식팬(회사원 팬)과 달리 돈은 없지만 충성도가 높다.

급짜식 [관] '급속도로 짜게 식어 간다'를 줄인 말. 모 가수가 '차게 식어 가'라는 가사를 '짜게 식어 가'로 발음한 것이 퍼져 '급속도로 짜게 식어 간다'로 변형되었다는 설이 있다. 무언가에 대해 크게 실망했을 때나 분위기가 순식간에 얼어붙을 때 쓴다.¶ 그 영화 울면서 보다가 마지막에 급짜식.

―긔 어 말끝마다 이유 없이 붙이는 종결어미. 이런 문체를 '긔체'라고 하며 장난처럼 쓴다. ¶ 긔엽긔는 거꾸로 써도 긔엽긔.

기러기아빠 명 자녀 교육을 위해 아이와 아내를 타지로 떠나보내고 홀로 남아 뒷바라지하는 아빠. 경제적 여력과 형편 등에 따라 여러 유형으로 세분할 수 있는데, 독수리아빠(가족을 만나러 언제든 비행기로 날아갈 수 있는 부유한 아빠), 펭귄아빠(가족을 만나고 싶어도 갈 수 없는 서민층 아빠), 참새아빠(외국으로 보낼 형편이 되지 않아 강남에 소형 오피스텔을 얻어 가족을 보낸 아빠), 대전동아빠(서울 대치동에 전세 얻는 아빠) 등이 대표적이다.

기럭지 명 '길이'의 충청도 사투리. 신장(키), 다리 등 신체 일부의 길이를 이르는 용어로 온라인에서 널리 쓰인다. "188cm? 기럭지 대박!", "볼륨 겸비한 기럭지", "축복받은 기럭지" 하는 식으로 표현한다. ¶ A: 영화배우 강동원입니다. B: 네, 아주 바람직한 기럭지를 가지셨군요.

기레기 명 '기자'와 '쓰레기'의 합성 조어. '쓰레기 수준의 기자', '쓰레기와 다름없는 기자'라는 의미로 널리 쓰인다. 기레기란 말이 생겨난 데는 인터넷 접속량을 늘리기 위한 여러 전술, 가령 자극적인 제목을 남발하고 어뷰징(abusing) 뉴스(실시간 검색어 등을 끼워 넣어 급조한 단발 기사)를 양산하며, 대형 사건에 대해서는 속보 경쟁, 정부 발표 받아쓰기, 선정 보도를 쏟아 내는 등의 언론 행태와 밀접한 관련이 있다. 권력을 감시하고 진실을 추구하는 언론 본연의 책임을 내던져 버리고 권력에 아부하는 보도, 정파적 보도와 이에 따른 사실 오도 및 견강부회, 이에 더해 취재원에 군림하는 식의 각종 구태 등 대한민국 언론인의 일그러진 모습을 총체적으로 담은 용어다. 독자 측 요인도 무시할 수 없는데, 말초적인 제목에 휩쓸리고 자극적인 한 줄 기사에 부화뇌동하는 세태 또한 기레기들이 활보하는 이유가 된다.

기름몰 명 인터넷 쇼핑몰 'GS Shop'의 별칭. GS그룹의 주력 업종이 주유업인 데서 유래했다.

기변 명 기기 변경. 휴대전화 구입 시 보조금 및 조건부 최신 기기 지원금 지급 등으로 기기 변경을 유도하는 통신사들의 영업 때문에 많이 쓰이게 되었다.

기변증 명 최신형 스마트폰으로

자꾸만 기기 변경을 하고 싶어 하는 증상. 스마트폰만이 아니라 디지털 카메라, 오디오 등의 분야에서도 이 증세에 시달리는 사람들이 많다.

기상스터디 [명] 아침 일찍 도서관에서 각자의 '기상'을 체크하는 스터디 그룹. 대학의 인터넷 커뮤니티 등지에서 모집하며, 대부분 벌금 제도를 취하고 있다. 고시 공부나 취업 준비를 게을리하지 않으려 강제성을 부여하는 것.

기스 [명] 일본어 '傷'(きず; 키즈)에서 유래한 말로 어떤 물건의 상한 자국이나 흠 등을 뜻한다. 일제강점기부터 쓰여 온 표현이며, 요즘에는 스크래치(scratch)라는 영어와 혼용된다. ¶ 위로도 적당해야. 지나치면 오히려 마음에 기스 나.

기슬픔 [명] 기쁨+슬픔. 기쁨과 슬픔이 공존하는 복합적인 상태를 말한다. 웃기고 슬프다는 뜻의 명사 '웃픔'과 비슷한 말.

긱사 [명] 기숙사. ¶ 이번 긱사 신청일이 언제지?

긱시크 [명] 긱(geek)+시크(chic). 정장에 캔버스화, 커다란 뿔테 안경으로 대표되는 괴짜들의 패션.

길냥이 [명] '길 고양이'를 귀엽게 줄여 부르는 말. 보금자리 없이 떠돌아다니는 고양이다. 길 고양이는 '도둑고양이'라는 표현의 부정적 함의에 반발하는 의도로 널리 퍼지게 되었다.

길막 [명] 길을 막는 행위. 고의든, 고의가 아니든 행로를 가로막는 행동이다. 게임에서 캐릭터들이 길을 막는 것을 뜻하는 표현이었으나 요즘에는 일상의 여러 상황에서 이 단어를 쓴다. 가령, 다른 차들의 주행을 방해하는 위치에 주차한 것을 '길막 주차', 교통사고로 인한 체증을 '교통사고 길막'이라고 부르는 식이다. ¶ 국빈 방문하자, 올림픽대로에서 경찰이 길막?

길맥 [명] 골목이나 공원, 거리 등에서 맥주를 마시는 것. 봄기운이 완연해지면 공원 잔디나 벤치 등에서 맥주를 들이켜는 '길맥러'들이 북적이기 시작한다.

길빵 [명] ① 길거리 흡연. 걸어가면서 담배를 피우거나 야외 재떨이가 있는 곳에서 흡연하는 것. 주변 사람들에게 직간접적 피해를 줄 수 있어 길거리 흡연에 대한 사회적 인식이 갈수록 나빠지는 추세다. 고등학생들이 길거리에서 흡연하는 것을

길맥

'고딩길빵'이라 하는데, 불러서 타이르다 폭행 사건으로 비화되는 경우가 다반사다. ② 대리운전 기사가 업체를 통하는 것이 아니라 직접 호객 행위를 하는 것.

김비서 [명] 한국방송공사(KBS)의 별명. 영문 이니셜 KBS를 한국어로 재치 있게 바꾼 것으로 정권의 비서 노릇을 한다는 의미다. KBS를 '개비에스'라고도 하는데 상대적으로 비하의 강도가 높다.

김여사 [명] 운전에 미숙한 여성. 일부 인터넷 커뮤니티에서 도로에서 황당한 문제를 일으키는 운전자 대부분이 여성이라는 말이 농담처럼 번졌고, 그들을 가리켜 사장의 부인이 자동차를 끌고 나왔다는 뜻으로 '김여사'라 칭한 것. 여성 운전자 전체를 싸잡아 비하하는 말로 쓰일 때가 많지만, 실제 통계에 따르면 남성 운전자가 여성에 비해 평균 5배가량의 교통사고를 일으킨다.

김찌 [명] 김치찌개. ¶ 뚝불(뚝배기 불고기)이랑 김찌 어때?

김천 [명] 김밥천국. 다양한 분식 및 식사 메뉴를 비교적 저렴한 가격에 판매하여 한국판 맥도날드로 불린다. 상호명과 간판의 양식이 유사한 프랜차이즈체인이 4~5개 이상 범람해 혼란을 주곤 하는데, 맛도 천차만별이다. 일부 번화가에는 내부 인테리어를 깔끔하게 한 고급형 김밥천국이 등장해 이목을 끌기도 한다. 김밥천국을 '김천'이라 부르는 사람들은 보통 저렴하게 동네에서 한 끼를 때우려는 10대들이다. 의외로 홀로 여행하는 외국인 관광객들에게 인기가 있다고 한다.

김치남 명 ① 일반적으로 한국 남자들의 나쁜 습속을 고루 갖춘 남성. ② (여성의 관점에서) 여성을 차별하고 혐오하는 발언을 일삼는 한국 남성을 가리키는 말. 일부 남성 인터넷 사용자들이 어떤 부류의 여성을 자신들의 기회를 박탈하는 이기적 존재로 매도하며 '김치녀'라는 호칭을 부여했는데, 그것이 널리 퍼져 여성 일반을 설명하는 말로 자주 쓰이면서 여성에 대한 편견과 차별을 강화하는 상황에까지 이르게 됐다. '김치남'은 김치녀에 대한 반동 격의 단어로 2015년 인터넷 커뮤니티 디시인사이드의 메르스 갤러리 여성 사용자들이 처음 쓰기 시작했다. 상황에 따라 '치남이', '썹치남', '썹치' 등으로 불리기도 한다.

김치녀 명 한국 여성이 이기적이고 몰상식하다며 비하하여 부르는 말. 일부 남성 인터넷 사용자들이 여성이 성별을 일종의 특권으로 삼아 이득을 취하고, 의무는 다하지 않으면서 권리만 찾는 탓에 남성들에게 피해를 주고 있다고 여기면서 부르기 시작한 호칭이다. 남성의 경제적 능력을 최우선의 가치로 판단하며 명품에 집착하는 여성을 비꼬는 단어인 '된장녀' 프레임이 그랬던 것처럼, 김치녀라는 개념 역시 여성 일반을 가리키는 용어로 확대 재생산되는 측면이 있다.

김치맨 명 김치+맨(man). 몰염치한 한국인을 비꼬는 말. 한국인이 스스로를 비웃는 표현이다.

─까 접 일부 명사 뒤에 붙어 그것을 무조건 비방하는 사람의 뜻을 더하는 접미사. '─빠'(광적인 팬을 뜻함)의 반대말이며, 어떤 것을 비난하거나 비판한다는 의미의 동사 '까다'에서 파생되었다. '─까'가 생겨나는 이유를 두고 여러 설이 오가곤 하는데, "빠가 까를 부른다"라는 주장이 가장 설득력 있다. 어떤 것을 광적으로 좋아하는 사람들이 몰상식한 행동을 일삼을 때 그에 대한 반발심이 '─까'를 초래한다는 의미다.

까다 동 특정 대상을 비난하다. 결함을 들추어 헐뜯는 행위로 '비판하다'라는 단어보다 속된 뉘앙스가 강하다. 동의어는 '조지다', '털다'.

까도남 몡 까칠한 도시 남자. ¶ 까도남과 차도남(차가운 도시 남자)은 뭐가 다르죠?

까방권 몡 '까임 방지권'을 줄인 말. 각종 비난으로부터 벗어날 수 있는 자격을 가리킨다. 모범적인 일을 수행한 유명인에게 대중이 부여하는 자격 인정을 말하는 경우가 많다. 설령 잘못을 저질렀어도 한두 번쯤은 비난이 면제되는, 일종의 암묵적 면죄부라고 할 수 있다.

까빠 몡 까면서 빠는 팬. 아이돌 팬덤 용어로 어떤 스타를 욕하면서도 좋아하는 팬이다. 팬덤 내에서 경계의 대상이지만, 넓은 의미로는 스타를 맹목적으로 숭배하는 것이 아니라 때에 따라 비판과 조언을 아끼지 않는 팬을 지칭하기도 한다. 여러모로 안티팬과는 상당히 다르다.

까이다 동 '까다'의 피동사. 예로부터 전해지는 가장 흔한 용례는 군대에서 군홧발로 무릎 아래를 차이는 '조인트 까이다'이다. 이런 물리적인 '까임' 외에 SNS에서는 상대로부터 거절 혹은 외면을 당했을 때, 비난받았을 때 '까이다'란 표현을 쓴다. ¶ A: 다짜고짜 고백했는데 바로 까였습니다, 조언 좀. B: 많이 까이다 보면 낯짝도 두꺼워지고 언젠가는 되겠죠.

까이에나 몡 까다+하이에나. 남을 헐뜯는 것에 혈안이 되어 있는 사람.

까임권 몡 '까방권'의 반대말로 무슨 일을 해도 비난받는 것을 말한다. 가령 가수 유승준은 군 입대를 피하기 위해 국적을 포기함으로써 평생 까임권을 획득한 셈이 되었다.

깔깔이 몡 군대에서 사용하는 방한복. 정식 명칭은 '방한복 상의 내피'다. 겉옷 안에 입는 누빔 재킷 형태이며 얇고 가볍지만 방한 효과가 높다. 이와 비슷한 형태의 옷을 깔깔이로 통칭하기도 한다.

깔맞춤 몡 색깔 맞춤. 패션에서 윗옷과 아래옷, 혹은 의류와 액세서리를 같은 톤의 색으로 통일하는 것을 뜻한다. ¶ 옷은 기본, 가방에 우산까지, 이것이 진정한 깔맞춤!

깔세 몡 빌리기로 한 기간만큼의 임차료를 한꺼번에 미리 지급하는 월세. 1~2개월 반짝 장사를 위해 상가를 임차할 때 이런 방식으로 계약이 이뤄지는 경우가 많다.

깜놀 동 '깜짝 놀라다'를 줄인 말.

깜지 명 여백이 보이지 않을 정도로 글씨를 가득 채운 종이. 종이가 검게 보일 만큼 글이 가득 찬 상태를 말한다. '빡지', '빽빽이'라고도 한다. 학교 숙제로 깜지를 쓰게 하는 경우가 많아 학생들의 원성이 높다. ¶ 선생님이 깜지 써 오래요. 쓸 내용도 없고 막막한데, 뭘 써야 할까요?

—깡패 접 앞에 오는 단어의 정도를 극적으로 강조하는 말. '폭력을 앞세워 행패를 부리는 무리'라는 본뜻의 어감을 차용한 것으로 논박이 불가할 정도의 압도적인 느낌을 준다. 가령 '맛깡패'는 이론의 여지 없이 맛있다는 뜻, '분위기깡패'는 분위기가 끝내주게 좋다는 뜻이다. ¶ 연예인 아무나 하는 게 아닌가 봐, 완전히 비율깡패잖아.

깨시민 명 '깨어 있는 시민'을 줄인 말. 노무현 전 대통령의 유지인 '민주주의 최후의 보루는 깨어 있는 시민의 조직된 힘'에서 유래한 표현. '깨어 있는 시민'은 말 그대로 민주주의를 희구하는 시민이라는 의미이나, 깨시민으로 줄여 쓰일 때는 배타적이고 독선적인 자칭 진보주의자, 가령 의견이 다른 이들을 습관적으로 매도하고 자신들만이 민주주의를 지킨다고 과잉 확신하는 이들

을 지칭할 때도 있어, 이 표현이 언급되는 문맥을 잘 살펴야 한다.

깨알같다 형 '깨알처럼 작지만 소소한 재미가 있다'는 뜻.

깨톡 명 스마트폰 메신저 애플리케이션 '카카오톡'의 별칭. 줄여서 '카톡' 또는 '톡'이라고도 부른다. 깨톡 프사(카카오톡 프로필 사진), 깨톡 친구(카카오톡 친구) 등 여러 파생어가 있다.

깽값 명 민사상 피해 보상금, 즉 합의금. ¶ 때려 보라고 해서 때렸습니다. 깽값 물어 줘야 하나요?

꼐임 명 ① '게임'(game)을 강하게 발음한 것. ② '섹스'를 가리키는 말. 가수 박진영의 명언에 따르면 '섹스는 게임'인데, 이를 강하게 발음하면(시프트 키를 누른 채 입력하면) '쎅쓰쎅는 꼐임'이 된다.

꼬돌남[녀] 명 '꼬시고 싶은, 돌아온 싱글 남성'[여성]을 줄인 말. 이혼 등으로 독신이 되었지만 여전히 매력적인 남성[여성]이다.

꼬툭튀 명 고추가 툭 튀어나온 모양. 남성들이 딱 맞는 바지나 추리닝을 입었을 때 성기 부분이 유난히

돌출되어 보이는 경우 이 말을 쓴다. 꼬툭튀를 고민하는 남자들의 사연이 인터넷에 간혹 등장한다. ¶ 이 정도 꼬툭튀인데 무슨 옷을 입어야 하죠?

꼬픈남〔녀〕 [명] 꼬시고 싶은 남성[여성].

꼰대 [명] 살아온 세월에서 얻은 경험을 바탕으로 자기보다 어린 사람들에게 간섭하고 잔소리하는 사람. 본인은 조언이라고 생각하지만 속이 좁아 남의 의견을 무시하는 등 민폐를 끼치는 경우가 허다하다. 나이가 많지 않더라도 일찌감치 꼰대의 길에 접어드는 사람도 있다. 넓은 의미로 꼰대는 권위주의적이고 제 주장만 할 줄 아는 사람을 통칭하며, 드문 의미로는 수세적이거나 기존 체제의 수호자가 되려는 사람을 지칭하기도 한다. ¶ "40대 초반인 나는 앞으로 꼰대가 되지 않는 삶을 필사적으로 살 것이다." — 시인 심보선의 〈한국일보〉 칼럼 중, 2012년 6월 20일.

꼰대질 [명] 제 나이와 경험을 권위 삼아 남을 일방적으로 가르치려 드는 말과 행동. "내가 해 봐서 아는데…"로 시작하는 언급의 대부분은 꼰대질로 봐도 무리가 없다. 한편, 말의 권력 관계를 지나치게 의식한 나머지, 자신보다 나이 많은 사람이 하는 말을 무조건 꼰대질로 몰아가는 경우도 있어 주의해야 한다.

꼴데 [명] 꼴찌+롯데. 한국 프로야구 구단 롯데 자이언츠가 2001년부터 4년 연속 리그 최하위 팀이었던 것을 놀리는 말.

꼴리다 [동] 성적으로 흥분되다. 좀 더 적나라한 표현을 쓸 수도 있지만 남녀 모두에게 부담 없는 중화된 성적 표현으로 선호된다. '위꼴사', '은꼴사' 등의 파생어를 낳았는데, 전자는 '위장이 꼴리는 사진'을 줄인 말로 위장이 흥분될 정도로 맛깔스러운 음식 사진을 뜻하고, 후자는 '은근히 꼴리는 사진'을 줄인 말로 은근히 성적 흥분을 불러일으키는 야한 사진이라는 의미다. 넓은 의미로는 다양한 분야에서 자연스레 치미는 감정 상태를 형용할 때 쓴다.

꼴쥐 [명] 꼴찌+엘쥐. 2006년과 2008년, 한국 프로야구 구단 엘지 트윈스가 리그 최하위 팀이었던 것을 놀리는 말.

꼴페미 [명] 꼴통+페미니스트(feminist). 정상적인 토론이 불가능한 극단적인 여성주의자(페미니스트).

페미니스트를 나치에 빗댄 '페미나치'와 비슷한 의미의 용어.

꿍지 똉 도박판 은어로 도박 자금을 높은 이자로 빌려주는 사람. 이 분야의 또 다른 은어로는 창고장(도박장 총책임자), 꽃뱀(사람들을 끌어들이는 사람), 선수(바람을 잡는 사람), 문방(주변을 감시하는 사람), 상치기(도박판이 끝날 때 정리하는 사람) 등이 있다.

꿍지타기 똉 대리운전 업계의 은어로, 2인이 조를 이뤄 한 사람은 대리운전을 하고 다른 한 사람은 차를 몰고 뒤따라 다니며 일종의 택시 역할을 하는 것. 이동성이 높아져 더 많은 콜을 올릴 수 있으나 수입을 나눠야 한다.

꿍치남 똉 '공짜를 매우 좋아하고 허구한 날 가성비를 따지는 치졸한 남성'을 줄인 말. 일반적인 절약과는 거리가 먼데, 돈을 써야 할 상황에서도 머뭇거리는 등 돈에 인색한 남성을 지칭한다. 한국 남성을 부정적으로 이르는 '한남'이란 표현이 여러 형태로 분화하는 과정에서 생겨난 단어다.

꽃보직 똉 꽃+보직(補職). 보수에 비해 과업과 책임은 적어 편안히 놀고먹을 수 있는 보직. 어느 조직에나 꽃보직이 있기 마련인데, 누구나 가고 싶어 하는 자리이므로 이른바 낙하산이 꽂히는 경우가 상당하다.

꽃중년 똉 젊어 보이는 외모에 세련된 생활양식을 추구하는 중년층. ¶ 드라마 속 꽃중년이 되고 싶다고? 아저씨 헐렁 바지부터 버려라.

꽃할배 똉 신체 건강하고 다양한 활동을 펼치며, 유머 감각이 살아 있어 젊은 세대와도 소통할 수 있는 노년층. 다시 말해, '노익장'을 실현하는 멋진 노인이다. tvN 예능 프로그램 〈꽃보다 할배〉에 출연한 원로 배우들을 가리키는 표현에서 나온 말이다.

꽐라 똉 만취 상태, 혹은 그러한 상태의 사람을 가리키는 말. 만취한 모습이 담긴 엽기적인 사진을 특별히 꽐라 사진이라고 한다. ¶ 어차피 꽐라가 되어야 한다면 미리 든든하게 먹고 난 후에 꽐라 되는 게 좋다고 생각한다.

꿀— 쩹 '꿀을 바른 것처럼 달콤한'이라는 뜻을 더하는 접두사. 뒤에 오는 단어의 강도를 강조하는데, '꿀벅지', '꿀잼' 등이 그 예다. 그 외에 '좋다', '우수하다'는 뜻의 접두사

꽐라

로도 쓰인다. 꿀가격(좋은 가격), 꿀성능(우수한 성능) 등의 표현이 그렇다.

꿀벅지 ㊅ 탄탄하고 건강해 보이는 허벅지.

꿀보직 ㊅ 꿀+보직(補職). 군대에서 상대적으로 편하고 안전한 일을 하는 보직. 쉬운 일을 하면서 시간을 보낼 수 있는 자리다. 군악대, 운전병, 행정병, PX병 등 기능병을 꿀보직으로 지목하곤 하는데, 당사자들은 이를 부인하는 등 의견이 분분하다. 사회에서도 '공기업 감사는 꿀보직' 하는 식으로 쓴다.

꿀빨다 ㊅ 편하게 일하거나, 아무것도 하지 않고 달콤한 휴식을 취한다는 뜻.

꿀잼 ㊅ 꿀이 발린 것처럼 달콤한 재미가 있는 것. '허니(honey)잼'이라는 표현으로 쓰기도 한다.

꿀템 ㊅ 꿀+아이템. 꿀 같은 아이템을 말하는데, 특히 쇼핑 목록을 가리킬 때가 많다. ¶ 비행기 타기 전 꼭 사야 하는 면세점 꿀템!

꿀팁 ㊅ 요긴하게 활용할 수 있는 유용한 정보 혹은 조언. 팁(tip) 중에서도 특히 유용한 것을 말한다.

꿀벅지

펀저씨 명 운동권+아저씨. 운동권에서 활동한 경력이 있거나 진보의 가치를 내세우는 남성. '진보저씨'라고도 한다. 다소간 부정적인 어감을 갖는데 살아온 이력을 내세워 후배에게 일장 훈시하는 한편 앞에서는 민주화를 말하지만 뒤로는 기득권에 연연하고, 특히 사고가 화석처럼 굳은 일부 진보주의자를 비꼬는 맥락에서 사용한다. 여성형은 펀줌마.

뀨 감 너무 귀여운 것을 보았을 때 저절로 흘러나오는 소리. ¶ 이 개 짱 귀여워, 뀨~~

끔살 동 '끔찍하게 살해당하다'를 줄인 말. 실제 살인 사건보다는 게임이나 만화, 영화 등에서 죽는 경우를 가리키는 다소 가벼운 표현이다. 본인의 처지를 은유적으로 표현할 때 쓰기도 한다.

끝판왕 명 유일무이의 가장 강력한 상대. 가령 '미모 끝판왕'은 미모로는 적수가 없는 사람이다. 수많은 단어와 결합할 수 있는데 '가창력 끝판왕', '섹시 끝판왕', '암기력 끝판왕' 등이다. '개저씨 끝판왕', '지랄 끝판왕' 등 부정적인 의미로 쓰이는 경우도 많다.

끼순이 명 게이 커뮤니티에서 쓰는 용어로 유난히 여성스러운 행동을 하는 게이. 겉으로 보기에 게이라는 것이 확연히 드러나 '걸커'(걸어 다니는 커밍아웃)라고 봐도 큰 무리가 없다.

낄껴 명 '낄 때 껴라'를 줄인 말. 아무 때나 나서서 방해하지 말라는 의미로, 상대방을 면박 줄 때 쓰는 표현.

낄끼빠빠 관 '낄 땐 끼고 빠질 땐 빠져라'를 줄인 말. 눈치 없는 사람에게 쓰는 표현이다.

나

ㅡㄴ가봉가 ⓐ 종결어미 'ㅡㄴ가'를 재미있게 표현한 말. 2013년 텔레비전 예능 프로그램 〈아빠! 어디 가?〉에서 아동 출연자 윤후가 "지아가 나가 좋은가봉가?(지아가 내가 좋은가?)"라고 말한 것이 인기를 끌면서 유행했다. '이제 여름이 다 왔는가봉가?', '나 원형탈모인가봉가?' 하는 식으로 쓴다.

나눔 ⓜ 자신이 쓰지 않는 물건을 필요로 하는 사람에게 나눠 주는 일. 게시물의 제목 첫머리에 '나눔'이라고 표시해 해당 사안을 알린다. 여성 사용자가 월등히 많은 '여초' 커뮤니티나 개인 블로그 등에서 주로 볼 수 있다. 씨앗, 천, 향신료 등 한 번에 많은 양을 구입할 수밖에 없는 품목이 주를 이룬다.

나쁜손 ⓜ 은근슬쩍 여성의 신체 부위에 손을 갖다 대는 행위. 남녀 연예인이 함께 찍은 사진에서 남자 연예인이 여자 연예인의 허리나 어깨 깊숙이 손을 감싸거나 올리는 것을 품평할 때 자주 언급되는 말이다. ¶ 그녀 허리에 두른 나쁜손 포착.

나와바리 ⓜ なわばり(나와바리). 일본어로 '영역', '세력권'을 말한다.

나쁜손

조폭 영화에서 이 말이 자주 나오는데 자신들의 세력권, 관할구역을 뜻한다. 조폭의 세계에선 자신들의 나와바리를 철저히 지키고 남의 나와바리를 함부로 침범하지 않는 것이 중요하다. 그 외 형사, 언론사 기자 등도 비슷한 뜻으로 이 말을 쓴다. 경찰의 경우 자신들의 관할 지역, 기자의 경우 해당 출입처를 가리킨다.

나일리지 ⓜ 나이+마일리지(mileage). 이용 실적에 따라 누적된 점수로 혜택을 받는 마일리지 제도와 같이, 나이를 먹을수록 그에 따른 이득이나 특혜를 받는 세태를 비유해 이르는 말. 사리를 따지기보다 나이를 앞세워 군림하려는 기성세대에 대한 젊은 층의 반감이 투영된 표현이다.

나초국 [명] 멕시코(Mexico)의 별칭. 멕시코의 대중 음식 나초(nacho)에서 유래했다. #나라 ¶ 이번 월드컵에선 나초국이 쌈바국(브라질)을 이기면 좋겠다.

낙곱새 [명] 낙지+곱창+새우. 이 세 가지 식재료를 한데 볶은 요리를 말한다. 1970년대 부산에서 태동한 요리로 알려져 있으며 씹는 맛이 다양하고 매콤해 식사 및 술안주로 인기가 높다. 낙곱새 외에 낙새(낙지+새우), 낙곱(낙지+곱창) 등의 차림도 흔하다.

낙태충 [명] 낙태+충. 낙태를 하는 여성 혹은 낙태에 찬성하는 사람을 벌레에 빗대 비하하는 말. 주로 '일베'와 같은 극우 성향의 남초(남성 사용자가 월등히 많은) 커뮤니티에서 쓰이는 말. 이들은 낙태 여성 혹은 낙태 찬성론자들이 낙태를 너무나 쉽게 결정하며 생명을 경시하는 경향이 있다고 주장한다.

낙튀충 [명] 자신의 아이를 임신한 여성에게 낙태를 권유하고는 무책임하게 도망가는 남성을 벌레에 빗대 비하하는 말. 피임에 무지하거나 여성의 임신 이후 책임을 회피하는 남성을 가리킨다.

낚다 [동] 소기의 목적을 위해 과장 혹은 허위의 방법으로 사람들의 관심을 유도하다. 물가에서 물고기를 잡는, 낚시에 비유한 말이다. '낚여', '낚이니', '낚이는', '낚인', '낚일', '낚였다'로 쓴다.

낚시글 [명] 과장 혹은 허위의 방법으로 사람들의 관심을 유도하는 글. 혹은 제목에 비해 내용이 부실하거나 제목과 다른 내용을 담고 있는 게시물을 가리키는 말. 한때 길게 사연을 풀어 쓴 후 말미에 거짓이었음을 밝히거나 특정 상품을 광고하는 내용으로 맺는 글이 낚시글로 유행했다. ¶ 제목부터 낚시글인 거 너무 티 난다.

낚시매물 [명] 구매자를 현혹하기 위해 허위로 게시하는 매물. 중고차, 부동산 거래에서 만연한 상행위로, 구매 의향자의 방문을 유도한 후 실제로는 다른 매물을 판매하기 위해 일종의 미끼로 올리는 매물이다. 대개는 터무니없이 좋은 조건의 매물이다. '허위매물', '미끼매물'이라고도 한다.

난닝구 [명] 러닝셔츠. 흰색 면으로 된 상의 내의를 말한다. 홍콩 영

난닝구

화배우 장국영이 영화 〈아비정전〉 (1990년)에서 이것을 입은 채 '마리아 엘레나'(Maria Elena)라는 음악에 맞춰 맘보 춤을 추는 장면이 유명하다.

남미 명 '남자에 미친 아이'를 줄인 말. 대응하는 말로 '여자에 미친 아이'란 의미의 '여미'가 있다.

남사친 명 '남자 사람 친구'를 줄인 말. 애인이 아니라 단지 남성이고 사람인 친구라는 뜻이다. 주로 여성 입장에서, 애인 사이는 아니지만 보통 이상으로 친한 관계를 지칭할 때 이 말을 쓴다. 남성 입장에서 상대가 여성인 경우 '여사친'이라고 한다. ¶ 초6입니다. 제가 좋아하는 남사친이 있는데 어떻게 고백해야 쪽팔리지 않을까요?

남소 명 남자 소개. 누군가에게 사귀어 볼 만한 남성을 소개해 주는 것.

남주 명 남자 주인공. 만화, 애니메이션, 영화, 드라마 등의 남자 주인공을 뜻한다. 여자 주인공은 '여주'라고 칭한다. ¶ 님들, 남주 멋진 애니 추천 좀.

남초 명 남성+초과. 어떠한 집단 내에 여성보다 남성의 수가 훨씬 많아 성비가 불균형한 상태를 가리키는 말. 인터넷상에서 대표적인 남초 커뮤니티로는 디시인사이드, 루리웹, 아이러브사커, 일간베스트, MLB

파크, SLR클럽, 보배드림 등이 있다.

남[여]친돌 몡 남자[여자] 친구 삼고 싶은 아이돌. 함부로 다가갈 수 없는 카리스마보다는 마치 남자[여자] 친구처럼 친근감이 느껴지는 아이돌이다. ¶ 내가 뽑은 완소 남친돌 베스트 5.

남캐 몡 남자 캐릭터. 게임, 만화, 드라마, 영화 등에 등장하는 남성 캐릭터를 말한다.

남푠 몡 기혼 여성 커뮤니티에서 남편을 부르는 애칭. ¶ 남푠, 3천 원만 주세염!

남혐 몡 남성 혐오. 인터넷상에서 뚜렷한 경향성을 보이는 여혐(여성 혐오)에 비해 그 실체가 불분명했으나, 2015년 이후 여혐을 패러디한 인터넷 게시물들이 남혐 논쟁을 일으킨 이후 표면화되었다. 일부에서는 그것이 성차별적 발언을 한 사람에게 거울을 비추듯 그대로 돌려주는 '미러링 스피치'(mirroring speech)이며, 발화자를 각성시키기 위한 것으로 남성들의 여성 혐오 행태와는 다르다고 주장하나 양자가 다를 바 없다는 견해도 상당하다.

낫닝겐 몡 낫(not)+닝겐(にんげん). 인간의 수준과 한계를 넘어선 뛰어난 능력을 가졌거나 외모가 뛰어나게 아름다운 사람을 가리키는 말. 그들을 향한 감탄사로 쓰이기도 한다. 닝겐은 일본어로 '인간'이란 뜻. ¶ 원빈, 레알 낫닝겐.

낮버밤반 몡 '낮에는 버럭하고 밤에는 반성한다'를 줄인 말. 낮에는 칭얼대는 아이에게 버럭 화를 내지만, 밤이 되면 자신이 왜 그랬는지 반성한다는 뜻으로 육아와 관련지어 쓰이는 말이다.

낮이밤저 몡 낮엔 이기고 밤에는 지는 사람. 평소에는 자기 뜻대로 데이트를 주도하다가 성관계를 할 때는 상대에게 순종적인 사람을 가리키는 말.

낮져밤이 몡 낮엔 지고 밤에는 이기는 사람. 평소에는 상대에게 모든 것을 맞춰 주다가 성관계에서는 군림하고 싶어 하는 취향을 가진 사람. 즉, 늘 매너 있는 사람이지만 침대에선 야수같이 돌변하는 유형이다.

내공냠냠 몡 질문을 올리면 다른 이용자들이 답변을 해 주는 네이버 지식iN 서비스에서, 답글을 달았을 때 얻는 '내공' 점수만을 노리고 질문과 무관한 답변을 달고 사라지는 행위를 뜻한다. '낚시글'(제목과는 전혀 무관한 내용으로 남을 속이기 위한 글)의 일종.

내로남불 몡 '내가 하면 로맨스, 남이 하면 불륜'을 줄인 말. 세상만사를 자신을 중심에 두고 이기적으로 사고하는 부류에 대한 비난이 담긴 표현이다. 똑같은 행동이라도 남이 할 때는 욕먹어 마땅하지만 자신이 할 때는 정당한 행동, 적어도 정상 참작할 만한 일로 여기는 것을 말한다. 갑남을녀의 일상생활에서도 흔히 볼 수 있으나 한국 사회에서 가장 뻔뻔한 내로남불 현상은 정치권에서 벌어진다. 처한 상황에 따라 입장이 정반대로 바뀌는 일이 다반사로 일어나는데, 가령 자신들의 거리 투쟁은 구국의 결단이나 상대의 같은 행위는 불법 집회라는 식이다. 여당이 야당 되고 야당이 여당 되었을 때, 특정 사안에 대한 당론이 표변하는 것도 전형적인 내로남불 현상이다. 상대에 대한 존중과 배려심이 없는 사회에서 이는 거의 일상에 가깝다. ¶ "어제 내가 하던 걸, 오늘 남이 한다고 거품을 문다. 여야가 따로 없고 좌우가 동색(同色)인 내로남불이다." ─ 〈중앙일보〉 칼럼, 2017년 9월 27일.

냄비 몡 어떤 사회문제가 터졌을 땐 들끓는 듯한 반응을 보이다가 금방 사그라드는 여론을 쉽게 끓고 식는 냄비에 빗대 비꼬는 말. 이런 성향을 냄비 근성이라고 한다. 국민성이라기보다는 문제를 구조적으로 보고 해결 방안을 찾는 데 소홀한 언론과 정책 당국의 무책임 탓이 크다.

냄져 몡 남자(男子)를 비하하는 말. '남자'라는 단어보다 음습한 어감을 갖는데, 실제로 남자를 부정적으로 묘사하거나 비꼬고 싶을 때 이 말을 쓴다. ¶ 저는 냄져 패는 게 취미죠.

냉녹 몡 차가운(冷) 녹차. 반대말은 '뜨녹'(뜨거운 녹차).

냉둥 몡 차가운(冷) 둥굴레차. 반대말은 '뜨둥'(뜨거운 둥굴레차).

냉무 몡 내용+무(無). 아무런 내용이 없는 게시물. 제목만으로 의사 전달이 충분히 가능할 때 게시글 제목에 '냉무'라는 표현을 달아 준다.

냉미녀 몡 차갑고 도도한 분위기를 풍기는 미녀. 앙증맞거나 귀여운 인상이 아니라 도시적인 세련미를 발산하는 무표정의 미인이다. 타고난 사람도 있지만 화장이나 머리 손질 등 스타일링을 통해 이런 인상을 연출할 수 있다. 영화, 드라마, 소설, 만화 등에서 매력적인 '여주'(여주인공)로 냉미녀 캐릭터가 드물지 않은데 가령, 이토 준지 만화의 토미에 캐릭터를 예로 들 수 있다.

냉유 [명] 내용+유(有). 내용이 있는 게시물. 제목만 있는 '냉무' 게시물과는 달리 글이나 사진 등 본문에 내용이 있으니 확인해 보라는 뜻을 담고 있다.

냉파 [명] 냉장고 파먹기. 냉장고에 남아 있는 식재료를 남김없이 먹어 치우는 것. 장 보는 횟수와 외식을 줄이기 위해 냉장고에 쌓아 둔 식재료를 최대한 활용하는 행위다. 냉동실 구석에 방치되어 있는 만두와 고기를 비롯해 채소, 밑반찬 등을 하나하나 꺼내 몇 끼 식사를 해결하는 식이다. 경기 침체와 소득 저하에 대응하기 위한 가계의 한 방편이라는 측면에서 2016년 초 언론에서 화제가 된 말.

냥 [명] '고양이'를 귀엽게 줄여 이르는 말. ¶ 생후 2개월 된 냥 분양합니다.

냥무룩 [명] 고양이가 시무룩한 표정을 짓는 것. 즉 '고양이'를 뜻하는 '냥'과 '시무룩'의 합성 조어로 여러 상황에서 고양이가 보여 주는 기운 없는 표정이나 행동을 일컫는 용어다. 개가 짓는 시무룩한 표정은 '개무룩' 혹은 '멍무룩'이라고 한다.

냥빨 [명] 고양이 목욕. 고양이를 씻기는 것. 마찬가지로 개를 씻기는 것을 '멍빨'이라 한다. ¶ 오늘 봄맞이 냥빨하는 날.

냥스타그램 [명] 냥+인스타그램(Instagram). 사진 중심의 SNS 인스타그램에 업로드하는 고양이 사진 혹은 고양이 사진으로 도배한 계정을 말한다. 주로 '#' 기호를 붙여 해시태그로 사용된다.

냥줍 [명] 보호자가 없는 길 고양이를 집으로 데려오는 행위. 고양이를 이르는 '냥'에 동사 '줍다'의 '줍'을 합성한 말이다. 떠돌이 고양이 또는 방치된 새끼 길 고양이를 집으로 데려오거나, 다친 고양이를 구조하는 행위를 말한다. 간혹 새끼 고양이의 귀여움에 눈이 멀어 어미 고양이가 빤히 있는데도 데려오는 악습이 발생하기도 한다. 유명한 냥줍 사례 중 하나가 문화 평론가 진중권의 냥줍과 SNS 양육 일지 건이다. ¶ 벌써 네 번째, 습관성 냥줍인가 봐요.

냥집사 [명] 고양이와 동거하며 시

중을 드는 인간을 가리키는 말. 어디까지나 도도한 고양이가 상전이고 고양이의 수발을 드는 쪽은 사람이라는 의미다. ¶ 깔끔 떠는 냥이, 냥집사는 모래 고민 중.

너곧나 [명] '너의 마음이 곧 나의 마음'을 줄인 말. 상대방의 의견에 동감을 표하는 것. 한마디로 '네 말에 동의한다'는 뜻이다. ¶ A: 헉, 벌써 배고프다. B: 너곧나… 피자 콜?

너드 [명] 영어로 'nerd'(너드; 멍청이, 괴짜). 명석하지만 사회성이 조금 떨어지며 주로 과학기술과 관련한 자기 관심사에 빠져 사는 사람을 가리키는 말. 한국에서는 흔히 '모범생', '공대생' 정도의 뉘앙스를 가지며, 뿔테 안경을 쓰고 체크 남방을 입은 차림새로 형상화되는 경향이 있다.

너말니친 [명] 소셜 데이팅 애플리케이션 '너말고 니친구'의 애칭. 셀카 사진을 공유하는 서비스로 사용자는 자신의 얼굴 사진을 찍어 올리거나 마음에 드는 사용자의 얼굴을 선택할 수 있다.

넌씨눈 [명] '넌 씨발 눈치도 없냐?'를 줄인 말. 분위기나 상황 파악을 못 하는 눈치 없는 사람을 가리키는 표현. 비속어가 포함된 축약어이지만 이 용어가 점차 확산됨에 따라 단어가 가진 본래의 저속함이 상당 부분 희석된 상태다. 흔히 '답정너'(답은 정해져 있고 너는 대답만 하면 돼)와 대구를 이루어 회자되는 경우가 많은데, 가령 '답정너'를 퇴치하려면 '넌씨눈'으로 대응하면 된다는 식이다. ¶ 걸(girl)들을 속터지게 만드는 넌씨눈 남친들.

넌치 [명] 나이트(night)와 런치(lunch)의 합성어. 즉 night+lunch=nunch. 밤에 먹는 늦은 식사를 가리킨다. 흔히 '야식'이라 부르던 것을 대체하는 영어식 표현이다.

넘사벽 [명] '넘을 수 없는 4차원의 벽'을 줄인 말. 어떤 둘 혹은 그 이상의 능력이나 품질 등을 견주어 볼 때, 서로 비교할 수도 없을 정도로 격차가 큰 경우를 뜻한다. ¶ 너와 나 사이의 넘사벽.

네가지 [명] '싹수'의 다른 말로 흔히 쓰이는 '싸가지'를 또 한 번 변형한 표현으로, '싸'(4)를 '네'로 바꾼 것. 격한 어감을 순화하는 한편 왠지 귀여운 느낌을 주는 말이다. ¶ 이거 왜 이래, 나 네가지 있는 사람이야.

네다바이 [명] 남을 절묘하게 속여

금품을 갈취하는 것. 일본어 ねたばい(네다바이)에서 온 말이다. 그럴듯한 각본을 준비하고 접근해 돈을 받아 달아나는 범죄로, 편의점에 불쑥 들어가 아르바이트생에게 '주인과 잘 아는 사이인데 방금 지갑을 잃어버렸어. 차비 5,000원만 빌려주게' 하고 속이는 것 따위다. 범죄 및 수사 분야에서 널리 쓰이며 '사기'라는 말로 순화할 수 있다.

네다풍 몡 '네, 다음 풍성'을 줄인 말로 당신은 탈모가 아니고 오히려 머리숱이 풍성한 편이라는 뜻. 인터넷 탈모인 커뮤니티에서 쓰는 말로, 탈모인 입장에서는 부러워할 만한 머리 사진을 올리고 자신이 탈모인지 아닌지 연이어 물어보는 것에 대한 어떤 이용자의 댓글에서 유래한 표현이다.

네똥기 몡 '네놈은 그냥 하루하루 똥 만드는 기계일 뿐이지'를 줄여 이르는 말. 김성모의 만화 〈스터프 166km〉 속 대사에서 유래했다. 잉여, 루저와 비슷한 뜻으로 쓰인다.

네임드 몡 named(유명한). 널리 이름이 알려진 사용자 혹은 특정한 사건으로 관련 커뮤니티에서 유명해진 사람을 일컫는다. 비슷한 말로 레전드(legend; 전설), 레전설(레전드+전설; 더욱 전설적인 것 또는 사람) 등이 있다.

네타 몡 ① 스포일러(작품 내용을 누설하는 행위)를 뜻하는 일본어 ネタバレ(네타바레)의 준말. ¶ 다음 글은 네타성이 짙으므로 주의하시오. ② 소설책이나 만화책 따위를 무단으로 스캔하여 엮은 스캔본을 일컫는 말. 아직 번역본이 출시되지 않은 경우 애호가들이 내용을 번역·스캔해 웹에 올리는 경우가 꽤 있다.

넵 깝 문자 대화에서 '네'를 뜻하는 표현으로 관용적으로 굳어진 말. 상대방의 말을 오해 없이 완전히 이해했다고 반응할 때 쓴다. 일반적인 '네'보다는 확신의 어감이 강하고, 일련의 대화를 마무리할 때 쓰기 좋은 표현이어서 흔히 사용하는 말이 되었다. 한국의 문자메시지 생태계에서 가장 흔한 표현 중 하나. ¶ A: 무슨 말인지 알아들었지? B: 넵!!

넵병 몡 업무와 관련된 문자 대화에서 '넵'으로 답할 수밖에 없는 직장인 등이 앓는 병. 시도 때도 없이 당도하는 상사 혹은 클라이언트의 문자메시지에 '넵'으로 응대해야 하는 이들의 애환이 담긴 표현이다.

넷상연애 명 실제로 만나지 않고 인터넷에서만 연인 관계로 맺어지는 것. 얼굴은 프로필 사진으로만 보고 모바일 메신저 등을 이용해 실제 연인처럼 고백하고 사귀는 관계다.

넷상일진 명 사이버 공간에서만 허세와 과시를 일삼는 부류. 현실에서는 궁색하지만 인터넷 커뮤니티에서 종횡무진하며 전지전능한 것처럼 행세하는 사람이다.

넷심 명 인터넷에서 활동하는 사람을 뜻하는 네티즌(netizen)의 여론. 젊은 층의 미디어였던 과거와 달리 이제는 거의 전 국민이 인터넷 이용자인 상황이므로 넷심은 민심(民心)이나 다름없다.

넷카마 명 온라인 게임이나 커뮤니티 게시판에서 여성의 흉내를 내는 남성 이용자를 가리킨다. 인터넷 여장 남자를 뜻하는 일본어 ネカマ(네카마)에서 유래했다.

넷화력 명 인터넷+화력(火力). 인터넷 공간에서의 기세(氣勢)를 뜻한다. 가령 특정 동호회나 팬클럽의 회원들이 유난히 열성적으로 의견 표명이 활발해 인터넷 여론을 좌지우지할 때, 이를 두고 넷화력이 높다고 한다. 현실에서의 그것과 항상 비례하는 것은 아니다.

노관심 명 노(no)+관심. '관심 없음'이라는 뜻이다. 듣는 사람의 입장에선 매우 얄밉게 느껴지는 말이다. 비슷한 표현으로 '안중에도 없다'는 뜻의 '아웃오브안중'과 그것의 준말인 '아오안'이 있다.

노답 명 노(no)+답. 답이 나오지 않는 답답한 상황 또는 그러한 사람을 가리키는 말. 노답의 강조형으로 '핵노답' 혹은 '개노답'이라는 표현을 쓸 수 있다. ¶ 너 남친 정말 노답이다, 헤어져.

노대딩 명 노(老)+대딩(대학생). 노땅 대학생, 즉 나이 든 대학생을 말한다. 취업 등을 이유로 졸업을 유예하고 학교에 남아 있는 대학생이다.

노땅 명 나이가 많은 사람. 늙은이를 부르는 말이다. 실제 노인뿐만 아니라 유행이나 감각에 뒤진 사람, 자기 나이보다 유난히 나이 들어 보이는 사람을 노땅이라 부르기도 한다.

노땅체 명 ① 인터넷 게시글에서 노땅(늙은이)이 쓴 것처럼 보이는 특징의 문체. 일반의 인식과는 동떨어진 수구적인 시각 외에도 사투리와 비속어가 뒤섞인 문장, 근엄하고 단정적인 표현이 특징이다. ② 물결무늬(~), 느낌표(!) 등 문장부호를 남발하고 비속어가 뒤섞인 짧은 문장을 특징으로 하는 문체. "썎…벌놈… 에라…이 카아악…퉤…!" 같은 문체. 한편, 연예인 임창정이 한 커뮤니티 사이트에 올리는 글은 노땅체의 특성을 고루 갖고 있으나 악의가 없고 정감 있어 '휴먼노땅체' 혹은 '아재체'로 불리기도 한다.

노상관 명 노(no)+상관. '상관하지 않음'이라는 뜻. ¶ 우리 팀이 아니니까 누가 우승하든 걍 노상관.

노상까다 동 노상(路上)에서 술을 마시다. ¶ 편의점 앞에서 노상 깔래?

노쇼 명 노쇼(no-show). 예약을 해 놓고, 연락도 없이 정해진 시간에 나타나지 않는 것. 항공, 철도, 호텔, 외식 업계 등에서 쓰는 용어.

노슬아치 명 노인+벼슬아치. 나이 많은 것이 벼슬인 양 사람들을 함부로 대하고 초면에도 반말을 하는 등 무례를 일삼는 노인을 멸시하는 표현. 그 전형으로 꼽히는 것이 지하철이나 시내버스에서 "요즘 젊은

것들은 말이야…" 하는 식으로 언성을 높이며 자리 양보를 강요하는 장면이다. 배려심이 없고, 공중도덕과 예의를 무시하는 것도 이들의 주요 특성이다. 일부 노인들에 대한 반감이 누적되어 생성된 표현으로, 한국의 세대 갈등을 상징하는 조어 중 하나다.

노오력 명 '노력'(努力)을 비꼬는 말. 개인의 성취가 재능이나 열의만이 아니라 사회구조에 크게 좌우되는 현실에 눈감고 모든 문제를 개인의 노력 부족으로 치부하는 기성세대를 조롱하기 위한 표현이다. 보통 가운데 음절인 '오'를 길게 늘이는 형태로 표현하는데, 가령 "그건 너의 노오오오오력이 부족하기 때문이지" 식이다. 2015년 박근혜 대통령이 "나라가 발전하고, 국민이 편안하게 살기 위한 노력을 계속하다가 대통령까지 됐다"며, "정말 간절하게 원하면 온 우주가 나서서 도와준다"라고 말한 것이 계기가 되어 SNS에서 널리 퍼졌다. ¶ 네 키가 작은 건 정자일 때부터 온 우주가 감동할 만큼 노오오오오력하지 않았기 때문이지.

노이해 명 노(no)+이해. '이해가 되지 않음'이라는 뜻. ¶ 네 남친은 왜 자꾸 여사친이랑 둘이서만 밥을 먹

냐, 진심 노이해.

노잼 [명] 노(no)+재미. 어떤 상황이나 대상이 매우 재미없다는 단호한 선언일 때가 많다. 어떤 논쟁에서 상대의 문제 제기나 반박을 차단하는 말로 사용된다. '개—'나 '썹—', '핵—'과 같은 강조형 접두사와 결합해 개노잼, 썹노잼, 핵노잼 등으로도 자주 쓰인다. ¶ 나이는 먹고 돈은 없고, 인생이 노잼이에요.

노털 [명] 늙은 남자. 표준어는 '노틀'이라고 알려져 있으나 흔히 노털이라 쓴다. ¶ "트위터에서 제게 씨라는 호칭 붙이시는 분들, 조심하세요, 한순간에 노털 되십니다." — 이외수 트위터, 2011년 9월 25일.

노티바 [명] '노티피케이션 바'(notification bar)를 줄인 말. 스마트폰 화면 상단의 알림 메시지가 표시되는 영역을 가리킨다.

노페 [명] 아웃도어 브랜드 노스페이스(The North Face)를 줄여 이르는 말. 일반적으로 해당 브랜드의 오리털 패딩 제품을 일컫는다. 2010년대 초반 10대 청소년들이 부모의 등골을 휘게 만들 정도로 값비싼 패딩 점퍼를 즐겨 입는다며 논란이 되었는데, 이때 '등골브레이커'로 주로 지목당한 브랜드가 노스페이스다. ¶ 재는 고딩 땐 노페만 입더니 대학 와서 과잠(학과 잠바)을 끼고 사네.

노푸 [명] 노(no)+샴푸. 머리를 감을 때 샴푸를 사용하지 않고 물로만 감는 것을 말한다. 두발 건강 혹은 환경적인 이유로 노푸를 하는 사람들이 많아졌는데, 대개는 물로만 감거나 천연 재료인 베이킹 소다를 푼 물로 감는다. 노푸 초기에는 비듬이 생기고 기름기가 도는 등의 부작용이 있으나 꾸준히 지속하면 모발이 튼튼해져 머리 빠짐이 현저히 줄어드는 등의 이점이 있다고 한다.

논망 [관] 입시 은어로 '논술 시험에 망했다'는 뜻.

놀키충 [관] '놀래키기(놀라게 하기)에 충분하다'를 줄인 말. 10대 사이에서 자주 쓰인다.

놀터 [명] 기혼 여성 인터넷 커뮤니티 이용자들이 '놀이터'를 귀엽게 줄여 부르는 것.

놀토 [명] 노는 토요일. 초등학교와 중학교가 휴교하는 둘째, 넷째 토요일을 가리킨다. 반대로 쉬지 않는(학교에 가야 하는) 토요일을 '갈토'

라고 부른다.

놈코어 [명] 노멀(normal)+하드코어(hardcore). 평범한 아이템들을 이용해 편안하고 자연스러운 멋을 추구하는 패션 스타일을 말한다.

뇌섹남 [명] 뇌가 섹시한 남자. 팝아티스트 낸시랭이 "뇌가 섹시하고 인류애가 있는 남자가 이상형"이라고 SNS를 통해 밝힌 데서 유래했다. 확고한 자기주장과 지성, 논리적 설득력을 갖춘 남자들을 가리키며, 외모나 배경이 아니라 생각과 태도가 타인에게 어필하는 유형이다. 사고의 깊이 외에 통념을 뒤집어 세상을 거꾸로 볼 수 있는 능력과 유머 감각 등이 뇌섹남에게 요구되는 자질이다. 2014년 전후를 기점으로 대중매체를 통해 이 말이 널리 확산되면서, 본래의 의미보다는 지적인 면모가 돋보이는 남자 연예인을 지칭하는 용어로 남용되는 추세다. 가령 추리 게임에서 의외로 문제를 능숙히 푸는 연예인이 뇌섹남으로 불리는 식이다.

뇌순남 [명] 뇌가 순수한 남자. 뇌섹남(뇌가 섹시한 남자)에서 파생한 말이며 TV 예능 프로그램이 퍼뜨린 용어다. 세태에 맞지 않게 모든 면에서 순진하고 어리숙한 유형을 가리킨다. 여성형은 '뇌순녀'(뇌가 순수한 여자).

뇌피셜 [명] 뇌(腦)+오피셜(official). 충분한 조사나 취재 없이 자신의 머리에서 나온 생각 혹은 추정을 공식적인 사실인 것처럼 포장해 주장하는 행위. 온라인상에서 근거 없는 주장을 그럴듯하게 꾸미는 것을 지적할 때 쓰는 말이다. 주변에서 주워들은 것을 전하는 '카더라'와 비슷하나, 조금 더 그럴듯하고 논리적이어서 주의하지 않으면 사실로 오인하는 경우가 많다. 사실에 근거하지 않은 추측성 언론 기사를 비난할 때 이 말을 흔히 쓴다.

누물보 [관] '누구 물어보신 분?'을 줄인 말. 관심 없거나 뜬금없는 내용을 접했을 경우 그것을 비꼬거나, 자신이 올린 게시글이 별 시답지 않은 내용임을 미리 주지시킬 때 이 말을 쓴다.

눈갱 [명] 불쾌하거나 괴로운 사진을 봐서 눈이 공격당하는 것. '안구테러'와 유사한 뜻을 가진 말이며, 못 볼 걸 봤을 때 이 말을 쓴다. 파생어에는 '불쾌한 소리를 들어서 귀가 공격당하는 것'이라는 뜻의 '귀갱'이 있다. ¶ 제 사진인데요… 눈갱 죄송합니다.

눈덕 몡 아이돌 팬 문화 용어 중 하나로, 오프라인 행사에서 눈으로만 아이돌을 보고 좋아하는 팬. 즉, 눈으로 덕질을 하는 팬이다. 전문 장비로 무장하고 사진을 촬영하는 찍덕과 구별하기 위한 용어.

눈물크리 몡 '눈물'과 '크리티컬'(critical)의 합성어. 너무 슬퍼 눈물이 멈추지 않고 주룩주룩 흐르는 상황을 말한다. '폭풍눈물'과 유사한 말이다. 여기서 크리티컬은 '비판적인'이 아니라 게임 용어로 '크리티컬 대미지'(critical damage), 즉 '치명타' 정도의 의미를 갖는다. 이것이 네티즌 사이에 널리 퍼지면서, 일상의 다양한 상황에서 자신에게 치명적인 영향을 주는 상황을 '―크리'라는 접미사를 붙여 표현하게 되었다. ¶ 중3이라고 엄마가 쌍수(쌍꺼풀 성형수술)를 안 시켜 줌… 눈물크리.

눈새 몡 눈치 없는 새끼. 분위기 파악을 제대로 하지 못하고 엉뚱한 말이나 행동을 하여 빈축을 사는 사람을 가리킨다. 비슷한 말로 '넌 씨발 눈치도 없냐?'를 줄인 '넌씨눈'이 있다.

눈팅 몡 특정 커뮤니티에서 게시물을 올리거나 댓글을 쓰는 직접적인 활동은 하지 않고 눈으로 보기만 하는 행위. ¶ 눈팅하다가 답답해서 글 남긴다.

눈호강 몡 대상이 아름답거나 무척 멋있어서 보고 있으면 눈이 행복해지는 것을 이르는 표현. 비슷한 표현으로 목소리나 음악, 소리 등을 듣기만 해도 행복해지는 것을 '귀호강'이라 한다. ¶ 트와이스 온다는데 눈호강 + 귀호강 장난 아닐 듯.

눕 몡 눕는 것. 또는 누워 있는 모습. 동사 '눕다'를 축약한 형태로 여러 상황에서 쓸 수 있는데, 가령 눕화보(인물이 누워 있는 모습을 찍은 사진), 눕 셀카(누워서 셀카를 찍은 것), 눕순이(눕는 것을 좋아하는 여자), 눕 댄스(누운 상태에서 춤을 추는 것) 등이다. 눕을 한 번 더 반복해 '눕눕'이라 쓰는 경우도 흔하다. ¶ 열세 시간째 눕눕 중.

눕짤 몡 무엇이 누워 있는 모습을 담은 이미지. 사람이 누워 있는 사진이 가장 많지만 개나 고양이 같은 반려동물, 게임이나 만화의 캐릭터, 인형 따위도 흔하다.

늪운 몡 폭동. 글자를 뒤집으면 읽을 수 있다. #야민정음

눕짤

뉘예뉘예 ㉙ 극도의 귀찮음을 담아 '네, 네'라고 말하는 것. 눈이 풀리고 입꼬리가 처진 특유의 표정을 한 캐릭터의 '짤'(이미지 파일)로 유명하다. ¶ 뉘예뉘예 알겠쥬니다.

뉘예뉘예

뉴비 ㉇ 뉴비(newbie). 영어로 '초보자'라는 뜻. 온라인에서는 특정 커뮤니티를 시작한 지 얼마 되지 않은 신참을 가리킨다.

늅 ㉇ '뉴비'(신참)의 준말. ¶ 뉴비는 늅늅 하고 웁니다.

一느님 ㉤ 경탄할 만한 활약을 하거나 성과를 내는 사람 혹은 직위에 붙이는 접미사. '하느님'에서 유래했다. 종류를 가리지 않고 숭배하는 대상에 붙여 부르기도 한다. 예를 들어 탁월한 의술을 선보이는 의사를 가리켜 '의느님'이라 부르고, 언제 어디서나 은혜로움을 선사하는 음식인 치킨을 '치느님'이라고 부르는 식이다. 그 외 바른 매너와 성실성으로 칭찬이 자자한 개그맨 유재석을 '유느님'이라고 하는 등 유명인을 높여 부르는 경우도 많다.

늘공 ㉇ '늘 공무원인 사람'을 줄인 말. 고시 등 자격시험 출신의 직업 공무원을 말한다. 반대로 '어쩌다 공무원이 된 사람'을 줄인 말인 '어공'은 민간 출신의 공무원을 가리킨다. 비슷한 말이 '진공'(眞公)과 '별공'(別公)인데, 전자는 공무원 시험을 거친 '진짜' 공무원, 후자는 일시적인 필요에 따라 선발된 '별정직' 공무원을 뜻한다. ¶ '경력 개방형 직위제'가 공직 사회에 도입됨에 따라 어공이 성과를 낼 경우 늘공이 될 수 있는 길이 열렸다.

능력자 [명] 보통 사람이 갖기 힘든 뛰어난 능력을 지닌 사람, 혹은 나이에 비해 대단한 성취를 거둔 사람을 가리키는 말.

니디티 [명] '섹스'의 다른 말. 컴퓨터 키보드의 한글 모드 상태에서 'sex'를 입력하면 'ㄴㄷㅌ'가 되는데, 여기에 각각 모음 'ㅣ'를 붙인 것이다. 출산 장려 시민 단체를 운영 중인 H 씨가 섹스를 터부시하는 문화를 돌파하겠다는 의지로 이 단어를 만들어 한국저작권위원회에 등록했다.

니마이 [명] 매사 진지하고 열심인 사람을 이르는 용어. 양아치 또는 삼류를 뜻하는 '삼마이'라는 표현이 일본 가부키 대본에서 세 번째 순번에 등장하는, 우스개 연기를 하는 단역배우인 '산마이메'(三枚目; さんまいめ)에서 유래한 것처럼, '니마이'는 두 번째 순번에 등장하는 남자 주연배우에서 연유했다. 영화판에서는 여전히 '주연급 연기자'를 이르는 말로 쓰인다. ¶ "너는 너무 니마이야. PD는 적당히 삼마이여야지." — KBS 드라마 〈프로듀사〉(2015년) 중에서

니뮤 [명] 인터넷상에서 상대방을 칭할 때 쓰는 2인칭 대명사 '님'을 귀엽게 쓴 것. ¶ 니뮤니뮤 짐 머해연?

닉변 [명] 닉네임 변경. 커뮤니티 사이트의 활동명인 닉네임을 다른 것으로 바꾸는 행위를 가리킨다.

닉언일치 [명] 커뮤니티 게시판에서 어떤 사용자의 닉네임과 그가 작성한 글의 내용이 하나로 들어맞아 웃음을 유발하는 상황. 가령 '부엉이'라는 닉네임을 쓰는 사람이 허구한 날 야심한 시간에 산책 이야기만 올리는 식이다. 말과 행동이 일치한다는 뜻의 '언행일치'를 패러디한 말이다.

닌따 [명] 닌텐도 왕따. 초등학생들 사이에서 닌텐도 게임기를 갖고 있지 않다는 이유로 따돌림을 당하는 것을 가리킨다. 2000년대 중반 닌텐도 DS가 공전의 히트를 기록하면서 생긴 표현이다.

님선 [명] 온라인 게임에서 상대방에게 먼저(先) 하라고 권하는 것.

닝겐 [명] 일본어로 '인간'(にんげ

ん)이라는 뜻. "무개념 닝겐이네", "(고양이에게) 너한테 난 그저 밥 주는 닝겐이니?", "공깃밥 하나로는 배가 차지 않는 나란 닝겐" 하는 식으로 쓴다. 사람을 뜻하는 말이지만 약간 자조하거나 깔보는 듯한 뉘앙스가 있다. 한편 '낫닝겐'은 '낫'(not)과 '닝겐'의 합성어로, 대개 인간의 수준을 뛰어넘는 엄청난 재능이나 외모를 가진 이를 말한다.

닝바닝 [명] '닝겐 바이 닝겐'을 줄인 표현으로 '사람마다 다르다'는 뜻. 닝겐은 일본어로 '인간'(にんげん)을 말한다. '개별적으로', '사례별로'라는 뜻의 영어 숙어 'case by case'에서 파생되었다. 비슷한 말로 '사람 바이(by) 사람'을 줄인 '사바사'가 있다.

다

다굴 명 다수가 하나의 대상을 동시에 공격하는 것. '뭇매'를 뜻하는 뒷골목 은어인 '다구리'의 준말 형태다. ¶ 다굴에는 장사 없다.

다나까체 명 군대에서 사용하는 '─ㅂ니다' 혹은 '─ㅂ니까?'로 종결되는 말투. 일부 대학 내 학과나 동아리에서는 선후배 사이에 이와 같은 말투를 사용하길 강요하며 군대 문화라는 악폐를 답습하고 있다. ¶ 선배: 다나까 미사용 시 전원 집합이다. 후배: (속으로) 좆까….

다엿 명 '다이어트'의 준말. ¶ 다엿 5일 만에 3kg 쪘는데 왜죠?

닥공 관 ① 닥치고 공격. 축구의 전술 중 하나로 쉴 틈 없는 공격 일변도의 축구를 말한다. ② 닥치고 공부. 취미 생활, 교우 관계, 정서 함양을 멀리하고 공부만 하는 것을 말한다. 특별히 고등학생의 경우에는 고닥공(고등학생은 닥치고 공부)이라 한다. ¶ 중3이면 닥공만 해야 하나요? 어차피 몇 달 후에 고닥공인데.

닥돌 관 닥치고 돌격. 주로 FPS(1인칭 슈팅 게임)류의 온라인 게임에서 무작정 적진으로 돌진하는 행위를 말한다. 비슷한 말로 개같이 돌진하는 것을 뜻하는 '개돌'이 있다.

닥복 관 닥치고 복습. 온라인 커뮤니티 게시판에서 이루어지는 대화나 떡밥(이야깃거리)의 맥락에 대해 남에게 묻지 말고 이전 게시물을 읽으며 스스로 학습하라는 뜻이다. ¶ 닥복하고 오시오.

닥본사 관 닥치고 본방 사수. TV 프로그램을 본방송 시간에 시청하는 것. IPTV 등을 통해 나중에 다시 보기를 하는 것이 아니라, 본방송 시에 실시간으로 시청하는 것을 말한다. ¶ 본방 사수 열기 후끈, 지성 나오면 무조건 닥본사!

단짠단짠 명 달고 짠 음식. 하나의 식문화 트렌드로서 달면서도 짠 자극적 풍미의 음식을 평할 때 쓰는 말이다.

단콘 명 단독 콘서트. 아이돌 팬덤 내 용어 중 하나. 비슷한 말로 첫콘(첫째 날 콘서트), 막콘(마지막 날 콘서트), 중콘(중간 날 콘서트) 등이 있다. 단콘이라도 첫콘, 중콘, 막콘의 공연 내용이 조금씩 다를 수 있어 팬들은 이를 매우 예의 주시한다. ¶ 엑소 단콘 때 막콘에서만 신곡 공개한다는데 정말일까?

단풍국 똉 캐나다(Canada). 캐나다 국기의 단풍 무늬에서 유래한 별칭. #나라

단호박 똉 상대의 말에 대해 단호한 태도로 답하는 것. 또는 그러한 사람. 주로 뭔가를 딱 잘라 거절하는 경우에 쓰인다. '단호해서 단호박인 줄'이라는 드립(농담 혹은 패러디)에서 유래했다. ¶ 당신은 어쩜 그렇게 매사에 단호박이야?

달글 똉 여성 회원이 주를 이루는 커뮤니티 '여시'(여성시대) 등에서 특정한 주제에 대해 이야기를 나눌 때 (새 게시글을 추가하는 것이 아니라) 한 게시글에 댓글을 지속적으로 다는 것을 말한다. 이러한 게시글을 가리켜 '불판'이라고 표현하기도 한다.

달리다 똥 ① 커뮤니티 게시판에 연관된 게시글을 계속해서 올리는 행위. 한 사용자가 연속해서 게시글을 쓸 때 이를 '도배하다'라고 표현하기도 한다. ② 밤새워 어떤 것을 계속하다.

달방 똉 달마다 숙박비를 지불하며 모텔이나 여관 등에 장기적으로 투숙하는 것. 장기간 투숙한다고 하여 '장기방'이라고도 한다. ¶ 종로 쪽에서 인터넷 되고, 화장실 딸린 달방 찾습니다.

달빠 똉 일본의 게임 회사 타입문(Type-Moon)을 맹목적으로 좋아하는 팬을 지칭하는 말. 회사 이름에 '문'(Moon)이 포함되어 있어 달빠라 한다. 저연령층이 대다수를 이루는 데다 단지 좋아하는 것을 넘어 특유의 허세로 많은 사람들에게 미움을 사, 달빠라는 표현은 욕이나 다름없이 쓰인다.

닭장차 똉 의경 병력 수송 버스 차창에 철창을 덧댄 모양이 닭장과 비슷해서 붙은 별명이다. 1970년대부터 있던 용어로, 시위하다 붙잡혀 이것에 실려 경찰서로 호송되거나 시 외곽에 격리되는 일이 많았다.

닭질 똉 허사가 되어 버린 일. 혹은 쓸데없는 일을 했을 경우에 이를 가리키는 표현. ¶ 1년간 한 일이 닭질이라니… 한강 가고 싶다.

답정너 꽌 '답은 정해져 있고 너는 대답만 하면 돼'를 줄여 이르는 말. 상대방에게 의견을 구한다고 하면서도 실제로는 어떤 말에도 만족하

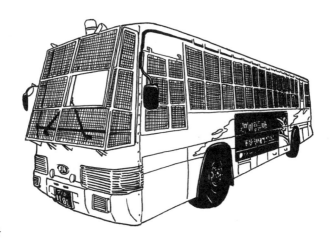

닭장차

지 않고 자신이 원하는 대답만 빙빙 돌려 계속 요구하는 것을 가리킨다. 가령 "아, 짜증 나. 내가 정말 설리 닮았어?"라고 물어볼 때 듣고 싶은 대답은 이미 정해져 있다는 것. 2010년경 이 단어가 퍼질 때에는 자신이 원하는 대답이 나올 때까지 끈질기게 물고 늘어지는 사람(주로 여성)을 조소하는 의미가 있었지만, 점차 한국 사회 전반의 이율배반적인 상황을 가리키는 키워드로 사용되는 경우가 늘고 있다. 예를 들어 언론이 특정 사안에 대해 보도 프레임을 짜 놓은 후에는 이해관계자가 인터뷰를 통해 무슨 말을 하든 기자가 쓰고 싶은 대목만 거두절미하고 발췌해 이용하는 경우다. 정부 정책 결정 과정에서 이미 결론을 내린 상태에서 형식적으로 이뤄지는 공청회, 실태 조사 역시 '답정녀'인 것은 마찬가지다.

당나귀 ⟨관⟩ '당신은 나의 귀염둥이'를 줄인 말.

당므 ⟨명⟩ 다음. 컴퓨터 키보드 한글 자판의 배열 특징상 자주 일어나는 오타를 그대로 차용한 표현. #오타체

당빠 ⟨명⟩ '당근 빠따'를 줄인 말. 너무나 당연하다는 뜻이다. ¶ A: 당신, 나 아직 좋아하긴 하는 거야? B: (5초 후에) 당빠….

당했쩌 ⟨동⟩ '당했어'를 혀 짧은 소리로 우스꽝스럽게 표현한 말. 상황을 가볍게 희화화하는 효과를 가

져온다. ¶ 나 고소 당했쪄, 아이 무셔~

닥써 [명] 다크서클(dark circle). 피로 또는 과로로 인해 눈 밑부분이 그늘져 보이는 현상을 말한다. ¶ 너 닥써가 그게 뭐니, 팬더인 줄….

대2병 [명] 취업 등 미래에 대한 걱정으로 매사에 의욕이 없고 무기력한 감정 상태를 보이는 대학 2학년생의 증상. 중학교 2학년 무렵 사춘기 청소년들의 비장하고 숙연한 감정 상태를 지칭하는 '중2병'에서 갈라져 나온 용어다.

대겹 [명] '대기업'을 줄여 이르는 말. ¶ A: 대겹이랑 공겹(공기업) 중에 어디가 나을까요? B: 중소겹(중소기업)도 좋은 데는 좋죠.

대다나다 [형] '대단하다'를 장난스럽게 표현한 것. 정말 대단해서 대단하다고 하는 것과 대단하지 않은데 비아냥거리는 것, 두 가지의 결이 다른 뉘앙스를 가질 수 있는 말이다. 후자의 경우 영혼을 싣지 않고 멍한 표정으로 읊는 것이 포인트. ¶ 스물세 살 나이 차 극복하고 열애, 대.다.나.다.

대덕 [명] 대놓고 '덕후'(일본 애니메이션, 만화, 게임 등 자기 관심사에 천착하는 사람) 생활을 하는 것. 반대로 주변 사람에게 들키지 않는 덕후 생활은 '숨덕'이라 한다. ¶ 숨덕하다 짜증 나서 대덕하려 합니다. 친구들한테 안 까이려면 어떻게 해야 하나요?

대륙 [명] 중국. 드넓은 영토를 가진 중국에서는 상상할 수 없는 온갖 일들이 벌어진다는 의미에서 유래했다. 거대한 규모와 어처구니없는 완성도가 결합했을 때 해당 상품이나 현상에 대해 "대륙의 기운이 느껴진다"라는 말을 한다. 최근에는 저렴한 가격에도 불구하고 품질이 월등한 중국산 제품들이 기존의 편견을 깨고 있는데, 이를 '대륙의 실수'라고 칭하기도 한다.

대마이 [명] 배짱이나 담력을 가리키는 말. ¶ 너, 대마이 참 세다.

대박 [명] [감] 일반적으로는 도박이나 그에 준하는 활동에서 운 좋게 얻은 큰 이익, 혹은 영화 등의 흥행 산업에서 커다란 성공을 거두는 것을 말한다. 요즘에는 대단함 혹은 놀라움을 표현하는 감탄사로도 세대를 가리지 않고 널리 쓰인다. 공식 석상에서는 2015년 초 박근혜 대통령이 처음으로 이 말을 사용했는데, 신년 기자회견에서 평화통일 기반 구축에 대한 한 기자의 질문에 "통일은 대박이다"라고 답해 장내는 물론 한반도를 술렁이게 만들었다. ¶ A: 먹고 싶은 거 막 시켜. B: 대~박!

대세 [명] 상황의 큰 흐름. "대세(大勢)는 우리 쪽으로 기울었다" 하는 식으로 사용한다. 최근에는 인기를 몰고 다니는 유명인이나 상품 등을 지칭할 때 이 말을 자주 쓴다.

대잉여 [명] 대(大)+잉여. 어떤 상황에도 굴하지 않고 잉여짓(보통 사람들이 쓸데없고 가치 없다고 하는 일)을 할 수 있는 고단수의 잉여를 가리키는 말. '잉여킹'이라고도 한다.

대자연 [명] 여성의 생리 혹은 생리통. 주기를 거르지 않고 찾아오는 생리와 그에 수반되는 괴로움이 피할 수 없는 대자연의 섭리와 같다 하여 붙은 별칭. ¶ 대자연이 방문하셔서 오늘은 좀 쉬어야겠다….

대자연시발 [감] 단 한 번도 거르지 않고 찾아와 괴롭히는 생리통에 대한 분노가 폭발할 때 쓰는 말. ¶ 대자연시발, 생리통 꿰져라ㅠㅠ

대전동아빠 [명] 자녀를 강남구 대치동에 있는 학교에 보내려고 대치동에 전세를 얻은 아빠.

대전살이족 [명] 자녀 교육을 위해 대치동에 전세로 이주한 30~40대.

대존잘 [명] 대(大)+존잘. '존잘' 중의 존잘, 즉 뭔가 우월한 사람 중에서도 최고인 사람을 말한다. 여기서 존잘은 '존나 잘생긴 사람'이라는 일반적인 뜻 외에도 어떤 영역에서 명성이 높은 사람 혹은 존재 자체가 멋진 사람을 뜻한다.

대존좋 [형] 대(大)+존나+좋다. '엄청나게 좋다'라는 뜻을 갖는다. '존좋'(존나 좋다)보다 더 좋다는 것. ¶ 모양은 존좋, 맛은 대존좋!

대포 [명] ① 고성능 망원렌즈. DSLR 카메라에 장착했을 때 대포처럼 생겼다고 하여 붙은 이름이다. 육상경기에서 결승점 주변 스탠드에서 카메라 기자들이 사용하는 렌즈. ¶ 니콘 대포가 좋아요, 캐논 대포가 좋아요? ② 아이돌을 따라다니며 사진을 찍는 팬인 '찍덕' 중에서도 커다란 렌즈가 달린 고성능 카메라를 쓰는 사람을 말한다. ③ 불법으로 타인의 명의를 도용해 만든 통장이나 휴대전화, 자동차. 이를 각각

대포

'대포 통장', '대포 폰', '대포 차'라
한다.

대프리카 명 대구+아프리카. 아프
리카로 착각할 정도의 폭염으로 유
명한 한여름의 대구광역시를 가리
키는 말.

댄공 명 '대한항공'의 준말. 경쟁사
'아시아나항공'의 준말은 '아샤나'.

댈찍 명 아이돌 팬덤 용어로 '대신
찍은 사진' 혹은 '대신 사진을 찍어
주는 사람'. 아이돌의 공항 입출국,
음악 방송 및 공개 방송 출연 길을
비롯해 콘서트, 팬 사인회, 해외 시

상식 등지에서 아이돌 사진을 찍어,
현장에 갈 수 없는 팬들에게 판매한
다. 아이돌의 인기가 높을수록, 사진
찍기 어려울수록 가격이 비싸나 보
통 100장에 3~10만 원 사이에서 거
래된다고 한다.

댓글부대 명 인터넷 댓글을 조직
적으로 작성해 배포하는 집단. 여론
조작을 위해 은밀히 결성하는데 특
히 대통령 선거와 같은 정치적 이슈
가 있는 시즌에 이들이 활동할 개
연성이 커진다. 그 외 정책을 홍보
하기 위해 운영하는 경우도 있다.
2012년 대통령 선거 국면에서 국가
정보원 산하 심리전단 요원들이 편

파적인 댓글 활동을 벌인 것, 2015년 강남구청 공무원들이 서울시를 비방하는 댓글을 무더기로 작성한 것 등이 대표적인 댓글부대 활동 사례다. 2015년 소설가 장강명이 펴낸 책의 제목이기도 하다.

댓글짤 명 글이 아닌 이미지로 다는 댓글. 사진, 캡처 화면, 만화 컷, 일러스트 등을 댓글로 활용하는 것인데, 여러 상황에서 큰 웃음을 주는 경우가 많아 젊은 층에서 선호된다.

댓글학원 명 인터넷 댓글 작성법을 훈련한다고 알려진 가상의 학원. 인터넷에 떠도는 기발한 댓글 작성자를 가리켜 '댓글학원 장학생', '댓글학원 수석 졸업자'라고 농담 삼아 부른다.

댓망진창 명 댓글+엉망진창. 인터넷 게시글에 달린 댓글들이 질서가 없이 중구난방이거나 욕설 또는 인신공격이 난무하는 모습을 이른다. 특정 정치 사안이나 지역감정처럼 입장에 따라 패가 갈리는 영역에서 논란이 될 만한 내용의 댓글이 서로 꼬리를 물면서 이전투구하는 모습은 한국적 댓망진창의 전형이다.

댓삭 명 댓글 삭제. 자신이 쓴 댓글을 삭제하는 행위를 말한다. 보통 자신의 댓글이 문제를 일으켰기 때문으로, 댓삭은 '증거 인멸'의 뉘앙스를 담고 있다.

댓삭튀 관 댓글을 삭제하고 튀는 것. 자신이 썼던 댓글이 스스로에게 불리한 내용을 담고 있어 삭제하고 도망가는 행위. 온라인 물품 거래에서 댓삭튀는 '개매너'로 간주된다.

댕댕이 명 멍멍이, 즉 강아지. 한글 자소의 특성을 이용한 장난식 조어인 일명 야민정음의 하나로, '댕' 자가 언뜻 '멍' 자와 비슷하게 보이는 데서 유래했다. 어감이 멍멍이보다 더 앙증맞고 재미있어 SNS에서 널리 쓰인다. ¶ 댕댕이 용품 세일하는 데 어디 없나요? #야민정음

댕청하다 형 멍청하다. 초성, 중성, 종성으로 이루어지는 한글의 특성을 이용한 언어유희인 야민정음의 하나로 '댕' 자가 '멍' 자와 형태적으로 유사한 것에 착안한 말이다. ¶ 나란 사람, 이렇게 댕청할 수가…. #야민정음

더럽 명 영어 'The Love'(더 러브)를 줄여 발음한 말. 일반적으로 어떤 대상이 사랑스러울 때 쓴다. ¶ 항상 나를 지켜봐 주는 오빠, 더럽.

더티섹시 [명] 흐트러진 차림 혹은 태도가 유발하는 성적 매력. 깔끔하고 단정한 이미지보다는 가령 헝클어진 머리와 거침없는 행동으로 어필하는 유형이다.

덕계못 [관] '덕후는 계를 못 탄다'를 줄인 말. 열심히 덕질을 하지만 정작 자신은 아무 혜택도 없고 엉뚱한 사람들이 이득을 보는 것을 말한다. 예를 들어 덕후들은 아무리 자기 아이돌을 쫓아다녀도 단독 콘서트 티켓을 못 구하는데, 일반인은 티케팅에 잘도 성공하는 상황을 이르는 것. 여기서 '계'(契)는 사람들이 목돈 등을 만들기 위해 모인 조직을 말한다. ¶ 죽치고 있을 때는 안 보이더니 태민이 어제 왔다며… 헐 저 덕계못인가요?

덕국 [명] 독일. 중국에서 독일(도이칠란트)을 한자로 음차한 말(德國)인데 인터넷에서 독일의 별칭 격으로 쓰인다. #나라

덕력 [명] 일본 애니메이션, 만화, 게임 등 자기 관심사에 천착하는 사람인 덕후(오타쿠, 오덕후)가 보유한 갖가지 능력을 말한다. 예를 들면 특정 분야에 대한 해박한 지식과 혜안, 제약에 굴복하지 않고 덕질(자기 관심사를 깊이 탐구하는 일)을 이어 나가는 끈질김 등이다. ¶ 재력이 곧 덕력이다.

덕력고사 [명] 특정 분야나 인물에 대해 얼마나 열광적인 팬인지를 평가하는 시험. 일본어 オタク(오타쿠)를 한국식으로 표현한 '덕후'에 '학력고사'를 합친 말이다. 동일한 관심사를 가진 이들이 각자의 덕력(특정 분야에 대한 관심과 지식의 정도)을 인증하거나 시험하기 위한 일종의 놀이로 덕력고사 문제를 풀거나 출제한다. 팬 사이에서 SNS를 통해 소규모로 이뤄지지만, 이를 브랜드 마케팅에 적용해 관심을 끄는 일도 간혹 있다. 예를 들어 기업이 자사 브랜드와 관련한 몇 가지 퀴즈를 덕력고사라 칭하면서 퍼뜨리는 식이다.

덕밍아웃 [명] 덕후+커밍아웃. 숨겨왔던 덕후(오타쿠, 오덕후)로서의 정체성을 주변 사람들에게 밝히는 것. 그러나 이미 모두가 알고 있는 경우가 빈번하다. 어이없는 실수로 인해 공개되거나 강제적으로 공개되는 경우도 있다.

덕업일치 [명] 덕질(덕후+질)과 생업이 일치하는 것. 덕질에 몰입하다가 급기야 그것을 직업으로 삼는 것을 말한다. 덕중의 덕, 덕질의 끝이

라 불린다. 예를 들어, 피규어에 심취하다가 피규어 전문점을 차리는 것, 치즈에 빠져 지내다가 관련 유학을 다녀온 후 치즈 숍을 운영하는 것, 밀덕(밀리터리 덕후) 생활을 하다 특수부대에 입대하는 것, 철도 등 교통수단 계열에서 덕질을 하다 철도 기관사가 되는 것, '야동'에 빠져 살다가 성인물 전문 출판사를 차리는 것 따위다. 유명한 덕업일치 사례로는 군사 소설가인 톰 클랜시와 영화감독 쿠엔틴 타란티노가 회자되는데, 이들은 자기 분야의 순수한 애호가였다가 어느 순간 직업으로 삼아 세계적인 명성을 얻었다.

덕질 [명] 덕후+질. 어떤 분야에 대해 연구하고 몰입하며 애정을 쏟는 사람인 덕후(오타쿠, 오덕후)의 갖가지 과업을 총칭하는 말. 간단한 연구 행위로부터 특정 상품을 구매하는 행위 전체를 포괄한다. 즉, 덕질은 스스로에게 덕후로서의 정체성을 부여하는 모든 일을 뜻한다. 하고많은 덕질을 반복하다 보면 어느새 좀 더 나은 덕후가 되어 있는 자신을 발견할 수 있다고 한다.

덕통사고 [명] 덕후+교통사고. 예상치 못했던 우연한 계기로 덕후(오타쿠, 오덕후)가 되는 것을 말한다. 교통사고를 당하는 것처럼 대상으로부터 갑작스레 강한 충격을 받기 때문이다. 보통 "덕통사고 당했다"라고 표현한다. 비슷한 말로 덕질에 입문한다는 뜻의 '입덕'이 있다. ¶ 뜬금없는 덕통사고로 숨이 안 쉬어집니다.

덕후 [명] 일본어 オタク(오타쿠)를 한국식으로 표현한 '오덕후'를 줄여 이르는 말. 본래는 일본 만화, 애니메이션, 게임 등의 서브컬처를 광적으로 좋아하고 집착하는 은둔자를 일컫는 말이었으나 특정한 분야에 비상하게 열중하며 천착하는 사람이라는 뜻으로 넓게 쓰이면서 부정적인 함의가 많이 줄고 스스로를 덕후로 칭하는 사람이 늘고 있다. 어느 게임 회사는 신입 사원 모집 공고에서 덕후라는 신분을 평가 기준으로 삼겠다고 공표하기도 했다. '오덕후', '십덕후', '씹덕' 등 다양하게 변형되어 불린다. 분야별 대표적인 덕후로는 밀덕(밀리터리 덕후), 철덕(철도 덕후), 맥덕(맥주 덕후), 냥덕(고양이 덕후) 등이 거론된다.

덮집회의 [명] 누군가가 '더치페이'를 잘못 쓴 것. 많은 사람들의 웃음을 사 일부러 이처럼 틀린 표현을 쓰는 경우가 늘었다. #맞춤법파괴

데꿀멍 [부] '데굴데굴 꿀꿀 멍멍'을

줄여 이르는 말. 용서해 달라고 데굴데굴 구르며 개돼지처럼 애원하는 행위를 말한다. 패배했을 때 아무 말도 할 수 없는 절망적인 상태를 가리키기도 한다. 커뮤니티 사이트 디시인사이드에 게시된 한 사용자의 창작 만화 중 저작권법 위반으로 경찰서에 잡혀간 고딩을 묘사한 컷에서 유래했다.

데이터셔틀 (명) 휴대전화를 사용할 때 필요한 데이터를 상납받거나 주변인의 온라인 게임 아이템 등을 자기 것처럼 쓰는 행위. 신종 학교 폭력의 한 유형이다. 학교 안 매점에서 빵을 사 나르는 것을 이르는 '빵셔틀'이란 말에서 파생된 용어다.

데이터주의 (명) 게시물에 다수의 사진 혹은 영상이 포함되어 있어 데이터 용량을 많이 소모하게 된다는 사실을 미리 경고하는 말. 주로 게시글의 제목에 함께 쓴다. 비슷한 말로 게시물의 내용이 길어 아래로 많이 스크롤해야 함을 경고하는 '스압(스크롤 압박)주의'가 있다.

데테크 (명) 데이터+재테크. 스마트폰의 데이터 이용량이 증가하면서 이를 효율적이고 알뜰하게 사용해 통신비를 절약하고자 하는 행위를 뜻한다.

데헷 (부) 난감하거나 머쓱한 상황에서 벗어나고 싶을 때 내는 소리. 동시에 뒤통수를 긁적이며 귀여운 표정을 지으면 효과가 좋다.

도끼병 (명) 주변 사람들이 한결같이 자신을 찍었다고(좋아한다고) 확신하는 증상. 눈만 마주쳐도 상대방이 자신을 좋아한다고 생각하거나 주위 사람들이 모두 자신을 주목한다고 느끼는 경우 이 병을 의심해 봐야 한다. 스스로 공주나 왕자가 된 것처럼 착각하는 '공주병' 또는 '왕자병'과 비슷하나 다소 협소한 의미로 사용된다. ¶ A: 저 도끼병인 거 같은데, 어떻게 고치죠? B: 나이 들면 자연 치유됩니다.

도랏맨 (명) 머리가 돈 것 같은 사람을 가리키는 말. 또는 정신이 돈 것처럼 매우 웃기거나 황당한 상황에 쓰는 말. ¶ A: 님, 저랑 사귀실? B: 도랏맨?

도르미 (명) "도를 믿으십니까?"라는 말로 접근해 끈질기게 달라붙는 사람. 자신들의 교리를 전파하려는 게 목적이지만, 그 방식이 일방적이고 거부 의사를 밝혀도 쉽게 단념하지 않아 불편을 끼치는 경우가 많다. 항상 둘씩 짝지어 활동하고 특유의 어두운 기운을 뿜으므로 유심히 관찰해 데이터를 축적하면 미리 알고 피할 수 있지만, 쉬운 일은 아니다. '도쟁이'라고도 한다. 비슷한 말에는 '예스미'(예수 믿으라고 권유하는 사람)가 있다.

도배 [명] 커뮤니티 게시판에 어떤 사용자가 같은 내용의 게시물을 반복하여 올리는 행위. 벽지로 벽면을 도배하는 것과 유사하다고 하여 비롯된 말이다.

도장회 [명] 아이돌 멤버들이 팬들이 지참한 CD 사인지에 도장을 찍어 주는 행사. 음반을 구입한 팬들을 대상으로 하는 이벤트여서 아이돌과 팬의 교류를 위한 목적 이외에 음반 판매량을 높이기 위해 벌이는 판촉 행사의 하나로 여겨진다.

도촬 [명] 도둑 촬영. 공공장소에서 여성의 신체 부위를 몰래 촬영하는 범죄행위를 말한다. 일부 성인 커뮤니티를 통해 불법 도촬 사진이 무단으로 유포되어 사회적으로 큰 문제를 일으키고 있다.

독강족 [명] 대학에서 홀로 강의 듣는 사람을 가리키는 말.

독고다이 [명] 패를 이루지 않고 홀로 일을 해 나가며, 주변의 시선에 영향 받지 않고 자신만의 방식대로 사는 사람. 특공대(特攻隊)라는 뜻

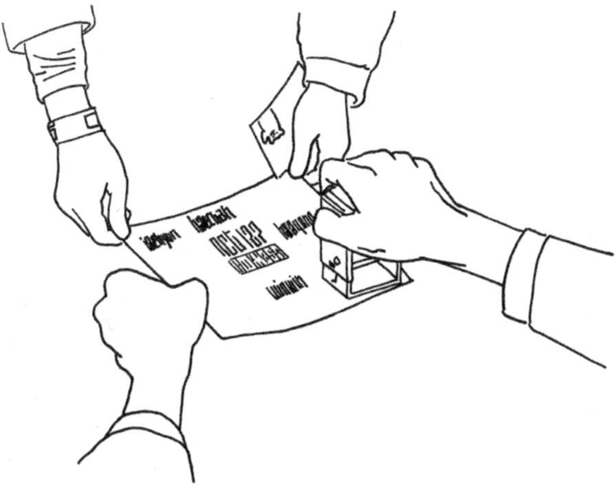

도장회

의 일본어에서 연유한 말이다. '외톨이', '독불장군'과 같은 부정적인 어감이 있지만 세태에 순응하지 않는 자유롭고 독립적인 캐릭터라는 뜻을 가질 때도 많다. ¶ "나는 평생 미련을 갖고 사는 사람 아닙니다. 독고다이는 미련을 갖고 살지 않습니다." — 홍준표 자유한국당 전 대표(2018년 6월 16일 페이스북 댓글 중)

독박육아 [명] 누구의 도움 없이 혼자서 육아를 도맡아 하는 것. 몇 가지 양상이 있으나 대부분은 남편 또는 가족의 조력을 받지 못하고 육아를 전적으로 감내해야 하는 엄마의 처지를 일컫는 말이다. '독박'은 화투 놀이에서 나온 말로 남의 몫까지 혼자 뒤집어쓰는 상황을 뜻한다.

독수리아빠 [명] 외국에 유학 보낸 자녀와 아내가 보고 싶을 때마다 찾아갈 수 있는 경제적 여유를 가진 아버지를 가리키는 말.

독재 [명] 독학 재수. 재수할 때 학원 수업이나 과외를 받지 않고 혼자 입시 공부를 하는 것이다. 자유롭게 학습 목표를 세울 수 있으나 자습을 철저히 할 수 있을 만한 멘탈을 가진 자만이 성공할 수 있다.

독재생 [명] 입시 은어로 독학으로 재수를 준비하는 학생. 독재(독학 재수)는 보통 상위권 학생들이 선택하는 재수 방법으로 자기 주도 학습에 어느 정도 자신이 있어야 효과가 높다.

독재학원 [명] 독재생, 즉 독학으로 재수를 준비하는 학생을 대상으로 하는 학원. 자습을 중심으로 하지만 학습 시간 및 진도를 관리해 준다.

돈성 [명] 한국 프로야구 구단 삼성 라이온즈가 막대한 자본을 바탕으로 2000년대 초 다른 구단의 선수들을 대거 영입하자 팬들이 붙인 별칭. ¶ 어감이 좋은데 이참에 모기업도 돈성전자로 개명하는 게 어떨지.

돋다 [동] ① 놀라서 소름이 돋다. ② 속에 있는 것이 겉으로 나오다. 혹은 어떤 감정 따위가 생겨나다. 온라인에서 쓰는 용례의 대부분이 여기에 해당하는데, 대표적인 표현에는 '추억 돋다', '감성 돋다', '케미 돋다' 등이 있다.

돌 [명] [접] 아이돌(idol)의 준말. 대중으로부터 열광적인 지지를 받아 우상처럼 떠받들어지는 인기인을 뜻하나, 한국에서는 젊은 층이 열광하는 10대에서 20대 초반의 가수 및 가수 그룹을 말하는 경우가 많다. '-돌'의 형태로 접미사 삼아 쓰이는 경우도 상당히 많은데, 아이돌의 개성과 주요 활동 영역을 가리키는 경우가 대부분이다. 대표적인 예를 들면, 남[여]친돌(남자[여자] 친구 삼고 싶은 아이돌), 애완돌(귀엽고 앙증맞은 아이돌), 짐승돌(터프하고 거친 매력의 아이돌), 연기돌(연기력이 탁월한 아이돌), 예능돌(예능감이 탁월한 아이돌), 개그돌(개그감이 탁월한 아이돌), 체육돌(체력과 운동 신경이 탁월한 아이돌) 등이다.

돌싱 [명] 돌아온 싱글. 결혼했다가 이혼하여 다시 독신이 된 사람을 가리킨다. 이혼율이 증가하면서 이혼을 수치스럽게 여기는 사고방식이 희석됨에 따라 사회적으로 친근해진 말이다. 방송에서도 자주 쓰이는데, 돌싱 관련 예능 프로그램이 상당수 제작되는 것도 큰 원인이 된다.

돌직구 [명] 부당하거나 부적절한 상황을 거리낌 없이 지적하는 것, 혹은 반박할 수 없을 정도로 신랄하게 비판하는 것을 비유적으로 나타낸 말. 때에 따라 상대의 요구에 단호하게 거절 의사를 밝히는 행위를 가리키기도 한다. 야구 선수 오승환이 '칠 수 있으면 쳐 봐' 하는 식으로 타자를 향해 내던지는 직구처럼, 어떤 것이든 거두절미하고 자신의 의사를 직설적으로 표현하는 것을 말한다. ¶ 울 엄마, 느닷없이 결혼 언제 하냐고 몸 쪽 묵직한 돌직구.

돌취생 [명] 돌아온 취업 준비생. 다니던 회사를 그만두고 다시 취업 전선에 뛰어든 사람을 가리킨다. 중소기업에 다니다 한계를 느끼고 퇴사해 대기업이나 공무원 입사를 준비하는 이들의 비중이 높다.

동공지진 [명] 동공이 마구 흔들리는 상태. 치명적으로 아름다운 사람이나 사물을 봤을 때, 혹은 당혹스러운 순간을 맞닥뜨렸을 때 나타나는 현상이다. ¶ 새로 생긴 빵집에서 갓 구운 빵을 보자마자 동공지진.

동굴남[녀] [명] 집에서 나오지 않고 은둔 생활을 하는 남성[여성]. 방에 틀어박혀 살아가는 젊은이를 일컫는 '히키코모리'(引きこもり)와 비슷한 말이다.

동아리고시 [명] 취업에 도움이 되어 인기 있는 동아리에 가입하려는 과정이 국가고시처럼 어렵고 복잡하다는 것을 비꼬는 말.

동인 [명] 본래 '같은 뜻 혹은 취미로 뭉친 사람들의 모임'을 뜻하는 말이었는데, 인터넷 서브컬처 문화에서는 '오타쿠'나 '후조시'(남성 간 동성애를 그린 소설이나 만화를 좋아하는 여성) 층에서 특히 만화, 애니메이션 등을 즐기고, 그리는 것을 좋아하여 그러한 활동을 함께하는 사람들의 모임이라는 한정적인 뜻으로 통용된다.

동인녀 [명] '동인' 활동을 하는 여성. BL(Boys' Love; 게이 로맨스 소설)이나 GL(Girls' Love; 레즈비언 로맨스 소설) 같은 장르의 2차창작(기존의 만화, 애니메이션, 게임 등의 등장인물을 새롭게 짝지어 만든 창작물)에서부터 팬픽(Fan Fiction; 자기가 좋아하는 연예인을 등장시켜 쓰는 소설), 코스프레 등 다양한 활동을 하는 여성을 말한다.

동인지 [명] 같은 '동인'에서 활동하는 사람들이 하나의 주제로 만화를 그린 것을 엮어 회지 형태로 만든 일종의 잡지. 인터넷 서브컬처 문화 안에서 쓰는 용어다.

돼지엄마 [명] 학원생들을 유치하면서 강사 혹은 학원을 쥐락펴락하는 학부모를 가리키는 말. 그 꼴이 꼭 새끼 돼지들을 이리저리 끌고 다니는 모습과 비슷하다고 하여 비롯된 말이다. 학원가를 좌지우지하는 사교육계의 숨은 강자로, 막강한 정보력과 인맥을 바탕으로 고액의 과외 팀을 짜는 등의 활동을 한다.

된장녀 [명] 서구적인 소비생활을 하고 사치품을 좋아하지만 경제력이 없어 부모나 남성에게 의존하는 한국 여성을 일컫는 말. 2005년부터 널리 확산된 용어다. 고급 레스토랑을 가야 하고, 명품 지갑을 가져야 하며, 비싼 커피를 마셔야 한다고 생각하는 허영심에 도취된 젊은 여성을 지칭하는 용어로 출발했으나, 시간이 지나면서 한국 남성들이 생각할 수 있는 부정적인 여성상을 포괄하는 말로 그 의미와 대상이 확대됐다. '김치녀'라는 말이 나오기 이전에 한국 사회의 여성 비하 정서를 응축하는 대표적인 단어로 쓰였다.

될놈될 [관] '될 놈은 뭘 해도 된다'를 줄여 이르는 말. 반대로 '안될안'은 '안 될 놈은 뭘 해도 안 된다'는 뜻이다. 이 두 용어를 결합해 '될놈될 안될안'의 형태로 주로 쓰이며, 성공할 만한 사람은 따로 있다는 자포자기의 뜻을 수반한다. ¶ 예술 분야는 특히 될놈될 안될안이다. 될

놈은 언젠가는 되고, 안 될 놈은 뭘 해도 안 된다.

두글자 [명] 레즈비언의 성향 중 부치(butch; 남성 외모의 레즈비언)를 일컫는 말.

두둠칫 [부] 매우 흥에 겨워 내뱉는 소리 혹은 몸의 리듬. '두둠칫'을 나타내는 이모티콘이 유명하다.

```
두둠칫
  ＼＼ ∧_∧
     ＼( 'ㅅ' ) 두둠칫
        〉  ⌒ヽ
       /   へ＼
      /   /  ＼＼
     レ ノ      ヽ_つ
    / /
   / /|
  (  (ヽ 두둠칫
  |  |、＼
  | 丿 ＼⌒)
  ||    ) /
 ノ )    L/ 두둠칫
```

두린이 [명] 두산+어린이. 프로야구 구단 두산 베어스의 어린이 팬을 말한다. ¶ 중계 화면에 두린이들 정말 많이 잡히네요.

두부마왕 [명] 인터넷 게시판 DB(data base) 접속 오류를 가리킨다. DB를 '두부'라고 부르는 것. ¶ 2017년 12월 10일 19시 20분, 두부마왕께서 강림하셨다.

뒷담화 [명] 어떤 사람 혹은 그와 관련된 상황에 대해 그 사람이 없는 자리에서 험담하는 것. 담화(談話)를 남들이 안 보는 뒤(後)에서 한다는 뜻.

듄아일체 [명] 입시에서 정시 전형에 합격하려면 EBS(교육방송) 교재와 한 몸이 되어 공부해야 한다는 뜻. '듄'은 EBS를 한글 자판으로 치면 나오는 글자다. 수능 시험과 EBS 교재의 연계율이 매우 높기 때문에 정시 전형을 목표로 하려면 EBS 교재를 집중적으로 파야 하는 환경에서 나온 말이다. ¶ A: 우리 이제 고3이니까 듄아일체해야지? B: 난 벌써 닥듄공(닥치고 EBS 교재 공부)인데?

드루와 [동] '들어와'라는 뜻. 모두 상대해 줄 테니 덤빌 테면 덤벼 보라는 의미다. 2015년 개봉한 영화 〈신세계〉에서 정청(황정민 분)의 대사가 유행어가 된 것이다. ¶ 선플, 악플 다 괜찮아, 드루와 드루와.

드립 [명] 주로 인터넷상에서 유행

하는 농담 혹은 패러디, 또는 무릎을 탁 치게 하는 기발한 생각을 일컫는다. 연극이나 영화에서의 즉흥 대사를 뜻하는 애드리브(ad-lib)에서 유래했다. 어떤 드립이 유행하기 시작하면 커뮤니티 안에서 빠른 속도로 확대재생산되는 경향이 있다. 따라서 드립은 방언처럼 인터넷상의 활동 영역을 드러내기도 한다. 재치 있는 드립을 축적할수록 '네임드'(특정 커뮤니티에서 유명한 사용자)에 가까워진다.

드콘 [명] 드림콘서트의 준말. 한국연예제작자협회 주최로 1995년에 시작된 공연이며 매년 봄 각 소속사의 가수들이 함께 여는 콘서트다. 합동 콘서트라는 점에서 단콘(단독 콘서트)과 다르다. ¶ 올해는 드콘, 단콘 다 갈 수 있어. 요런 게 햄복(행복)이징~

득템 [명] 득(得)+아이템. 어떤 좋은 물건을 우연히 구입하거나 얻게 된 경우를 뜻한다.

듣보잡 [명] 듣도 보도 못한 잡것. 온라인 커뮤니티에서 갑자기 툭 튀어나와 유난을 떠는 낯선 이를 지칭하는 말. 최근에는 그 용례가 확장되어 별로 알려지지 않은 인물이나 조직, 상품 등 모든 대상을 가리켜 쓰는 경우가 크게 늘었다. 대상을 폄하하는 뉘앙스가 있지만 그 정도는 약한 편이다. ¶ 듣보잡 걸 그룹이 대세가 되기까지.

등골브레이커 [명] 부모의 등골을 휘게 하는 것을 넘어 부술 정도로 경제적 부담을 안기는 중고생. 혹은 그런 상황을 유발하는 상품을 가리킨다. 특히 '등골 패딩', '노페'(아웃도어 브랜드 노스페이스) 등으로 불리는 두꺼운 패딩 점퍼를 말한다.

등골탑 [명] 부모의 등골을 빼서 세운 건물이라는 뜻으로, 오늘날의 대학을 가리킨다. 너무 비싼 등록금 때문에 자녀를 졸업시키려면 부모가 등골이 휘도록 고생해야 한다는 의미다. 한때 상아탑이라고 불렸던 대학은 우골탑(부모가 자녀의 학비를 마련하려고 내다 판 소의 유골로 세운 건물)을 거쳐 등골탑으로 불리기에 이르렀다.

등도남(녀) [명] 등산화를 신은 도시의 남성[여성].

등업 [명] 등급 업그레이드. 인터넷 커뮤니티의 등급제 회원 관리 시스템은 등급별로 활동 범위가 제한된다. 따라서 특정 등급의 게시판을 이용하기 위해서는 관리자로부터 등급 심의를 거쳐야 한다.

디스 [명] 힙합(hiphop) 문화에서 특정 상대를 비방하는 랩을 일컫는다. 존중하고 존경하는 것을 흔히 '리스펙트'(respect)한다고 하는데, 그와 반대의 의미에서 쓰이는 'disrespect'로부터 파생된 말이다. 누군가의 '디스'에 대항하는 것을 가리켜 '맞디스'라는 표현을 쓴다. 최근에는 특정한 상대를 비판하거나 비난하는 행위 전반에 '디스하다'라는 표현을 사용하기도 한다.

디싱 [명] 디지털 싱글(digital single). 물리적인 음반이 아닌 음원 배포 형식으로 발표하는 싱글을 말한다. 싱글이란 일반적인 정규 음반처럼 10여 곡을 실은 것이 아니라, 수록곡이 최소 한 곡 이상이되 보통 서너 곡을 넘지 않는 음반이다. ¶ 디싱 시대에 왜 정규 앨범을 냈죠?

딜리버리 [명] 딜리버리(delivery). 영어로 '배달', '전달'이라는 뜻. 힙합에서는 가사 전달력을 말한다. 비트에 맞춰 랩 가사를 듣는 사람들에게 명료하게 전달하는 기술이다. 그것을 잘하는 경우 '딜리버리가 좋다', 반대의 경우 '딜리버리에 문제가 있다' 하는 식으로 표현한다. 힙합 뮤지션이 갖춰야 할 중요한 자질이다.

딥빡 [명] 딥(deep)+빡침. 심연에서부터 끓어오른 분노가 터지는 것을 말한다. ¶ 글쓴이의 딥빡이 고스란히 느껴진다.

딥톡 [명] 딥(deep)+토크(talk). 상대방과 정서적인 교감을 나누는 깊은 대화를 말한다.

따도남(녀) [명] 따뜻한 도시 남자[여자]. 냉정하고 도도한 도시 남자[여자]를 뜻하는 '차도남'[녀]에 대비되는 말이다.

따봉충 [명] 대표적인 SNS 페이스북(Facebook) 사용자 중 '좋아요'를 받기 위해 사력을 다하는 사람. '좋아요' 버튼이 엄지를 추켜세운 모양인 것에서 유래했다.

따아 [명] 카페 메뉴 중에서 가장 흔한 '따뜻한 아메리카노'를 줄인 말. 아메리카노는 에스프레소에 물을 넣어 마시는 커피로 뜨거운 물을 넣을 경우 '따아' 혹은 '뜨아'(뜨거운 아메리카노), 얼음을 넣어 차갑게 만든 것을 '아아'(아이스 아메리카노) 혹은 '차아'(차가운 아메리카노)라 한다. 따아는 차가운 아메리카노보다 500원 정도 저렴하다.

딸램 (명) '딸래미'를 줄여 이르는 말. 반대말은 '아들램'(아들래미).

딸바보 (명) 딸을 유난히 아끼는 아빠를 이르는 말. 딸밖에 모르는 바보란 뜻이다. '아들바보'란 말도 있지만 사용 빈도는 딸바보에 현저히 못 미친다. ¶ 딸바보 아빠가 수학여행까지 동행… 흠좀무(흠, 좀 무섭군).

때튀 (동) 때리고 튀다. 주로 온라인 게임에서 몬스터를 공격하고 도망가는 행위를 뜻한다.

떡 (명) 섹스. '치다'와 결합하여 '섹스하다'의 뜻으로 사용된다. 떡메질을 할 때 나는 소리가 성행위 시 살이 부딪히는 소리와 유사한 데서 나온 말로 보인다.

떡검 (명) '떡값을 받아먹은 검찰'을 줄인 말. 대기업이나 스폰서로부터 정기적으로 일정한 금품을 수수해 온 검사 집단을 조롱하는 표현이다.

떡밥 (명) 논쟁을 불러일으킬 만한 주제 혹은 이야깃거리. '낚시글'에서 파생된 말이다. 낚싯바늘에 물려 물고기를 유인하는 떡밥처럼 해당 게시판에서 이목을 끌 만한, 반복해서 올라오는 몇 가지 화제를 의미한다. '낚시성'(거짓으로 남을 속이는 성질)이 없더라도 결과적으로 사용자들의 관심을 모으면 떡밥으로 불린다. 작품에서 작가가 펼쳐 놓은 흥미로운 복선을 가리키기도 한다. ¶ 떡밥 던진 사람은 어디 갔나요?

떡실신 (명) 실신(失身)하여 몸을 가누지 못하고 떡처럼 퍼져 녹초가 된 상태. '실신'을 강조하는 표현이다. 비속어적 어감이 여전히 있으나 대중매체에서 널리 쓰이면서 누구나 큰 부담 없이 사용할 수 있는 표현으로 받아들여지는 추세다. 여러 상황에서 쓸 수 있는데, 가령 온라인 게임이나 스포츠 경기에서 압도적으로 패배하여 망연자실한 상태, 종합 격투기 경기에서 상대에게 타격당해 기절 상태가 되는 것, 술 혹은 피로에 절어 몸을 가누지 못하는 상황 등을 말한다. 고양이, 개, 사자 등 동물들의 경우에도 이 말을 쓴다.

떨 (명) 대마초(마리화나)를 이르는 은어. ¶ 저 언니 떨 한 것 같다.

떨공삼 (관) 야구 용어로 '떨어지는 공에 삼진'이란 뜻. 스트라이크 존으로 들어오다가 타석 앞에서 떨어지는 공에 속아 삼진을 당하는 경우가 많은데 이를 이르는 말이다. 선

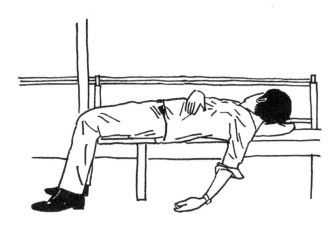

떡실신

구안이 나쁘거나 낮은 공에 유난히 약한 타자들이 당하는 삼진의 대부분이 떨공삼이다. ¶ 걔는 다 좋은데 몸 쪽 떨공삼이 쥐약이야.

떼빙 몡 떼를 이루면서 드라이빙을 하는 것. 즉, 그룹 드라이빙으로 자동차, 오토바이, 자전거 등을 탈 때 여러 명이 무리지어 주행하는 것을 말한다. 관련 동호회 회원들이 주행을 할 때 흔히 볼 수 있다.

떼창 몡 어떤 노래를 떼로 제창하는 행위를 가리키는 말. 록 밴드 및 아이돌 콘서트 등 대중음악 공연에서 가수의 노래를 집단적으로 따라 부르는 행위를 뜻한다. 가수와 관객이 혼연일체가 되어 분위기가 매우 고양된다. ¶ 걸 그룹 위문 공연에서 장병들, 감동의 떼창.

또라이 몡 약간 돈 것 같은 사람. 정신이나 행동이 비정상적일 정도로 독특한 사람을 이르는 말. 대체로 욕처럼 쓰지만 맥락에 따라 의미가 달라지는데, 독특한 정신세계의 소유자 혹은 대세를 거스르며 혼자만의 길을 가는 사람을 일컫기도 한다. 1970년대부터 쓰인 표현이다. ¶ 이렇게 당하고도 가만히 있으면 걍 또라이 되는 거다. ¶ 우리나라는 스티브 잡스 같은 진정한 또라이가 없는 게 문제다.

똑딱이 몡 소형 자동카메라. 다른 부가 기능 없이 셔터만 누르면 되는 카메라다. 필름 카메라 시절부터 소형 자동카메라를 지칭하는 용어로 쓰였다.

똘끼 [명] '또라이'(약간 돈 것 같은 사람)와 '기'(氣)를 합쳐 줄인 말. 일반적으로 또라이스러운 성격, 즉 약간 맛이 간 것 같은 성질 따위를 지칭한다. 또라이라는 단어와 마찬가지로 욕일 수도, 칭찬이 될 수도 있는 말이다. ¶ 편집장님은 술 마시면 똘끼 나와요. 실성해서 가관…. ¶ 뭔가 해 보자, 똘끼 충만한 놈들 다 모여서.

똥군기 [명] 조직의 서열과 규칙을 강요하거나 그것을 위해 여러 형태로 신체적, 정신적 위해를 가하는 행태를 경멸조로 칭하는 말. 단체 기합, 음주 강요, 구타, 폭언, 따돌림 따위가 똥군기의 대표적인 양상이다. 그 연원으로 대한민국 사회의 뿌리 깊은 집단주의와 서열주의가 거론된다.

똥글 [명] 나쁜 글. 누군가 쓴 글을 욕할 때 이런 표현을 쓴다. ¶ 똥글 싸고 도망간 놈 누구세요?

똥루었어 [동] 또울었어. 컴퓨터 키보드 한글 자판의 배열 특징상 자주 발생하는 오타를 차용한 표현. #오타체

똥쳐눈 [관] 똥을 쳐(처)발라도 예쁜 눈. 이미 예쁘게 생겼기 때문에 화장을 어떻게 해도 예뻐 보이는 눈을 가리킨다. ¶ 똥쳐눈이 아닌 나와 언니들을 위한 메이크업 팁~

똥치 [명] 똥꼬 치마. 엉덩이가 보일 정도로 짧은 치마.

똥캐 [명] 똥 캐릭터. 주로 온라인 게임에서 능력치가 좋지 않고 발전 가능성이 없는 캐릭터를 가리킨다. 현실의 무능력한 사람에게도 적용 가능하다. 비슷한 말로 '망한 캐릭터'를 줄인 '망캐'가 있다.

뙇 [부] 어떤 것이 어디서 뚝 떨어진 듯 갑자기 나타났을 때 쓰는 의성어. ¶ 방문을 열었는데 아빠가 뙇!!!!!

뚜맞 [동] '뚜드려 맞다'(두드려 맞다)를 줄인 말. 학생들이 주로 쓴다. ¶ A: 문신하면 엄마한테 혼날까? B: 선(先) 타투, 후(後) 뚜맞.

뚜쥬 [명] 베이커리 체인 '뚜레쥬르'를 줄인 말. 뚜쥬의 경쟁사는 '빠바'(파리바게트)이다.

뚠뚜니 몡 '뚱뚱이'를 앙증맞게 표현한 말. ¶ 오늘도 뚠뚜니들 모였구나. 다이어트 술래잡기할까?

뚱빠 몡 '뚱뚱한 바나나우유'를 줄인 말. 뚱뚱한 단지처럼 생긴 모 회사의 바나나 우유를 말한다.

뚱빠

뜨둥 몡 뜨거운 둥굴레차.

뜨아 깜 인터넷상에서 주로 사용하는 표현으로, 놀라운 일을 당했을 때 쓰는 감탄사. 몡 뜨거운 아메리카노. 아메리카노는 에스프레소에 물을 넣어 마시는 커피로 뜨거운 물을 넣을 경우 '뜨아' 혹은 '따아'(따뜻한 아메리카노), 얼음을 넣어 차갑게 만든 것을 '차아'(차가운 아메리카노) 혹은 '아아'(아이스 아메리카노)라 한다.

띵작 몡 명작. 초성, 중성, 종성으로 이루어지는 한글의 특성을 이용한 언어유희인 야민정음의 하나로 '띵' 자가 '명' 자와 형태적으로 유사한 것에 착안한 말. 마찬가지로 '명언'은 '띵언'이고 '명곡'은 '띵곡'이다. ¶ A: 명작이 띵작이면 박명수는 박띵수? B: 역시 띵석해! #야민정음

라

라노벨 [명] 라이트+노벨. 경소설이라 일컫기도 하는 '라이트 노벨'을 줄인 말이다. 일본 하위문화에서 출발한 문학의 한 갈래로 주로 로맨스, 미스터리, 판타지, 공포 등을 내용으로 하고, 텍스트 외에 일러스트가 큰 비중을 갖는 출판 장르다.

라노벨

라이딩 [명] riding. 자전거나 오토바이 등을 타고 주행하는 행위를 가리키는 말. 기혼 여성 커뮤니티에서는 자녀를 학교나 학원에 차로 태워 주는 행위를 뜻하는 표현으로 쓰인다.

라톡스 [명] ① 라식+보톡스. 미용을 목적으로 라식 수술과 보톡스 시술을 병행하는 경우. ② 라면+보톡스. 간밤에 라면을 먹고 자서 얼굴이 부어 있는 상태를 말한다. ¶ 얼굴이 왜 그래? 라톡스?

락부심 [명] 락(rock; 록)+자부심. 록 음악을 즐겨 듣고 깊이 알고 있다는 데에 자부심을 가진 나머지 이에 대해 잘 모르는 사람들을 무시하고 깔보는 것, 또는 다른 장르 음악을 터무니없이 저평가하는 것. 주로 동사 '부리다'와 결합하여 '락부심 부린다'의 꼴로 쓰인다. 이러한 사람은 인터넷 댓글 등을 통해 "록과 메탈 빼고는 음악도 아니다", "본 조비는 상업주의에 투항한 사이비다" 따위의 발언을 하고 다닌다. '락꼰대'라고도 한다.

락찔이 [명] 락(rock; 록)+찌질이. 록 음악에 대한 자부심이 지나쳐 다른 장르의 음악을 깎아내리는 사람을 비난하는 표현이다.

락페 [명] '락(rock; 록) 페스티벌'을 줄인 말. 야외에 대형 가설무대를 설치해 여러 밴드가 연속해 공연하는 형태의 축제다.

랑구 [명] '신랑'을 귀엽게 부르는

말. 기혼 여성 중심의 인터넷 커뮤니티에서 자주 쓰인다.

랜선연애 [명] 현실이 아닌 온라인상의 연애. 실제로 만나지는 않고 인터넷과 문자메시지에 의존하는 연애다. '넷상연애'라고도 한다. '랜'은 근거리 통신망(Local Area Network)의 앞 글자를 딴 'LAN'을 지칭한다. 그러므로 '랜선'은 컴퓨터를 인터넷에 연결하는 전선이란 뜻. ¶ 랜선연애라도 해 보고 싶다.

랜선이모 [명] 온라인 공간에서 맺어지는 인간관계 중 하나로 자신의 친조카가 아님에도 블로그, SNS를 통해 아이의 모습을 따뜻한 눈으로 지켜보고 응원하는 가상의 이모를 말한다.

랜선회초리질 [명] 온라인 공간에서 호되게 질책하거나 엄하게 잘못을 추궁하는 것. 얼굴을 맞대는 상황이 아니어서 사회적 관계에 구애받지 않지만 동시에 다른 의견에 휩쓸리기 쉽다는 특성이 있다.

—러 [접] —er. 영어에서 유래한 표현으로 '~하는 사람'의 뜻을 더하는 접미사. 글 쓰는 사람을 가리켜 '글러', 그림 그리는 사람을 가리켜 '그림러', 갤러리 활동을 하는 사람을 가리켜 '갤러'라고 하는 식으로 무수히 많은 파생어가 있다. 이것이 확장되어 슬플러(슬퍼하는 사람)나 노잼러(재미없는 사람)처럼 감정이나 상태 뒤에 붙어 그러한 사람을 뜻하는 말로도 쓰이고, 강남러(강남에 사는 사람), 흑석러(흑석동에 사는 사람)처럼 어떤 지역에 사는 사람을 뜻하는 말로 쓰이는 경우도 있다. ¶ 서울러가 뉴요커보다 좋은 점은?

—레기 [접] 어떤 직업군이나 사물을 '쓰레기'에 비유하는 접미사. 조회 수를 유도할 목적으로 쓸데없는 기사를 쓰는 기자를 '기레기'라는 말로 부르는 식이다. 그 외에도 목레기(목사+쓰레기), 의레기(국회의원+쓰레기) 등의 표현이 흔히 쓰이는데, 모두 그 직업군에 대한 강한 혐오감을 담는다. 삼레기(삼성+쓰레기), 모토레기(모토로라+쓰레기)처럼 특정 기업이나 브랜드를 지칭하는 경우도 있고 특정 인물을 비난하는 표현으로 사용하는 예도 있다.

레알 [명] [부] '진짜', '진짜로'라는 뜻. '진짜의'라는 뜻의 영어 real을 끊어 읽는 동시에, 스페인의 명문 프로 축구 구단인 레알 마드리드(Real Madrid)의 발음 및 '최고'라는 상징적 의미를 가져와 생겨난 표현으로 알려져 있다. '이거 진짜 정 말이다'라는 뜻으로 상대의 말에 격한 동의를 표하는 '이거 레알'(ㅇㄱㄹㅇ)이라는 말이 여기서 파생됐다. ¶ A: 레알? B: 레알 레알.

레어 몡 rare. 구하기 쉽지 않은 희귀한 어떤 것을 가리킨다. 온라인 게임에서 낮은 확률로 얻을 수 있는 아이템을 레어 아이템이라 통칭하던 데서 파생된 말이다. '레어템'(rare+item)이라고 부르기도 한다.

레전설 몡 레전드(legend)+전설. 보통의 '전설'보다 훨씬 더 '전설'로 남을 만한 사건 혹은 사람을 뜻한다. 같은 뜻을 가진 영어 표현과 한국어 표현을 결합하여 하나의 단어로 나타내는 인터넷 특유의 병맛(논리적이지 않고 어이없으나 자유로운) 코드 표현법. '전설의 레전드'라고 부르기도 한다.

렉 몡 lag. 접속 문제로 화면이 끊기거나 멈추는 현상을 가리키는 말. 주로 동사 '걸리다'와 결합하여 쓰인다.

로긴 몡 다중 사용자 시스템을 이용하기 위해 컴퓨터에 사용자임을 알리는 '로그인'(log-in)을 줄여

부르는 말.

로다주 몡 영화 〈아이언맨〉으로 유명한 할리우드 배우 로버트 다우니 주니어(Robert Downey Jr.)의 애칭. 중년임에도 유머와 익살, 귀여운 허세, 긍정적인 에너지를 발산하는 매력의 소유자다. ¶ A: 세상에서 제일 귀여운 아저씨는? B: 웃으며 윙크하는 로다주.

로리 몡 만화, 애니메이션, 게임 등에 등장하는 앳된 얼굴의 소녀 캐릭터 혹은 그런 외모의 사람을 뜻하는 말. 나이를 구체적으로 한정 짓는 경우도 있으나, 대체로 10대 이하의 범위를 가리킨다.

로리콘 몡 '롤리타콤플렉스'(Lolita complex)를 줄여 말하는 일본식 표현. 만화, 애니메이션, 게임 등에 등장하는 어린 소녀나 동안의 여성 캐릭터를 특별히 좋아하는 것, 또는 그런 취향의 사람을 일컫는 말. 블라디미르 나보코프의 소설 《롤리타》에 등장하는 소녀 캐릭터에서 유래했다.

로맨스진상 몡 유흥업소 여성 종사자에게 진지한 로맨스를 기대하고 접근하는 남성 손님을 여성 종사자가 부르는 말. 여성은 비즈니스로

대했을 뿐이나 모종의 감정을 느껴 사적으로 연락하는 등의 접촉을 시도하고, 특별한 만남을 강권하는 따위의 추태를 일삼는 사람으로 유흥업소 여성들이 가장 경계하는 유형 중 하나다. 줄여서 '로진'이라 한다.

로코 [명] 로맨틱 코미디. 영화, 드라마의 장르 중 하나로 남녀 주인공이 서로에 대한 오해로 많은 시행착오를 겪지만 난관을 극복하고 결국 결합하게 된다는 줄거리를 담는다. 두 남녀가 서로를 좋아한다는 점, 그리고 그들의 연애 과정이 유쾌하고 희극적으로 다뤄진다는 공통점이 있다.

로코남주 [명] '로맨틱 코미디 남자 주인공'을 줄인 말.

로코여주 [명] '로맨틱 코미디 여자 주인공'을 줄인 말.

롤 [명] LOL. 미국의 라이엇 게임즈사가 출시한 온라인 게임 '리그 오브 레전드'(League Of Legend)를 줄인 말. ¶ 한국산 게임이 롤에서 뭘 배워야 할까?

롯리 [명] 패스트푸드 체인점 '롯데리아'를 줄인 말.

롯백 [명] 백화점 체인 '롯데백화점'을 줄인 말. 경쟁 백화점에는 신백(신세계백화점)과 현백(현대백화점)이 있다.

롱디 [명] 롱 디스턴스(long distance). 일반적으로 멀리 떨어져 있는 두 사람 간의 연애를 지칭한다. 다양한 파생어가 있는데, '롱디 커플'은 장거리 연애 중인 커플, '해외 롱디'는 한 사람이 외국에 있는 장거리 연애다. 롱디연애에서는 의사소통의 주요 도구가 인터넷과 스마트폰이어서 이를 둘러싼 다양한 유형의 풍속도가 나타나고 있다. 가령, 스마트폰 영상통화를 통해 같이 밥 먹고, 텔레비전을 시청하며, 잠도 같이 자는 것 등이다.

루킹삼진 [명] 야구 용어로, 투 스트라이크 이후 투수가 던진 공이 스트라이크존을 통과하는데도 스윙하지 못하고 공만 쳐다보다가 당하는 삼진을 말한다. 타자에게 헛스윙 삼진보다 더 심한 굴욕감을 안겨 준다. 줄여서 '룩삼', 영어로는 looking strikeout(루킹 스트라이크아웃)이라고 한다.

룸나무 [명] 룸살롱+꿈나무. 장래에 룸살롱으로 대표되는 유흥업소에서 일하게 될 가능성이 매우 높

루킹삼진

아 보이는 여성을 조롱하며 이르는 말. 나이에 어울리지 않는 진한 화장, 요란한 의상, 거친 말투 등 품행이 방정하지 못한 여학생을 품평하는 용어이나 그 기준은 매우 주관적이어서 언어폭력, 나아가 성희롱 또는 모욕이 되기 십상이므로 경계해야 하는 표현이다. 룸망주(룸살롱+유망주)와 거의 비슷한 뜻으로 쓰인다.

룸망주 몡 룸살롱+유망주. 나중에 커서 유흥업소에서 일할 것처럼 보이는 여자아이를 지칭하는 말. 룸나무(룸살롱+꿈나무)와 마찬가지로 성희롱, 모욕, 언어폭력으로 귀결될 수 있어 함부로 입에 담아서는 안 된다.

르그 몡 이동통신사 'LG U+'(엘지유플러스)를 가리키는 말. LG의 알파벳 첫 음소를 한국식으로 표현한 것으로, 스크(SK)와 같은 용례다. 프로야구 구단 엘지 트윈스를 뜻하기도 한다. ¶ 르그로 번호 이동하려는데, 요금제 말고 다른 장점 있나요?

리얼충 몡 인터넷에 빠져 살지 않고 현실 생활에 충실한 사람을 가리키는 말. 일본의 커뮤니티 사이트 2ch(투채널)에서 유래한 말을 번역한 것이라고 한다. 비슷한 뜻의 단어로 오타쿠가 아닌 일반인을 가리키는 '머글'이 있다.

리젠 (명) 리제너레이션(regeneration)의 약어. 온라인 게임에서 몬스터가 새로 생성되는 것을 뜻하는데, 사용자들은 몬스터를 사냥해야 하므로 '리젠'을 기다리곤 한다. 인터넷 커뮤니티 게시판에서 새로운 글이 올라오는 정도 혹은 속도를 가리키는 말인 '글리젠'이 여기서 파생됐다.

리즈시절 (명) '왕년에 잘 나가던 한때'를 뜻하는 표현. 영국의 프로축구 구단 리즈 유나이티드 FC(Leeds United FC)의 전성기를 가리키는 말에서 유래했다. 명문 구단이었던 리즈 유나이티드는 부도 이후 약체로 전락했는데, 팬들이 옛 시절을 회상할 때마다 반복하던 '리즈시절'이라는 말이 '전성기' 혹은 '황금기'를 뜻하는 표현으로 의미가 확대되었다. 이제는 연예인을 비롯한 유명인들의 전성기 또는 가장 찬란했던 시기를 가리키는 말로 흔하게 쓰인다.

린저씨 (명) 리니지+아저씨. 한국의 1세대 온라인 게임인 리니지를 하는 중년 남성을 가리킨다. 주요 사용자층인 청소년에 비해 경제력을 갖고 있어 '현질'(현금으로 아이템을 구매하는 행위)에 능하다. 비슷한 용어로는 던저씨(던전 앤 파이터+아저씨), 롤저씨(리그 오브 레전드+아저씨), 스저씨(스타크래프트+아저씨) 등이 있다.

마

마계인천 [명] 공기가 뿌옇고 낙후된 지구가 많으며 사건 · 사고가 많이 일어날 듯하다는 인천의 분위기를 조롱하는 말. 마계(魔界)는 인간계와 대비되는 악마들의 세계라는 뜻이다. 프로야구 경기가 있는 날 문학야구장(인천 SK행복드림구장) 주변의 날씨가 자주 흐린 것에 대한 야구팬들의 농담으로도 회자된다.

마덜어택 [명] 영어 mother(마더; 어머니)와 attack(어택; 공격, 폭행)을 합친 말. 주로 게임 도중 어머니가 들이닥쳐서 혼나는 것을 말한다. 어머니 대신 아버지가 나타나는 상황에서는 '파덜어택'이라고 한다.

마데 [동] 영어 동사 make(메이크)의 과거형 made(메이드)를 발음대로 읽은 것. '마데 인 치나'(made in China)라는 인터넷 관용어 형태 따위로 쓰인다. ¶ 미국에서 샀다고? 음, 여기 써 있네, 마데 인 치나.

마마잃은중천공 [관] 누군가가 한자성어 '남아일언중천금'(男兒一言重千金; 남자의 한 마디 말은 천금보다 무겁다)을 틀리게 표기한 것이 웃겨서 일부러 따라 쓰는 말. #맞춤법파괴

마봉춘 [명] MBC 문화방송. MBC의 이니셜을 한국 사람 이름에 끼워 맞춘 것. 예능 프로그램 〈무한도전〉에서 한 아나운서가 퀴즈 문제를 내면서 모습을 보이지 않아 시청자들의 궁금증을 자아냈는데, 출연자들은 아나운서가 "사내 방송입니다. M.B.C."라며 정체를 숨기자 그녀에게 마봉춘이라는 예명을 지어 준 것이 그 유래다. 이와 비슷한 방송국 예명으로는 '고봉순'(KBS), '윤택남'(YTN) 등이 있다.

마상 [명] 마음의 상처. ¶ 남은 것은 마상뿐….

마샘 [명] '마르지 않는 샘물'을 줄인 말. 온라인 쇼핑몰에서 품절되어도 곧 다시 입고되어 구입 가능한 상품을 가리킨다. ¶ 이 시계 마샘이니까 걱정 마셈.

마설 [부] 설마. 어순을 뒤집은 말로 초등학생 · 중학생이 온라인에서 사용하는 일명 급식체 중 하나다. ¶ A: 재네 사귄다며? B: 헉, 마설….

마이너스의손 [명] 하는 일마다 손해를 보거나, 물건 등을 망가뜨리는 사람을 일컫는 말. 손대는 일마다 좋은 결과를 내는 사람을 이르는 '미다스(마이더스)의 손'을

패러디한 것.

만렙 몡 만(滿)+레벨(level). 게임에서 캐릭터의 레벨이 최고 수준에 도달한 것을 말한다. 일상으로 그 의미를 확장하여 범접할 수 없는 경지에 이른 사람을 지칭하는 말로 쓰이기도 한다. 비슷한 말로 '끝판왕', '능력자' 등이 있다. ¶ 한류 만렙 아이돌, BTS.

만찢남〔녀〕 관 만화를 찢고 나온 듯한 남자[여자]. 순정 만화의 주인공처럼 가녀리고 선이 고운, 비현실적인 외모를 가진 이들이다. 대표적인 예로 배우 강동원을 들 수 있다. ¶ 만찢녀급 미모도 그의 마음은 못 돌려.

만찢돌 관 만화를 찢고 나온 듯한 아이돌.

말벅지 몡 말의 허벅지처럼 탄탄한 근육질의 허벅지를 가리키는 말. 축구, 육상, 사이클, 역도 선수들은 다리근육이 잘 발달해 말벅지의 소유자인 경우가 대부분이다. 탄탄하고 건강해서 보기에 좋은 '꿀벅지'보다 훨씬 더 굵다. 근육 발달이 아니라 비만에 의해 굵어진 허벅지도 말벅지라 칭한다. ¶ 자전거를 타고 싶은데, 말벅지 안 되려면 어떻

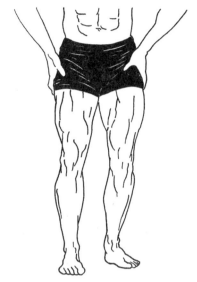

말벅지

게 해야 하나요?

말잇못 관 '말을 잇지 못하겠다'를 줄인 말. 감정의 동요가 너무 커서 말문이 막힐 때 이런 표현을 쓴다. 감동의 순간이나 어이없는 상황에서 쓰기 좋다.

맘충 몡 맘(mom)+충(蟲). 아이를 키우는 여성을 벌레에 빗댄 말. 음식점이나 카페 등 공공장소에서 아이가 말썽을 부리는데도 내버려 두어 타인에게 민폐를 끼치는 부모를 비난하는 의미에서 쓰이기 시작했다. 아이가 있는 여성 일반을 비하

할 때도 이 말을 쓰는 경우가 있다.

맛저 몡 '맛있는 저녁'을 줄인 말. 저녁 식사를 맛있게 하라는 인사말로 쓰인다. ¶ 다들 맛저하쇼.

맛점 몡 '맛있는 점심'을 줄인 말. 점심 식사를 맛있게 하라는 인사말로 쓰인다.

망글 몡 망한 글. 맥락이 분명하지 않아 뭐가 뭔지 알아들을 수 없는 글, 혹은 못 봐줄 만큼 재미가 없는 글 등을 말한다.

망캐 몡 망한 캐릭터. 온라인 게임에서 선천적으로 능력치가 좋지 않거나, 사용자의 잘못된 육성에 의해 장점이 없는 캐릭터가 되어 버린 경우를 가리키는 말. 현실 세계에서 자신의 무능력함을 자조하는 말로 쓰이기도 한다. 비슷한 말로 '똥캐'가 있다. ¶ 그는 한때 망캐였지만 뼈를 깎는 노력 끝에 축캐(축복받은 캐릭터)로 변모한 입지전적 인물이다.

맞디스 몡 맞+디스리스펙트(disrespect). 힙합 문화의 일종으로 자신에게 가해진 디스(상대를 비판하거나 비난하는 랩을 하는 것)를 비슷한 방식으로 맞받아치는 것을 말한다. 디스와 맞디스가 연속적으로 이어지는 것이 힙합 특유의 문화다.

매너손 몡 남자 연예인이 여자 연예인을 업거나, 함께 어깨동무를 할 때 신체 접촉을 최소화하려고 노력하는 행동을 가리킨다. 반대로 같은 상황에서 일부러 특정 부위에 손을 갖다 대는 행위는 '나쁜손'이라고 부른다.

매크로 몡 ① 게임 캐릭터에게 특정 행위를 하도록 명령하는 것, 혹은 그것들의 조합을 하나의 키로 묶어 간편하게 조작하는 것. 컴퓨터 프로그래밍 용어로 원래는 자주 사용하는 여러 개의 명령어를 묶어서 하나의 키 입력 동작으로 만든 것을 뜻하며, 마우스나 키보드로 순서대로 해야 할 동작들도 한 번의 클릭이면 끝낼 수 있어 단순 반복 작업에 유용한 도구로 알려져 있다. 하지만 이 프로그램을 악용한 사례가 여럿인데, 그중 대표적인 것이 포털 기사에 대한 댓글 및 추천 수 조작, 사회관계망서비스(SNS)의 팔로위 조작 등이다. ② 공식 홈페이지 등에서 고객의 문의 사항에 대하여 미리 입력해 놓은 내용을 자동적으로 내뱉는 것처럼 성의 없이 하는 답변을 비꼬는 말.

맥날 [명] 패스트푸드 체인점 '맥도날드'를 줄인 말. ¶ 맥날 알바랑 롯리(롯데리아) 알바랑 어디가 좋을까요?

맥락맹 [명] 脈絡盲. 어떤 일과 사건의 배경이나 구조에 무지한 것. 또는 그런 사람. 별로 중요하지 않은 팩트에만 매몰되어 배후에 있는 더 중요한 것들을 보지 못하는 사람을 조롱조로 칭할 때 쓰는 말이다. 사회관계망서비스(SNS)에서 다른 사람에 대한 공감능력이 없거나 주제의 맥락을 감지하지 못하고 자기가 꽂힌 말만 하는 사람, 상대의 말꼬리를 붙잡고 집요하게 추궁하는 사람 등 여러 부류가 있다.

맥세권 [명] 패스트푸드 체인점인 맥도날드 근처를 이르는 부동산 용어. 기차나 지하철 역을 일상적으로 이용하는 주변 거주자가 분포하는 범위인 '역세권'에서 파생한 말 중 하나다. 스세권(스타벅스 생활권)과 함께 젊은 층의 선호를 반영하는 표현이다.

맨스프레딩 [명] manspreading. 맨(man)+스프레딩(spreading). 대중교통을 비롯한 공공장소에서 남성이 두 다리를 과도하게 벌리고 앉아 타인에게 피해를 주는 행위를 가리킨다. '쩍벌남'과 동의어.

맨스플레인 [명] mansplain. 맨(man)+익스플레인(explain). 유독 여성에게 어떤 것에 대해 다짜고짜 설명하고 가르치려 드는 남성의 태도를 비꼬는 말. 문화비평가 리베카 솔닛(Rebecca Solnit)의 2014년 저서 《Men Explain Things to Me》(남자들은 자꾸 나를 가르치려 든다)가 2015년 국내에 번역·출간되면서 퍼진 말이다.

맨중맨 [명] 오스트레일리아 출신의 할리우드 영화배우 휴 잭맨(Hugh Jackman)의 별명. '남자 중의 남자'라는 뜻으로 팬들의 애정이 담긴 호칭이다.

맴찢 [관] 마음이 찢어지다. 가령 "고통과 오열, 수목 드라마의 가슴 저릿한 맴찢 엔딩" 하는 식으로 사용한다. '마음이 찢어질 정도로 감동이 밀려온다'는 긍정적인 의미로 사용될 때가 많다. '맘찢'과 같은 뜻으로 쓰이나 사용 빈도 측면에서 맴찢이 다소 앞선다.

머가리 [명] 대가리. '대'와 '머'의 철자가 형태적으로 유사한 것에서 빚어진 말. #야민정음

머글 [명] 아이돌 팬 혹은 특정 분야에 천착하는 '덕후'가 아닌, '일반인'을 가리키는 말. 본래 머글(Muggle)은 조앤 K. 롤링의 소설 《해리 포터》 시리즈에서 마법사들과 마녀들 사이에 사용되는 말로, 마법을 쓰지 못하는 '평범한 사람'을 가리키는 단어였다. 비슷한 말로 '현실충', '비오덕' 등이 있다. ¶ 샤이니는 머글이었던 나를 덕후의 세계로 인도했다.

머글킹 [명] 아이돌 그룹 멤버 중 팬이 아닌 일반인에게 가장 인기가 많은 사람을 일컫는 말. 아이돌 팬이라면 멤버들 전원의 이름과 개성을 잘 알고 있지만 대중매체를 통해 이따금 아이돌을 접하는 사람들은 누가 누구인지 구분조차 못하는 경우가 대부분이다. 그런 일반인들도 아이돌 그룹 중에 기억하는 멤버가 한 명쯤 있는데, 바로 그가 머글킹이다. '머글'(일반인)의 왕이라는 뜻. 일반인을 팬으로 만드는 멤버다.

먹방 [명] 먹는 방송. 진행자가 음식을 먹는 모습을 보여 주는 인터넷 개인 방송을 가리키는 표현이었으나, 공중파 등에서 음식 관련 프로그램을 쏟아 내면서 음식 관련 방송 전체를 이르는 말로 확장되었다. 음식을 맛깔스럽게 잘 먹는 모습 혹은 그러한 사람을 두고 "먹방 찍는다"라고 표현하기도 한다.

먹방

먹부심 몡 먹다+자부심. 자신이 먹은 음식 사진을 SNS에 올리는 행위를 두고 흔히 "먹부심 부린다"라고 한다.

먹사 몡 ① '먹는 사진' 혹은 음식 사진을 말한다. "망가져도 귀여운 그녀의 과일 먹사"라는 식으로 쓴다. 음식을 먹는 장면을 보여 주는 '먹방'(먹는 방송)의 사진 버전이다. 인스타그램 등 SNS를 통해 회자될 가능성이 높기 때문에 기업 등에서 '먹사' 관련 이벤트를 벌이는 경우도 많다. ② 먹고살기 위해 목사직을 수행하는 사람, 혹은 탐욕스럽게 재물을 추구하는 목사를 비꼬는 말. 이들의 공통점은 겉으로는 신앙을 앞세우지만 돈을 매우 중요하게 생각한다는 것이다. 일부 교회의 경우 담임 목사가 공식적으로 받는 사례비 외에 온갖 명목의 비용 항목을 통해 교회로부터 돈을 받아 내고 영수증 없이 교회 재정을 함부로 사용하며, 교회를 떠날 때는 전별금이라는 이름의 거금을 청구한다. 여기에 더해, 교회의 일부 지도자들의 발언, 가령 "교회 사랑의 척도는 헌금 액수", "십일조 떼먹다가 그 부인이 유방암 걸려", "십일조 생활을 온전히 하면 적자가 흑자로 돌아설 것" 따위가 한국 사회에서 먹사라는 표현이 회자되는 사정을 방증한다고 하겠다. 한국 교회의 물신화를 상징하는 말.

먹스타그램 몡 먹다+인스타그램. 사진을 공유하는 SNS '인스타그램'(Instagram)에 올라오는 음식 사진, 또는 음식 사진을 주로 올리는 계정을 말한다. 주로 해시태그(#; 카테고리나 대표적인 키워드를 나타내는 말)로 쓰인다.

먹짤 몡 먹다+짤방. 많은 사람들의 식욕을 자극하는 먹음직스러운 음식 사진을 가리키는 말. '위장 꼴리는 사진'을 줄인 말인 '위꼴사'로 불리기도 한다.

먹튀 관 먹고 튀는 것. 대표적으로 식당에서 계산하지 않고 내빼는 행위 등을 가리키는데, 이 외에도 다양한 용례가 있다. 가령 인터넷 쇼핑몰을 운영하면서 남의 돈만 받아 챙기고 순식간에 도망가는 행위, 회사를 인수한 후 배당 등을 통해 편법적으로 이익을 챙기고 매각하는 행위, 나아가 프로스포츠 선수가 계약을 통해 엄청난 돈을 챙겼지만 실력을 전혀 보여 주지 못하는 경우 등에 쓴다. 이처럼 먹튀는 이득만 챙기고 빠지거나, 나 몰라라 하는 행위 혹은 그러한 사람을 뜻한다.

멀아참 ㉝ '멀(뭘) 아신다고, 참'을 줄인 말. 잘 모르면서 자꾸 아는 체하고 상관하는 사람에게 쓰는 말. ¶ A: 우리 김 대리도 이제 결혼해야지? B: 멀아참.

멍때리다 ㉝ 정신이 반쯤 나간 것처럼 있는 상태. 제정신을 잃고 멍한 상태가 되거나 아무 생각 없이 넋 놓고 있는 것을 말한다. 2014년 서울시청 앞 광장에서 현대인의 뇌를 쉬게 하자는 취지로 '제1회 멍때리기 대회'가 열렸는데, 아무것도 하지 않고 평온한 상태를 잘 유지하는 것이 경기 규칙이었다. ¶ 너무 바빴지? 어디 가서 좀 멍때리다 와라.

멍빨 ㉢ 개 목욕. 개를 씻기는 것을 말한다. 마찬가지로 고양이를 씻기는 것을 '냥빨'이라 한다.

멍스타그램 ㉢ 멍멍이+인스타그램. 사진 기반의 SNS '인스타그램'(Instagram)에 올라오는 개 사진, 또는 개 사진을 주로 올리는 계정을 말한다. 주로 해시태그(#; 카테고리나 대표적인 키워드를 나타내는 말)로 쓰인다.

멍줍 ㉢ 길 잃은 개를 집으로 데려오는 행위. 길 고양이를 집으로 데려

멍빨

오는 '냥줍'이라는 말에서 파생한 용어다.

멓마 ㉝ '머함?'(뭐 해?). 키보드 한글 자판의 배열 특성상 자주 발생하는 오타를 일부러 따라 하는 것. #오타체

메뚜기인턴 ㉢ 이리 뛰고 저리 뛰는 메뚜기처럼 이 회사, 저 회사 옮겨 다니면서 인턴으로만 일하는 사람을 일컫는 말.

메롱 ㉢ 상태가 좋지 않음을 뜻하는 말. 본래 메롱은 상대방을 놀릴 때 내는 소리로 혀를 내미는 동작

으로 표현되곤 했는데, 혀가 저절로 나올 만큼 안 좋은 상태를 의미하는 말로 변형되었다. ¶ 오늘 상태가 너무 메롱이라 밖에 안 나갈래.

메신저감옥 ㉎ 스마트폰 메신저를 통해 수시로 받게 되는 업무 연락 탓에, 업무 시간 외에 일을 처리하거나 회사로 복귀하는 상황을 감옥에 비유한 말. 스마트폰과 메신저 애플리케이션이 보편화되면서 퇴근 후에도 점점 더 업무로부터 벗어나기 힘들어진 상황을 빗댄 용어.

멘봉 ㉎ 멘탈(mental)+봉인(封印). 어떤 것에 홀려 정신이 그것에 갇혀 버렸다는 뜻. ¶ 그는 넋 놓고 멘봉시키는 외모의 소유자.

멘붕 ㉎ 멘탈(mental)+붕괴(崩壞). 너무 큰 충격을 받아 정신적으로 무너진 상태를 일컫는 말..

멘붕짤 ㉎ '멘붕'(정신적으로 무너진 상태)임을 보여 주는 사진이나 그림 파일. 대부분 충격과 분노, 허탈, 탈진 상태를 묘사한 이미지들이다.

멘탈 ㉎ mental(영어 형용사로 '정신의', '마음의'라는 뜻). 정신 또는 정신력. 개인의 심리 상태나 정신

상태를 의미하는 표현으로, 갑작스러운 충격을 버티거나 극복할 만한 정신력을 가리키는 말로 쓰이기도 한다.

멘탈갑 ㉎ 멘탈(mental)+갑(甲). 정신력이 무척 강해 어떤 자극에도 별로 개의치 않는 사람에게 보내는 경외의 표현. '강철 멘탈'이라고도 한다. 반대말은 '유리 멘탈'.

명자 ㉎ 명예 자지. 자신이 여성임에도 여성 혐오를 내면화한 사람을 지칭하는 단어. 젠더 관련 이슈에서 남성(자지)의 입장을 옹호는 여성을 말한다. 비슷한 표현이지만 어감이 좋지 않은 것으로 '흉자'(흉내 자지)가 있다.

명존쎄 ㉐ 명치 존나 세게 때리고 싶다. 괘씸한 짓을 한 사람이나 나쁜 사람을 응징하고 싶을 때 사용하는 표현이다. ¶ 지하철에서 30분째 전화기 붙잡고 계신 분, 진심 명존쎄.

명짤 ㉎ 네티즌 사이에 화제가 된 유명한 이미지. 이때 '짤'은 '짤방'('짤림 방지 사진'을 뜻하는 말로 이미지 파일을 첨부하지 않으면 게시물이 삭제되는 규칙 때문에 생겨난 것)을 줄인 말이나, 여기서는 인터

넷상에 떠도는 이미지를 말한다. 짤과 연관된 인물의 화제성과 이미지의 연관성, 흥미도가 종합적으로 작용해 명짤이 탄생하는데, 네티즌의 전파와 품평 등이 이에 큰 영향을 미친다.

모나미룩 [명] 상의는 흰 셔츠, 하의는 검정 슬랙스를 입는 패션 스타일을 가리키는 용어. 그 모습이 마치 흰색과 검정 색상으로만 되어 있는 모나미 볼펜과 유사하다 하여 붙은 별칭이다. 흰 셔츠에 검은 바지는 단정한 미감을 자아내는 '블랙 앤드 화이트' 조합의 가장 단순한 구성이며,특히 여름철 한국 남성들의 정형화된 패션 스타일을 일컫는 말이기도 하다. 이에 대응하는 여성 버전은, 흰 상의에 청치마를 입는 알약룩이다.

모나미룩

모두까기인형 [명] 모든 것을 비판적으로 평가하는 사람. 차이콥스키의 유명 발레곡 '호두까기인형'의 제목을 인터넷 문화 코드로 패러디한 말이다. 야구 해설가로 선수와 코치를 직설적으로 비판하기로 유명한 이순철이 대표적인 모두까기인형이다.

모솔 [명] 모태 솔로. 세상에 태어난 이래로 단 한 번도 연애를 해 보지 않은 사람을 가리킨다. 출생 전부터 신앙을 갖게 된 사람을 가리키는 '모태 신앙'에서 파생됐다. ¶ A: 사실 저, 모솔이에요. B: 저런….

모에 [명] 싹틈(萌え) 또는 불타오름(燃え)을 뜻하는 일본어의 발음을 한글로 쓴 것. 사람을 끌어당기는 어떤 대상, 혹은 그러한 매력 요소에 호감을 갖는 것을 가리킨다.

'모에하다'라고 표현하기도 한다. ¶ 그 사람 숨 쉬는 거 넘 모에잖아.

모에그림 [명] 일본의 만화, 애니메이션, 게임 등에서 캐릭터를 표현하는 특유의 작화 스타일. 눈이 크고 얼굴 길이가 짧은 그림체를 말한다.

모에사 [명] '모에'+사(死). 자신이 매혹되곤 하는 바로 그 요소(모에 포인트)를 어떤 대상에게서 발견하고 좋아서 죽는 것. 또는 너무나 황홀하여 죽어도 좋다는 뜻. '씹덕'(덕력이 출중한 오덕)을 죽게 할 만한 매력이라는 뜻의 '씹덕사'와 같은 의미다. ¶ 그는 정녕 나를 모에사 시킬 작정인가!

모에화 [명] 기존 영화나 소설에 등장하는 캐릭터 혹은 사람, 사물, 관념 등 특정한 대상을 일본 만화 또는 애니메이션풍의 그림체(모에그림)로 재현하거나 그에 상응하는 특징을 부여하는 것.

모질이 [명] 뭔가 모자란 사람. 멍청한 사람이나 줏대가 없는 사람, 무능력한 사람 등을 포괄적으로 지칭하는 말이다.

모톡스 [명] 모기+보톡스. 모기에 여러 번 물려서 심하게 부은 얼굴을 일컫는 말.

모해남 [명] 시도 때도 없이 상대에게 "모해?(뭐해?)"라고 집요하게 메시지를 보내면서 포기를 모르고 눈치 없이 귀찮게 구는 남자. ¶ 당신 혹시, 공포의 모해남?

몰컴 [관] (부모님) 몰래 컴퓨터 하는 것. ¶ A: 이 시간에 웬일? B: 몰컴 중….

몸사 [명] 몸 사진. 인터넷을 통해 알몸 사진을 거래할 때도 이 말을 쓴다.

몸짱 [명] 탁월한 몸매의 소유자. 얼굴이 매우 잘생기거나 아름다운 사람을 뜻하는 '얼짱'에서 파생한 말로, 이상적인 신체를 가진 사람을 일컫는 표현이다. 반대말은 '몸꽝'으로 몸매가 형편없는 사람을 가리킨다. 몸꽝에서 몸짱으로 변신하게 해 준다는 다이어트 프로그램이 헤아릴 수 없이 많다.

몸캠 [명] 컴퓨터에 설치된 '캠'(화상 카메라)으로 자신의 노출된 몸을 중계하는 인터넷 방송, 혹은 그렇게 촬영한 사진이나 영상.

몸평 [명] 몸매 평가. 인터넷 공간에

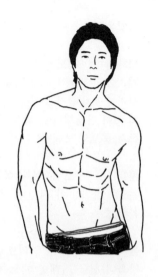

몸짱

서 자신의 몸매에 대해 익명의 사람들에게 평가받고 싶을 때, 몸 사진을 게시하면서 "두 달 운동했습니다. 몸평과 조언 부탁합니다" 식의 말을 덧붙이곤 한다. '얼평'(얼굴평가)이라는 말과 함께 쓸 때도 많다. 단, 당사자가 원치 않는 몸평과 얼평은 민폐 혹은 언어폭력이 될 수 있어 주의해야 한다. ¶ 몸평하듯 위아래로 훑어보는데 내가 열 받아, 안 받아?

못매남 ⦿ 못생겼지만 매력 있는 남자. 즉 못생긴 매력남. 외모는 '저렴'하지만 개성과 유머가 풍부하거나 학식이 뛰어나든지, 여하한 이유로 보면 볼수록 매력적으로 느껴지는 남자다. 개그맨 유재석, 영화배우 유해진, '기생충 박사' 서민 등이 대표적인 못매남으로 거론된다. ¶ 못매남한테 빠지면 약도 없다며?

뫄뫄 ⦿ '뭐뭐'를 귀엽게 말하는 것. 주로 어떤 대상의 이름이나 항목 따위를 익명으로 대체할 때 쓴다. ¶ 그래서 내가 물었지. "여기 뫄뫄 팔아요?"

묘린이 ⦿ 고양이를 뜻하는 '묘'(苗)와 '어린이'의 합성 조어. 어린 고양이를 뜻한다. "오늘따라 새침한 우리 집 묘린이"와 같이 쓴다. 마찬가지로 강아지를 '개린이'(개+어린이)라고 부르기도 한다.

몽실 명 '미용실'을 귀엽게 줄여 부르는 말. 기혼 여성 커뮤니티에서 주로 쓰인다.

무개념 명 무(無)+개념(槪念). 어떤 이의 몰상식함을 '개념이 없다'는 말로 비하하는 표현. 대체로 어이없거나 황당한 행위를 묘사할 때 쓰는데, 가령 도로를 막고 주차하거나(무개념 주차), 혼잡한 공간에서 정신없이 뛰는 아이들을 말리지 않는(무개념 부모) 행동 따위이다.

무덤짤 명 추하고 굴욕적인 사진을 일컫는 말. 무덤까지 가지고 갈 사진, 즉 남에게 결코 보여 주고 싶지 않은 사진이다. 이때 '짤'은 '짤방'(온라인 게시판에서 게시물의 삭제를 방지할 용도로 함께 올리는 이미지)에서 유래한 것이나, 여기서는 단순히 사진을 뜻한다. 연예인 등이 방송 활동 과정에서 카메라에 찍힌 우스꽝스럽고 기이한 표정의 사진을 지칭할 때 이 단어를 자주 사용한다.

무뜬금 명 무(無)+뜬금. 즉 '뜬금없다'는 뜻. 인터넷이나 SNS상에서 엉뚱하고 갑작스러운 화제를 꺼낼 때, 혹은 그러한 모습을 볼 때 이 표현을 쓴다. ¶ 무뜬금이지만 한번 읽어 봐.

무릎냥이 명 주인의 무릎에 올라와 쉬거나 자는 습성을 가진 고양이. 경계심이 없고 애교가 많은 고양이다. ¶ 추울 땐, 담요 대신 무릎냥이.

무부남〔녀〕 명 배우자가 없는 남자〔여자〕. 결혼하지 않은 사람이나 이혼하여 다시 싱글이 된 이를 가리킨다. 대개는 '유부남'〔녀〕이라는 표현에 대응하여 사용된다. ¶ 이번 멤버는 유부남 하나, 무부남 둘.

무스펙 명 무(無)+스펙(spec). 스펙(학력, 학점, 외국어 시험 점수 등 취업에 도움이 된다고 여겨지는 지표)이 없는 것. 또는 그러한 사람을 일컫는 말이다. ¶ 무스펙 합격자라기에 봤더니, 실은 할 거 다 한 사람이었다.

무쌍 명 무(無)쌍꺼풀. 쌍꺼풀이 없는 상태 혹은 그런 눈을 말한다. 쌍꺼풀 수술을 비롯하여 앞트임, 옆트임 등 눈 성형수술이 성행하는 현실에서 순진무구한 매력을 풍기는 무쌍을 재조명하는 시각이 생겨나고 있다. '무쌍 연예인', '무쌍 미인', '무쌍 메이크업', '무쌍 눈 화장' 등의 파생어가 있다.

무지개매너 관 매우 매너가 없다

는 뜻. 부정적 의미를 강조하는 접두사 '개—'가 붙은 '개매너'는 '매너가 좋지 않음' 혹은 '매너가 없음'을 뜻하는데, 이것이 '보통보다 훨씬 정도에 지나치게'를 의미하는 부사 '무지'와 결합하여 무지개매너라는 말이 되었다. 어감이 독특해 10대들이 많이 쓴다.

무파진 명 무릎이 파인 청바지. 청바지에서 무릎 부분을 찢어 낸 것으로 구멍이 나고 실밥이 너덜거려 특유의 멋이 난다. 일명 '찢청'(찢어진 청바지)의 일종. ¶ 요즘 20대에게 무파진은 '머스트 해브 아이템'이죠.

무파진

무플 명 무(無)+리플(reply). 게시물에 댓글이 하나도 달리지 않은 쓸쓸한 상태를 가리키는 말. ¶ 오늘도 무플, 내 글에서 냄새 나나봐ㅠㅠ

문돌이 명 인문계 고등학생 및 대학생, 관련 계통 종사자를 일컫는 말. 공돌이(이공계 전공생 및 관련 계통 종사자)에 대응하는 용어로, 취업하기가 어렵다는 비하와 자조의 의미가 담겨 있다. '문과 찌질이'를 줄인 말인 '문찔이'로 불리기도 한다. ¶ 벼랑 끝에 몰린 인문계 취업난, 문돌이는 웁니다.

문레기노답 관 문과 쓰레기는 답이 없다. 대학교 진학이 쉽지 않고, 대학 졸업 후 취업도 어려운 인문계 학생의 현실을 자조하는 표현이다.

문막튀 관 문을 막고 튀는 것. 문을 열지 못하게 막고 도망가는 행위를 뜻한다.

문명하셨습니다 관 PC 게임 '문명'(Civilization) 시리즈의 강한 중독성을 암시하는 말로, 누군가의 부고를 전할 때 "운명하셨습니다"라고 말하는 것을 패러디한 표현이다. 무심코 문명에 손을 댔다가 운명할 때까지 끝내지 못한다는 뜻이다.

문사철 명 '문학'(文學), '사학'(史學), '철학'(哲學)에서 한 글자씩 따 조합한 말. 먹고사는 데 필요한 실용 학문과 달리 인간 및 인류 문화에 관한 것이어서 전통적으로 지식인이라면 겸비해야 하는 학문이었으나, 최근에는 청년 취업난과 연관지어 취업에 도움 되지 않는 전공이라는 맥락으로 언급되는 경우가 대부분이다.

문상 명 문화 상품권. 편하게 결제할 수 있는 경로가 마땅찮은 10대 사이에서 온라인 결제 수단으로 흔히 활용된다. 오프라인에서도 책부터 햄버거에 이르기까지 각종 물품을 구매할 수 있다. ¶ 어제 문상 만 원짜리 받음.

문센 명 문화센터. 백화점, 대형마트 및 지역 내의 문화센터를 가리킨다.

문송합니다 관 '문과라서 죄송합니다'라는 뜻. "이과 성님(형님)들, 저희가 문송합니다" 하는 식으로 쓴다. 대학교 진학이 쉽지 않고 대학을 졸업한다고 해도 취업이 어려운 인문계 학생의 현실을 자조하는 말이다. '인구론'(인문계 졸업생의 90%가 논다)과 함께 오늘날 한국에서 추락하는 인문계의 위상을 은유하는 한편, 대학 사회에 경쟁 논리가 여과 없이 침투하면서 산업 수요에 의한 구조조정으로 퇴출 대상이 된 인문계의 우울한 현실을 반영하는 용어다.

문안하다 형 '무난하다'를 잘못 쓴 것이 재미있어서 일부러 따라 하는 표현. #맞춤법파괴

문친 명 문자 친구. 문자메시지를 주고받는 친구를 뜻한다. 10대들의 새로운 네트워크로 문친을 주목하는 시선도 있는데, 20대 이상이 인터넷 카페 등을 통해 정보를 공유한다면 10대는 거미줄같이 연결된 문자 친구망을 활용해 정보를 교환하고 전파하려는 경향을 보인다고 한다.

문튀 관 '문을 차고 튀다'를 줄여 이르는 말. 문을 발로 차고 도망가는 행위를 뜻한다. 남의 집 벨을 누르고 도망가는 '벨튀'와 비슷한 짓거리다. ¶ 방금 문튀하고 간 놈 누구?

문화컬처 명 '문화 충격'과 'culture shock'(컬처 쇼크)를 합친 말. 완전히 다른 문화적 배경 때문에 겪게 되는 놀라움 또는 어려움을 뜻한다. 뜻이 동일한 두 개의 합성어를 엉터

리로 섞어 그것이 몰고 온 충격의 정도를 배가한 표현. ¶ 어제 처음 회식했는데 진심 문화컬처였다.

물개박수 몡 두 팔을 쳐들고 열렬하게 손뼉을 치는 것. 동물 쇼 등에서 물개들이 지느러미를 마주치는 모양을 빗댄 말이다. 북한의 당대표자회의 등에서 주석단이 입장할 때 대의원들이 보내는 박수를 연상하면 된다.

물금 몡 '물속처럼 고요한 금요일'을 줄인 말. 음주 가무를 즐기며 불타오르듯이 노는 금요일을 뜻하는 '불금'의 반대말이다. 금요일에 아무런 약속이 없다는 뜻으로 쓰인다. ¶ 우울한 물금엔 혼술(혼자 술 마

시는 것)이 제격이겠지.

물빨할 관 '물고 빨고 핥고'를 줄인 말. 아이돌 등 연예인 팬으로서의 생활과 관련지어 어떤 연예인을 매우 좋아할 때, 또는 스킨십에 열중하는 연인을 가리킬 때나 반려동물의 애정 표현을 지칭할 때 이 말을 쓴다.

물수능 몡 문제가 쉽게 출제되어 수험생들의 평균 점수가 높게 나오는 대학수학능력시험. 반대로 난이도가 높게 출제되어 평균 점수가 낮게 나오는 수능 시험을 '불수능'이라고 한다. '쉬운 수능'을 의미하는 물수능 기조는 사교육을 억제하는 효과가 있으나, 한두 문제 차이로

물개박수

당락이 좌우되는 경우가 많아 재수생이 많아지는 부작용이 있다.

물짭새 몡 해양 경찰. 경찰을 뜻하는 '짭새'에 해양을 말하는 '물'을 접두사로 붙인 용어다.

뭐쩌라고 관 '뭐 어쩌라고'를 줄인 말. 상대방의 쓸데없는 참견에 대한 따분함을 드러낼 때 사용하는 말이다. 혹은 자신의 말을 논리적으로 반박해도 소용없다는 태도를 드러낼 때 쓰기도 한다. 비슷한 표현으로 '어쩌라고'를 줄인 '어쩔', '안 물어봄'을 줄인 '안물'이 있다.

뭥미 관 '뭐임?'(뭐야?)을 귀엽게 표현한 것. '뭐임'의 오타에서 비롯됐다.

므흣하다 혱 ① 흐뭇해서 마음이 살랑이다. ② 요염하다. 야한 이미지를 가리키는 '므흣'이라는 말이 인터넷 커뮤니티 사이트 디시인사이드 초기에 유행했으나 현재는 잘 쓰이지 않는다.

미녹 몡 '미지근한 녹차'를 줄인 말.

미둥 몡 '미지근한 둥굴레차'를 줄인 말.

미드 몡 미국+드라마. 미국 TV 채널에서 방영되는 드라마를 말한다. 한국 드라마에 비해 소재가 다양하고 스케일이 커 좋아하는 사람들이 많다. 비슷한 말로 영국에서 방영되는 드라마를 영드, 일본 드라마를 일드라 한다.

미러링 몡 미러링(mirroring). 상대의 발언을 거울에 반사한 것처럼 전복시키는 일종의 패러디 행위. 2015년 이후 한국에서 이 말은 일부 남성들이 상습적으로 내뱉는 여성 혐오적 발화의 주어와 목적어를 뒤바꿔 발화자에게 되돌려 주는 맥락으로 사용된다.

미만잡 몡 특정한 명사 뒤에 붙어, 그보다 못한(수준 미만) 것들은 모두 잡것이라는 말. 독보적인 존재를 찬미하는 수사다. ¶ 원빈 미만잡.

미새친끼 몡 '미친 새끼'를 어순을 달리해 부르는 말. 욕을 하고 싶지만 천하게 보이고 싶지는 않을 때 쓴다. '시새발끼'(시발 새끼)도 같은 조어법에서 나온 말이다.

미생 몡 바둑 용어로 대마나 집이 아직 완전하게 살아 있지 않은 상태를 말한다. 죽지 않았으나 완생(完生)도 아닌, 혹은 죽은 돌과는 달리 살아남을 여지가 있는 상태가 미생(未生)이다. 만화가 윤태호의 웹툰 〈미생〉과 그것을 원작으로 한 동명의 드라마가 히트를 친 후, 미생은 냉혹한 현실 속에서 살아남기 위해 몸부림치는 한국 직장인들의 애환을 은유하는 용어로 널리 쓰인다. 2016년 박근혜 정부가 노동 개혁을 위해 마련한 '노동 5법'을 두고, 당시 야당이던 더불어민주당은 파견법과 기간제법에 대해 노동자의 일방적 희생을 가용하는 '미생법'이라고 주장한 바 있다.

미소지니 몡 Misogyny. 여성 혐오증. 여성에게 느끼는 증오와 공포의 감정을 뜻한다. 문화 비평 및 성 정치학 용어로 주로 대학이나 연구소 등 아카데미에서 거론되었으나, 여성 혐오와 페미니즘 담론이 확산되면서 신문 칼럼, SNS 타임라인 등에 등장하게 된 용어.

미자 몡 미성년자.

미존 몡 미친 존재감. 특별한 노력 없이도 존재감을 발산하는 사람을 가리킨다. 반대로 있어도 없는 듯한 사람을 가리켜 '병풍', '공기'라고 한다. ¶ 얘 너 오늘 완전 미존이다, 가까이 오지 마.

미피 몡 피자 전문점 '미스터피자'를 줄여 부르는 말. ¶ 미피 vs 도미(도미노피자), 어디가 괜찮나요?

민간필 몡 민간인+필(feel). 어떤 유흥업소 여성 종사자를 품평할 때 민간인처럼 보인다며 쓰는 말. 유흥업소에서 일하는 여성 같지 않다는 이유로 남성 손님들이 좋아하는 유형인데, 옅은 화장과 청순미, 순진한 말투, 여자 친구 같은 친근함이 특징이다. 반대말은 '화류필'로, 한눈에 유흥업소 종사자처럼 보이는 경우를 가리킨다.

민두노총 몡 '민두'(머리카락이 없는 연습용 두상 마네킹)와 '노총'을 합친 말로 비교적 젊은 나이의 탈모인을 이르는 표현. 전국 노동조합 연합 단체인 민주노총을 패러디한 단어이며, 인터넷 탈모인 커뮤니티에서 주로 쓰인다. 반대말은 머리숱이 수북한 청년들이라는 의미의 '수북청년단'이다.

민떠리 몡 민족사관고등학교(민사고)에 입학을 지원했다가 떨어져서 일반 고등학교에 진학한 학생. 비슷한 말로는 과떠리(과학 고등학교에 떨어져 일반고에 다니는 학생), 외떠리(외국어 고등학교에 떨어져 일반고에 다니는 학생)가 있다. 대치동 엄마들 사이에서 통용되는 은어.

민증 [명] 주민등록증. 만 17세 이상의 국민은 누구나 발급을 신청하여 소지해야 하는 증표이며 얼굴 사진, 한글 및 한자 이름, 주민등록번호, 오른손 엄지 지문, 거주지 등의 정보를 담고 있다. 여러 이유로 나이를 확인해야 할 때 제시해야 하는 것이기도 하다. ¶ 어따 대고 반말이야, 민증 깔까?

믿보— [접] '믿고 보는'을 줄인 말. 일반적으로 어떤 사람이나 대상 앞에 접두사처럼 붙여 쓰는데, 그 대상이 출연하는 방송 등은 무조건 '믿고 본다'는 뜻을 가진다. 대상에 대한 신뢰와 믿음을 표현하는 말이다. 믿보황(믿고 보는 황정음), 믿보돌(믿고 보는 아이돌) 하는 식으로 쓴다. ¶ 당신의 믿보배(믿고 보는 배우)는 누구?

밀덕 [명] 밀리터리(military)+덕후. 군사 분야에 집요한 관심과 흥미가 있는 마니아를 말한다. 총류와 포류 등 군사 장비, 전쟁사, 군사 체계 연구, 서바이벌 게임 등 여러 영역으로 분화되어 분포한다. 여기서 덕후는 일본어 오타쿠(オタク)의 한국식 표현으로 어떤 대상이나 분야에 탐닉하는 사람을 뜻한다.

밍나 [형] 미안. 컴퓨터 키보드 한글 자판의 배열 특징상 자주 발생하는 오타를 차용한 표현. #오타체

바

바르다 [동] 압도적으로 승리하다. 뼈다귀에 붙은 살을 추려 내는 것처럼 상대를 초토화시키는 것을 말한다. 피동형으로 쓰일 때는 '발리다'이며 그것의 강조형은 '처발리다'로, 그냥 패배하는 것을 넘어 매우 굴욕적이고 처참한 패배를 이른다. '관광하다' 혹은 '털다'와 비슷한 뜻이지만 어감이 조금씩 다르다. ¶ 이번 경기엔 기필코 발라 주겠어. ¶ 지난번 처발린 기억이 나를 더욱 분노케 해.

바막 [명] 바람막이(windbreaker). 방풍 및 방한 목적으로 입는, 얇고 가벼운 스포츠용 점퍼를 가리킨다.

바이 [명] 바이섹슈얼(bisexual). 양성애자를 뜻한다.

바텀 [명] bottom(보텀). 남성들 사이의 성행위에서 여성 역할을 가리키는 은어. 영어 bottom은 '아래'라는 뜻인데, 남녀 간 성행위 시의 일반적인 위치를 은유해 이런 말이 생겼다.

바텀알바 [명] 남성에게 동성애 상대가 되어 주고 돈을 받는 아르바이트를 말한다. "서울 강남 바텀알바 가능. 20/180/72. 톡 주세요"라는 온라인 광고가 전형적인 사용 예다. 여기서 20/180/72은 각각 나이/신장(cm)/체중(kg)을 뜻한다.

박싱데이 [명] Boxing Day. 크리스마스 다음 날인 12월 26일을 말한다. 이날 영국 등에서는 연말 재고 상품을 소진하기 위한 대규모 할인 행사가 벌어진다.

박제 [명] 인터넷에 게시된 글이나 사진 따위를 캡처 등의 방법으로 저장하는 것. 게시자가 게시물을 삭제하거나 수정해도 이미 저장되었기 때문에 부인할 수 없는 증거로 사용되는 경우가 흔하다. 명예훼손이나 모욕죄로 상대를 고발하기 위해, 혹은 두고두고 망신을 주기 위해 게시물을 박제하는 경우도 있다. 원래 박제(剝製)란 죽은 동물의 가죽을 이용해 마치 살아 있는 것처럼 만드는 행위, 또는 그렇게 만들어진 것을 칭하는 말로 살아 있는 모습을 영원히 보존한다는 뜻을 포함한다. ¶ A: 그런 트윗한 거, 전혀 기억 안 납니다. B: 박제한 거 보낼까요?

반달 [명] 반달리즘(vandalism; 문화나 예술을 파괴하려는 경향)을 줄여 부르는 말. 위키 문서(누구나 편집 가능한 공동 문서)의 내용을 함부로 삭제하거나 훼손하는 행위를 가리킨다.

반모 ㊅ 반말+모드(mode). 존댓말을 쓰지 않고 반말로 대화하는 것을 말한다. ¶ A: 반모합시다. B: 그래.

반삭 ㊅ 반(半)+삭발(削髮). 머리털을 삭발에 가깝게 자르는 것. 3mm부터 18mm까지, 원하는 길이만큼 남기고 자른다. 사용하는 도구에 따라 가위 반삭, 바리깡 반삭으로 분류하는데 스타일링 효과가 각기 다르다.

반삭

반수 ㊅ 대학교에 이미 진학한 학생이 더 나은 대학에 입학하기 위해 입시 공부를 하는 것. 즉, 대학에 적을 두고 다시 재수하는 것을 말한다. 대부분은 1학년 1학기를 마친 후 휴학하고 수능 공부를 한다.

반톡 ㊅ 반 학생 전체가 참여하는 카카오톡 그룹 대화방. 일명 '단톡'(단체 카카오톡 채팅방)의 한 종류이며 공지 사항 등 각종 정보를 공유한다.

반퇴 ㊅ 반퇴(半退). 평균수명 연장, 경제 저성장 등의 영향으로 이전 세대에 비해 이르게 은퇴하는 것을 말한다.

반퇴푸어 ㊅ 반퇴+푸어(poor). 현직에서 은퇴한 뒤에도 여유로운 노후를 누리지 못하고 생계를 위해 다시 일터로 나가야 하는 사람들을 일컫는 표현.

반품남[녀] ㊅ 품절남[녀](결혼했거나 연인이 있는 사람)이었다가 이혼 또는 결별로 다시 싱글이 된 사람.

발— ㊅ '미숙한' 혹은 '저급한'의 뜻을 더하는 접두사. 예를 들면 어떤 배우가 연기를 지독하게 못할 때 그것을 가리켜 '발연기', 게임에서 컨트롤을 마치 발로 하듯 제대로 못하는 것 또는 그러한 사람을 일컬어

'발컨'이라고 하는 식이다.

발리다 ⑧ '바르다'의 피동사. '일방적으로 패배하다'라는 뜻.

발암 ⑨ 어떤 대상 혹은 사건 때문에 너무 불쾌하고 화가 나 암세포가 생길 것 같을 때 쓰는 말. 이 표현은 실제 암 투병 환자들에게 상처를 줄 수 있다는 이유로 논란이 되었다. ¶ 종편 뉴스 볼 때마다 발암합니다.

발연기 ⑨ 발+연기. 매우 어색하고 모자란 연기. ¶ 유치한 스토리와 발연기가 만나 빛의 속도로 조기 종영.

발줌 ⑨ 발+줌(zoom). 피사체를 당겨서 찍고 싶지만 줌 렌즈가 없을 때 직접 발로 뛰어 피사체에게 다가가는 것. ¶ 단렌즈는 발줌 필수.

발컨 ⑨ 발+컨트롤(control). 게임에서 캐릭터를 미숙하게 컨트롤하는 것 혹은 그러한 사람을 일컫는 말. 게임 캐릭터가 본인의 레벨이나 장비에 걸맞지 않게 터무니없이 엉망인 실력을 보여 줄 때 비꼬거나 자책하는 말로 흔히 쓰는 말이다.

발퀄 ⑨ 발+퀄리티(quality). 저급한 수준의 품질이나 완성도를 가리킨다. 반대로 높은 수준의 것을 가리켜 '고퀄'이라고 한다. ¶ 그 영화는 너무 발퀄이라 깔 것도 없더군.

발품 ⑨ 직접 돌아다니며 필요한 것을 알아보는 행위. 정보의 보고라고 알려진 인터넷을 검색하거나 풍문에 의존해 정보를 얻는 게 아니라, 실제로 현장에 가서 알아보는 것이다. 발품을 팔수록 보다 현실적이고 정확한 정보를 얻을 가능성이 높다. 중고차 및 휴대전화 구매를 비롯해 월세방 등을 구하는 데에도 발품은 거의 필수다.

밤바리 ⑨ 심야에 오토바이나 자동차를 몰고 돌아다니는 것. 대개 목적지를 정해 놓고 단체 주행을 하는 형태가 많다.

밥경찰 ⑨ 밥맛을 떨어트리는 맛없는 음식. 너무 맛있어서 마파람에 게눈 감추듯 밥을 축내게 하는 음식인 '밥도둑'의 반대말이다. 보기만 해도 식욕이 상실되는 반찬을 말하는 경우가 대부분이다. 마늘장아찌, 미역 줄기 볶음, 가지 볶음 등이 청소년들이 대표적으로 꼽는 밥경찰이다. 이런 반찬이 나오면 밥엔 손도 안 댄다는 뜻. ¶ 군대 밥경찰을 알아보자.

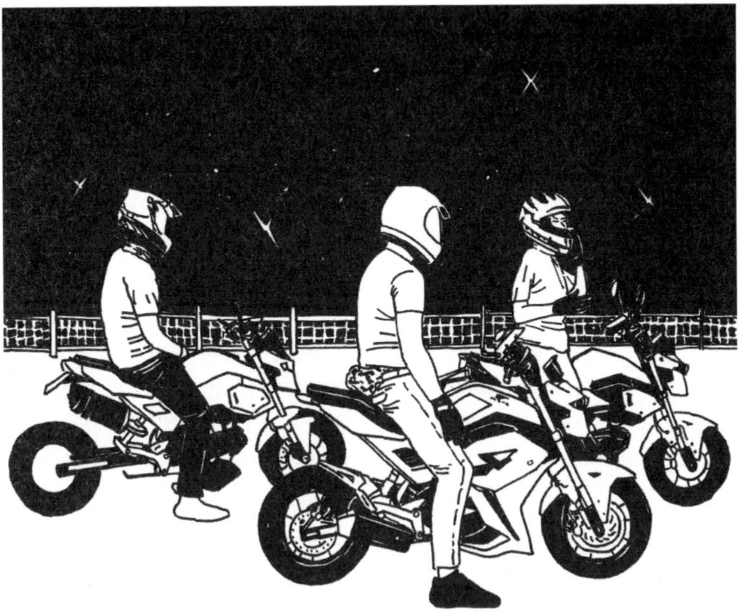

밤바리

밥도둑 [명] 밥과 궁합이 매우 잘 맞아, 같이 먹으면 밥을 순식간에 축내게 되는 음식. 흔히 간장 게장, 스팸 등 짭짤하고 간이 센 반찬류를 칭할 때가 많다.

밥줘남 [명] 스스로 챙겨 먹을 생각 없이 끼니때만 되면 '밥 줘'라는 말을 입에 달고 사는 남성. 어려서는 엄마에게, 좀 더 커서는 누나에게, 결혼해서는 아내에게, 늙어서는 아내에 더해 딸에게 밥 달라고 하는 한국 남성을 이른다. 여성의 사회진출이 일상화되어 남성과 다름없이 사회생활을 하면서도 여전히 여성이 가정사를 전적으로 책임져야 하는 현실에 대한 반감이 만들어 낸 말. 밥줘충이라고도 한다.

밥터디 [명] 밥+스터디. 취업 준비생 혹은 수험생끼리 모여 식사를 하면서 외로움을 달래는 모임. 식사할 시간과 장소를 정해 스터디하듯 모여서 밥만 먹고 헤어지는 형태다. ¶ 가족 같은 분위기의 공시생 밥터디 모집해요 ^^

방가방가 〔감〕 인터넷 채팅방 등에 들어갔을 때 반갑다는 뜻으로 하는 인사말. 2000년 전후 PC 통신에서 성행하여 신세대와 소통하려는 기성세대라면 능히 써 줘야 하는 유행어였으나, 새로운 표현이 범람함에 따라 몇 년 사이에 사용 빈도가 급격히 줄었다. ¶ A: 방가방가. B: 죄송하지만 연세가?

방폭 〔감〕 ① '방 폭파'를 줄인 말. 게임 혹은 인터넷 방송의 관리자가 게임이나 방송을 갑자기 종료하는 것. ② '방문 폭주'를 줄여 이르는 말. 온라인 커뮤니티의 방문자 수가 일시적으로 폭주하는 상황을 가리킨다.

배라 〔명〕 아이스크림 체인점 '배스킨라빈스31'을 줄인 말.

배린이 〔명〕 배틀그라운드+어린이. 서바이벌 슈팅 게임 배틀그라운드에 갓 입문한 초보자를 말한다.

배카점 〔명〕 '백화점'을 발음대로 적은 것.

백상 〔명〕 백화점 상설 코너. 기혼 여성 커뮤니티에서 자주 쓰이는 표현이다.

백영남 〔명〕 백인 영국 남자.

백퍼 〔명〕 백 퍼센트(100%). ¶ 사랑한다, 백퍼 진심.

백합물 〔명〕 여성 사이의 연애나 성애 또는 우애가 작품의 중요한 모티브가 되는 만화, 애니메이션, 소설 등의 장르를 통칭하는 말. GL(Girls' Love)로도 불린다. 게이를 은유하는 '장미'와 비교하기 위해 만들어진 용어로 일본에서 건너온 말이다. ¶ 소녀들의 묘한 입맞춤, 대세는 백합인가?

백합물

백허두 〔명〕 뒤에서 머리(頭; 두)를 부드럽게 쓰다듬는 행위. 뒤에서 포옹하는 것을 뜻하는 '백허그'에서 파생된 말이다.

밸붕 [명] 밸런스 붕괴. 누군가가 제시한 양자택일의 선택지에서 둘 사이의 격차가 너무 커 비교가 되지 않을 때 쓰는 표현으로, 균형(밸런스)이 맞지 않는다는 의미다. 이런 상황에 맞닥뜨리면 보통 닥전(닥치고 전자) 혹은 닥후(닥치고 후자)라 답하게 된다. ¶ A: 공부할래, 게임할래? B: 밸붕.

버닝 [명] burning. 무언가에 열광적으로 빠져 있는 상태, 혹은 몰입하여 그것을 하는 행위를 뜻한다. 주변의 시선에 아랑곳하지 않고 자신의 관심사에 깊이 심취하는 '덕질'과 비슷한 말.

버로우 [명] burrow. 자취를 감추는 것, 흔히 말해 '잠수 타기'를 말한다. 영어 burrow는 '굴을 파다'라는 뜻. PC 게임 스타크래프트의 땅속으로 숨는 기술인 버로우에서 유래했다. ¶ A: 여름에 뭐 할 거야? B: 그냥 버로우 타려고.

버스폰 [명] 버스 요금처럼 저렴한 가격의 휴대전화 기기. 보통은 약정 기간이 있으나 요금제는 임의로 선택할 수 있고, 기기값은 0원이다. 2014년 10월 단통법이 시행되기 전, 신규 가입이나 번호 이동 제도를 통해 타 통신사로 옮기는 조건의 버스폰이 광범위하게 유통된 바 있다.

버정 [명] 버스 정류장. ¶ 버정에서 담배 좀 피우지 말자.

버카충 [관] 버스 카드 충전. 10대 청소년 사이에서 자주 쓰이는 말로 '교통 카드 충전'을 줄인 '교카충'으로 불리기도 한다.

버퍼링 [명] buffering. 본래는 정보의 송수신을 원활하게 하기 위해 정보를 일시적으로 저장하는 방법을 의미하지만, 스트리밍 영상이 뚝뚝 끊기는 현상을 가리키는 말로 쓰이다가 현재는 부자연스럽고 버벅거리는 사람이나 상황을 일컬을 때 자주 쓰인다. ¶ 개봉 3주 만에 관객 100만 겨우 돌파하고는 버퍼링ㅠㅠ

버프 [명] buff. 온라인 게임에서 캐릭터의 능력치를 높여 주는 효과를 통칭하는 말. 어떤 영향을 받거나 혜택을 입었다는 뜻으로 쓰인다. 가령, 부모님의 도움을 받을 때는 "부모님한테 버프 받는 중", 성적 향상의 비결을 묻는 친구들에게 "과외 버프 받았어"라고 말하는 식이다.

¶ 워너원 버프로 세상이 빛난다.

번개 [명] PC 통신 시절의 은어로 온라인 채팅이나 게시판에서 알게 된 사람들끼리 즉흥적으로 만나는 것을 뜻한다. 예고 없이 번쩍이는 번개 현상을 빗댄 말로 번개팅, 번개모임이라고도 한다. 며칠 전부터 약속을 잡는 것이 아니라 채팅 따위를 하다가 "그럼, 이따 저녁에 시간 어떠세요?" 하는 식으로 성사되는 만남이다. 1:1 남녀 만남, 동호회, 동창회 등 다양한 모임이 가능한데, 형식이 어떻든 그것이 번개가 되기 위해서는 만남의 즉흥성과 즉시성이 충족되어야 한다. 최근까지 살아남은 초창기 PC 통신 은어 중 하나.

번달번줌 [관] '번호 달라고 하면 번호 줌?'을 줄인 말. '전화번호를 알려 달라고 하면 알려 줄 거니?'라는 뜻으로, 연락처를 물어보면 가르쳐 줄 정도로 호감이 있냐는 질문이다. 어떤 상황에서 남자가 여자에게 "번달번줌"이라고 하면, 전화번호를 알려 달라는 의사 표현인 경우가 대부분이다.

범털 [명] 정치인, 기업인, 고위 공무원 등 특별한 신분의 거물급 수감자를 일컫는 말. 돈도 면회자도 없는, 별 볼 일 없는 죄수를 가리키는 '개털'과 대비되는 용어다. 교도소 은어 중 하나로 '유전무죄 무전유죄'(돈 있는 사람은 무죄, 돈 없는 사람은 유죄)와 함께 형무소 안에서도 신분에 따라 차별받는 세태를 반영하는 말이다. 가령, 범털은 교도소의 면회 제도를 이용해 사실상 수용실이 아닌 접견실에서 대부분의 시간을 보낼 수 있어, 그곳에서 결재를 하고 지시를 내리며 책을 쓰기도 한다.

범펍 [명] bump up. 가장 최근에 댓글이 달린 게시물이 목록의 최상단으로 올라오는 형식의 게시판 시스템. 혹은 게시물을 최상단으로 올리려고 일부러 댓글을 다는 행위를 말한다.

법꾸라지 [명] 법(法)+미꾸라지. 해박한 법 지식을 활용해 법망을 요리조리 빠져나가면서 사익을 취하는 부류를 일컫는 말. 2016년 말 박근혜 정부의 최순실 등 민간인에 의한 국정 농단 사건에서 청와대 실세이던 일부 법률가들의 뻔뻔한 행태를 꼬집는 말로 언론에서 자주 사용한 용어다.

법카 [명] 법인 카드. 회사를 비롯한 법인이 쓰는 경비의 투명성을 높이기 위해 도입된 신용카드로 경비 규

모, 사용처 등의 사후 증빙을 통해 여러 혜택을 받을 수 있다.

베댓 명 베스트 댓글. 어떤 게시물에 달린 댓글 중에서 추천을 가장 많이 받은 댓글을 가리킨다. '베댓'이 되면 댓글 목록에서 최상위를 차지한다.

베이글녀 명 베이비 페이스(baby face)+글래머(glamour)+녀(女). 얼굴은 앳되고 청순하지만 육감적인 몸매를 소유한 여성을 가리킨다.

베이글녀

베프 명 가장 친한 친구를 뜻하는 '베스트 프렌드'(best friend)를 줄인 말. 매우 친밀한 사이를 뜻한다. '절친'(切親)과 동의어. 영어식 줄임말인 'BF'를 따라 '비엡'이라고 표현하는 경우도 있다.

베플 명 베스트 리플. 어떤 게시물에 달린 리플(댓글) 중에서 '추천'을 가장 많이 받은 것을 가리킨다. '베댓'과 같은 말.

벨튀 관 벨을 누르고 튀는 것. 이유 없이 남의 집 벨을 누르고 도망가는 행위를 말한다. 가령, 어느 집 초인종을 누른 후 사람이 나오지 못하게 문을 막고 서서 100원만 달라고 애원하다가 갑자기 도망치는 식이다. 벨튀 외에 이런 유형 중에서 대표적인 것으로 욕튀(욕하고 도망가는 것), 택튀(택시비를 내지 않고 도망가는 것) 등이 있다. 초등학생과 중학생 사이에 일종의 가벼운 장난처럼 행해지는 문화다.

벽갤 명 새벽 갤러리. 야한 이야기나 사진 등이 오가는 새벽 시간대의 인터넷 커뮤니티 게시판을 말한다.

벽돌 명 전자 기기를 개조하다가 잘못하여 펌웨어가 고장 난 상태를 말한다. 사용이 불가능해 쓸모없어진 기계를 벽돌에 빗댄 것. 휴대전화 기기의 성능을 올리기 위해 제조사가 설정한 방법 이외의 시도를 하거나 소프트웨어를 업그레이드하다가 먹통이 되는 경우가 많은데, 이를 '벽돌폰'이라 한다. 벽돌의 생김새나 무게에 비유한 말이라기보다는 작동해야 할 기계가 멈춰 버린 것을 무생물체인 벽돌에 빗댄 용어다. ¶ 갤럭시노트, 벽돌 된 경우 순정 펌웨어로 복구하려면?

별공 [명] 別公. 비고시 출신 별정직 공무원을 줄인 말. '진공'(고시 출신 진짜 공무원을 줄인 말)과 구별하기 위한 말이다. 정권의 향배에 따라 임면이 결정되는 별공과 달리 진공은 한번 임용되면 별 탈이 없는 한 정년을 보장받는다. ¶ 청와대 진공 vs 별공, 아직도 물과 기름.

별다방 [명] 커피 체인점 스타벅스(Starbucks)의 별칭.

별다줄 [관] '별걸 다 줄인다'를 줄인 말. 상대방이 말을 하거나 글을 쓸 때 과도하게 줄인 말을 사용한다고 여겨질 경우 쓰는 말.

병따없 [관] '병신이 따로 없네'를 줄여 쓴 말.

병맛 [명] 말이 안 되는 것 같고 핑장히 이상하지만 거부할 수 없는 매력을 가진 어떤 것을 일컫는 말. '병신 같은 맛'을 축약한 말로 보인다. 파격적이고 전위적인 표현이 괴상한 스토리로 전개되는 웹툰 분야에서 생겨난 이 말은 전방위의 B급 문화 코드로 퍼졌는데, 근저에는 웰메이드(well-made)에선 찾아보기 힘든 해방감과 예측 불허의 파격성이 자리한다. 일부에서는 여전히 병맛을 악취미 개그 문화의 변종 정도로 보기도 하지만, 탈권위와 전복성에 주목하는 시선도 있다. 그에 따라 이를 바라보는 사회적 분위기도 꽤 우호적으로 변모해 현재는 광고와 드라마, 영화 등에서 병맛 코드를 자주 볼 수 있게 됐다. 이말년, 엉덩국 등이 대표적인 병맛 웹툰 작가다.

병맛짤 [명] 어이없고 황당하지만 촌철살인의 해학을 담은 이미지. 괴상한 표정이 순간적으로 포착된 연예인 사진, 아무렇게나 그린 듯한 일러스트, 각종 동물 사진, 만화나 영화의 한 장면, 합성 이미지 등 수많은 종류가 있다. 인터넷 사용자는 이런 이미지를 상황에 따라 적절히 게시하는 방식으로 활용한다. 인터넷 특유의 B급 개그 문화 중 하나.

병먹금 [관] '병신에게 먹이 금지'를

줄인 말. 관심을 받고 싶어 도발하는 게시글에 댓글(먹이)을 남기지 말라는 뜻. 댓글을 다는 등 일종의 관심을 표명하면 게시판을 개판으로 만들 수 있기 때문에 아예 무시하라는 의미다. 비슷한 말로 '어그로에게 먹이 금지'를 줄인 '어먹금'이 있다.

병설리 판 병신을 설레게 하는 리플(reply). 특정 게시물의 작성자를 놀리기 위해 댓글로 쓰는 말이다. 자신의 글에 댓글이 달린 것을 보고 설레는 마음에 서둘러 확인하니 '병설리'라는 세 글자가 기다리고 있는 식이다. 낚시글 혹은 이상한 주장을 펼치는 게시물의 댓글 목록에서 자주 볼 수 있다.

병신미 명 어이없고 바보 같은 행동에서 우러나오는 개성 혹은 특성을 이르는 말. 합리적으로는 이해하기 힘든 기묘한 행동 패턴을 보여 주지만 그만의 매력이 있을 때 "병신미가 있다" 하는 식으로 표현한다.

병신타임 명 커뮤니티 게시판의 서버 정보가 리뉴얼되는 새벽 3시에서 5시경의 시간대를 가리킨다. 이때는 게시판을 사용할 수 없어 생긴 말.

병크 명 '병신짓 크리티컬'(critical)을 줄인 말. 나중에 후회할 만한 일을 연속해서 저지르는 것을 말한다. 주로 '터지다'와 결합하여 쓰인다. ¶ 오늘 발표 때 병크 터짐 ㅜㅜ

병풍 명 누구에게도 주목받지 못하고 병풍처럼 배경만 채우고 있는 사람. 공기처럼 존재감이 없다는 의미에서 '공기'라고 부르기도 한다. 반대말은 '미친 존재감'을 줄인 말인 '미존'이다.

보그체 명 보그(Vogue)+체(體). 패션 잡지 〈보그〉를 비롯한 패션 매체에서 흔히 사용하는 문체를 가리킨다. 외국어를 과도하게 섞어 쓰는 기이한 말투, 겉멋에 취한 만연체 문장 등이 특징적이다. '무심한 듯 시크한', '엣지 있는', '머스트 해브 아이템' 등이 대표적인 표현이다. '언인텐셔널한 듯 시크하게 보그 스타일을 이미테이트하고 싶은 워너비들이 팔로우하는 클리셰' 같은 문장이 전형적이다. 패션 잡지뿐만 아니라 인터넷 뉴스와 TV 연예 매체, 홈쇼핑 방송 등에서도 이런 표현을 등장시키면서 누구나 아는 말투가 됐다.

보슬아치 명 보지+벼슬아치. 자신

의 성별을 벼슬처럼 휘두르는 여성을 지칭하는 말. 일부 남성들이 그러한 여성에 대한 혐오감을 드러낼 때 사용하는 표현이다. 그들에 의하면, 보슬아치는 돈 많고 잘생긴 남자를 만나기 위해 몸치장에 여념이 없고, 남자가 데이트 비용을 쓰는 것은 당연하게 생각하는 등 자신에게 주어진 혜택을 최대한 누리려 하며 의무는 소홀히 한다.

보습국 명 노르웨이. 미국 화장품 브랜드 '뉴트로지나'(Neutrogena)의 보습 크림 라인 '노르웨이전 포뮬러'(Norwegian Formula)에서 유래한 별칭. 해당 제품 라인의 용기에 노르웨이 국기 이미지가 포함되어 있다. #나라

복붙 명 복사 후 붙여 넣기. 대상을 복사해 붙여 넣으라는 컴퓨터의 명령어로, 기존 게시물의 내용을 그대로 가져온 것 혹은 그러한 행위를 일컫는다. 복제한 것처럼 유사해 보이는 대상을 가리키는 말로 쓰일 때도 있다. ¶ 태민이 얼굴 복붙하고 싶다.

복세막살 관 '복잡한 세상 막 살자'를 줄인 말.

복세편살 관 '복잡한 세상 편하게 살자'를 줄인 말.

복전 명 복수 전공. 대학에서 두 개 이상의 학과를 전공으로 삼는 것을 가리키는 표현이다.

본계 명 SNS에서 주로 사용하는 본래의 계정을 말한다. 그 외에 추가적으로 사용하는 계정을 가리켜 '부계'라고 부른다. 이 둘은 잘 구별해서 사용해야 한다.

본방사수 관 TV 프로그램을 본래의 방송 시간에 시청하는 것, 혹은 그래야만 할 정도로 기다려지는 방송 프로그램에 대한 찬사. 특히 후자의 경우 '닥치고 본방 사수'라 하여 '닥본사'로 줄여서 부르기도 한다. 재방송이나 IPTV의 다시 보기로 시청하는 것이 아니라 무슨 일이 있어도 프로그램이 실시간으로 방송될 때를 기다려 시청하는 것으로, 특정 프로그램에 대한 애정과 응원, 시청을 독려하는 의미를 담고 있다. 2000년대 중반 드라마 시청자들 사이에서 나온 말로 알려져 있으며, 연관 표현으로 닥재사(닥치고 재방 사수), 주장미(주요 장면 미리 보기) 등이 있지만 사용 빈도는 높지 않다.

볼매 관 ① '볼수록 매력 있다'를

줄인 말. ② '볼수록 매를 번다'를 줄인 말. ¶ A: 넌 정말 볼매야. B: 어, 너도 볼매야.

부계 몡 SNS에서 주로 사용하는 계정이 아닌, 보조로 사용하는 계정을 가리키는 말. '세컨'(second; 세컨드)이라 부르기도 한다. 주로 쓰는 첫 번째 계정은 '본계'라 한다. 본계와 부계를 혼동할 경우 슬픈 일이 발생할 수 있으므로 주의해야 한다.

부나샷 관 '부장님, 나이스 샷'을 줄인 말. 회사에서 부장을 비롯한 상사의 비위에 맞추어 알랑거리는 행위를 가리키는 말이다. 비슷한 표현에는 '사나샷'(사장님, 나이스 샷)이 있다.

부남자 몡 BL(Boys' Love), GL(Girls' Love)처럼 동성애를 소재로 한 만화, 애니메이션, 소설 등의 작품을 향유하는 남성을 일컫는 말.

부녀자 몡 BL(Boys' Love), GL(Girls' Love)처럼 동성애를 소재로 한 만화, 애니메이션, 소설 등의 작품을 향유하는 여성을 일컫는 말. 때에 따라 '동인녀' 혹은 'BL러'로 불리기도 한다.

부들부들 부 억울하고 화가 나지만 어쩔 도리가 없어 몸이 부들부들 떨리는 모양. 특정 사건이나 상황에 대한 분노를 표할 때 쓰는 말이다.

부랄발광 몡 부랄(불알)+지랄발광. 불알을 달고 태어난 남성이 쓸데없는 일로 유난을 떠는 모양을 가리키는 말.

부리털기 몡 여성 사용자가 압도적으로 많은 여초 커뮤니티에서 내부 규칙을 어긴 회원을 운영자에게 신고하는 행위. '부털'이라고 줄여 부르기도 한다.

부먹찍먹 관 '부어 먹어? 찍어 먹어?'를 줄여 부르는 말. 탕수육 등을 먹을 때 소스를 음식에 부어서 먹는 쪽인가, 아니면 찍어서 먹는 쪽인가 하는 것이다. '부먹파'와 '찍먹파'는 이것이 굉장히 중요한 문제인 것처럼 논쟁에 열을 올리는데, 소스를 적당히 덜어 각자 기호에 맞게 먹는 쪽을 추천한다.

부먹파 몡 탕수육 등을 먹을 때 소스를 음식에 부어서 먹는 사람들. 반대말은 음식에 소스를 찍어서 먹는 사람들인 '찍먹파'다.

―부심 접 어떤 대상 뒤에 붙어 그것에 대한 자부심을 나타내는 접미

133

부먹파

사. 쓸데없는 자만심을 비꼬는 뜻으로 쓰일 때가 많다. 보통 동사 '부리다'와 결합하여 사용되며, 군부심(군대+자부심), 힙부심(힙합+자부심), 슴부심(가슴+자부심), 얼부심(얼굴+자부심) 등 많은 용례가 있다. 여기서 군부심은 자신의 출신 부대 혹은 그곳에서의 경험을 과시하며 타 군 출신을 깔보거나 미필, 공익, 상근 예비역 등을 무시하는 행위를 뜻한다. 이처럼 이들 용어에는 독선적이고 배타적인 태도를 꼬집는 뉘앙스가 강하다. 어떤 말에든 '─부심'을 붙이면 새로운 표현을 수월하게 만들 수 있다. 학부심(학교+자부심), 할부심(할리데이비슨

+자부심), 남부심(남편+자부심), 인부심(아이돌 그룹 인피니트+자부심) 등이 그 예다.

부없남 ⓤ 부러울 게 없는 남자. 2010년경, 걸 그룹 멤버들과 매우 친해 다정하게 사진을 찍고 에피소드를 공개하는 등의 만행(?)을 일삼는 몇몇 남자 연예인을 지칭하는 말로 등장했다. ¶ "한 손에는 투기, 한 손에는 공짜 전세를 든 진정한 부없남인 후보자가 과연 전세 대란을 겪고 있는 서민들의 고충을 알까 의문입니다." — 지식경제부 장관 후보자 청문회에서 어느 야당 의원의 발언, 2011년 1월.

부찌 [명] 부대찌개. 비슷한 말로 '김찌'(김치찌개)가 있다.

부치 [명] butch. 레즈비언 커플 중 남성 역할을 하는 여성. 머리가 짧고, 화장을 하지 않으며, 바지를 입는 등 외모와 행동이 소위 남성적인 여성일 때 부치로 간주한다. 부치 성향이 겉으로 뚜렷하게 드러나는 경우를 일컬어 '티부'(티 나는 부치)라고 표현하기도 한다. 부치의 반대말은 펨(femme)으로 여성 역할을 하는 레즈비언을 뜻한다. 그러나 모든 레즈비언 커플이 이처럼 전통적 남성성과 여성성의 잣대로 나뉘지는 않으며, 부치와 펨의 구분이 불분명한 커플도 많다.

부캐 [명] 부(副)+캐릭터. 온라인 게임에서 주로 사용하는 캐릭터 외에 보조로 사용하는 캐릭터를 말한다. SNS의 보조 계정을 뜻하는 '부계'와 닮았다.

분홍내 [명] 금방이라도 사랑에 빠질 것 같은 분위기의 대화 또는 게시물에서 나는 향기. '부농내'라고도 한다. ¶ 이 투닥거림에서 부농부농 분홍내가…?

불곰국 [명] 러시아. 러시아의 상징 동물이 불곰인 데에서 유래한 별칭이다. 1990년대 중반에 이루어진 대한민국 국군의 러시아제 무기 도입 사업을 '불곰 사업'이라 칭하기도 했다. #나라

불금 [명] 불타는 금요일. 주 5일제가 도입되면서 토요일에는 출근하지 않아도 되어 신나게 놀 수 있는 금요일 밤을 지칭하는 용어로 널리 퍼졌다. 일상의 규율과 답답함에서 벗어나 소진할 정도로 웃고 떠들고 마실 수 있는 밤이다. 서울에서 불금 문화를 대표하는 곳은 홍대 앞, 이태원, 강남역 등인데 금요일 밤이 되면 이곳은 청춘 남녀들로 장사진을 이룬다. 연관 용어에는 불토(불타는 토요일), 혼금(혼자 보내는 금요일) 등이 있다.

불꽃애드립 [명] 불꽃같은 순발력이 돋보이는 애드리브를 말한다. TV 예능 프로그램에서 자주 쓰이던 말이었으나, 일상에서 재미있는 농담을 이와 같이 칭하는 경우가 많아졌다.

불따 [명] '불법 다운로드'를 줄여 이르는 말.

불수능 [명] 문제가 어렵게 출제되어 수험생들의 평균 점수가 낮게 나오는 대학수학능력시험. 변별력이

높아지는 장점이 있으나 일반적으로 재수생에게 유리한 시험이고 사교육을 조장한다는 부작용이 있다. 반대로 난이도가 낮아 평균 점수가 높게 나오는 수능 시험을 '물수능'이라고 한다.

불판 [명] 어떤 주제에 대하여 (새로운 게시글을 계속해서 작성하는 것이 아니라) 하나의 게시글 안에서 댓글을 주고받는 식으로 대화할 때, 해당 게시글을 가리켜 불판이라 한다. 댓글이 너무 많아서 새로운 게시글로 이동하여 대화를 이어 갈 때 '불판을 교체한다'고 표현한다.

불펌 [명] '불법 펌'을 줄인 말. 인터넷상의 자료를 원작자 혹은 저작권자에게 허락을 구하지 않고 복사해서 다른 곳에 게시하는 행위를 통칭한다.

불행배틀 [명] 누가 더 불행한지를 가리는 싸움. 자신의 삶이 상대보다 조금 더 낫다는 것이 확인되고 나서야 보통 끝이 난다. 난데없이 시작되어 돌이킬 수 없는 분위기를 만드는 경우가 많다.

붐업 [명] 2014년 1월 서비스가 종료된 '네이버 붐' 게시판에서 게시물을 추천한다는 의미로 쓰였던 표현. 해당 게시판의 성격을 반영해 유치한 정서의 유머 게시물을 비꼬는 말로도 쓰였다. 해당 서비스는 '네이버 뿜'으로 개편되어, 붐업이란 말은 더 이상 사용되지 않는다.

브금 [명] 배경음악. 영어 background music의 약어 'BGM'을 한국어 득음으로 발음한 것. 영화나 드라마, 광고의 브금이 대중의 관심을 모아 음원 판매는 물론 실황 공연까지 이뤄지는 사례가 꽤 많다. 게시물을 열면 음악이 자동으로 재생된다는 것을 알리기 위해 게시글 제목에 '브금 있음', '브금 有(유)' 등의 표기를 첨가하는 경우도 많다.

브로맨스 [명] 브라더(brother)+로맨스(romance). 남자들 간의 우애를 가리킨다. 주로 영화나 드라마에서 두 남성 등장인물이 이루는 조화를 표현하는 말로 쓰인다. 브로맨스라는 말로 소비되는 이들 두 사람의 관계는 작품 내에서 무심한 우정의 제스처나 진한 애정 표현 등 다양한 모습으로 묘사된다.

블랏 [명] '블라우스'(blouse)를 줄인 말. ¶ 아우터형 롱블랏 저렴하게 판매 중입니다.

블로거지 [명] 블로거(blogger)+거

지. 자신의 영향력을 내세워 블로그(blog)에 글을 올리는 대가로 금품이나 협찬, 할인 등을 요구하는 블로그 운영자를 말한다. 순수한 의도로 정보를 공개하는 척하지만 돈을 벌기 위해 블로그를 운영하는 한편, 이해관계인에게 노골적으로 특혜를 요구한다. 가령, 식당에서 음식을 공짜로 제공받거나 제품을 무상으로 받고 블로그에 칭찬 일색의 후기를 작성하는 식이다. 일부 블로거가 기업 마케팅의 수단으로 활용되면서 정보 공정성 시비가 끊이지 않고, 온라인 홍보 채널이 인스타그램, 페이스북 등 SNS 중심으로 재편됨에 따라 그 인기가 예전 같지 않다. ¶ 블로거지들 지고, 인스타거지 활개.

블블 [명] 사회관계망 서비스(SNS)인 트위터의 사용법 중 하나로, 서로 블록(block; 차단)하는 것. 트위터에서의 관계를 양자 모두가 끊는 행위다.

블언블 [명] '블록 언블록'을 줄인 말. 사회관계망 서비스(SNS)인 트위터의 사용법 중 하나로, 상대방을 블록(block; 차단)한 후에 언블록(unblock; 차단 해제)하는 것을 가리킨다. 트위터에서 상대방을 차단하면 나에 대한 상대방의 팔로우가 취소되어 나의 트윗을 상대방이 볼 수 없게 된다. 이 상태에서 차단을 해제하면 상대방은 나를 다시 팔로우할 수 있는 상태가 되며 내 트윗을 볼 수 있다.

블태기 [명] 블로그+권태기. 블로깅(블로그 활동)에 흥미를 잃어 포스팅이나 답글 활동이 뜸해지는 시기를 지칭한다. 비슷한 말로 인스타그램(Instagram) 활동이 시들해지는 시기인 인태기(인스타그램+권태기)가 있다.

블프 [명] 블랙 프라이데이(Black Friday). 미국 전역에서 대대적인 세일 행사가 시작되는 기점으로, 매년 11월 마지막 주 금요일을 가리킨다. 이날부터 연말까지 이어지는 행사 기간에 연중 최대 규모의 소비가 이뤄진다.

비건 [명] 비건전(非健全) 아르바이트. 인터넷 혹은 스마트폰 애플리케이션을 통한 성(性) 관련 아르바이트를 지칭한다.

비게퍼 [명] 비즈니스 게이 퍼포먼스. 아이돌 팬덤 문화에서 쓰는 표현으로, 아이돌 멤버 사이에 사실은 그렇지 않은데도 여러 이유로 게이인 양 연출하는 것을 말한다. 평소

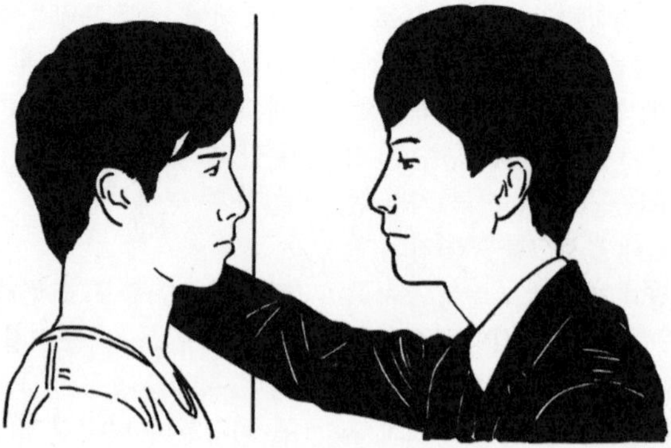

비게퍼

친해 보이지 않는데 카메라 앞에선 마치 연인인 것처럼 행세하는 경우, 팬들은 이들이 비게퍼가 아닌지 추측하게 된다. ¶ 먹고살기 힘든가 봐, 아주 대놓고 비게퍼구나.

비글미 [명] 비글(beagle)+미(美). 활발하고 장난스러운 사람이 내뿜는 매력. 활동량이 많고 짓궂기로 유명한 견종인 비글의 성격을 사람에 비유한 말이다.

비담 [명] 비주얼 담당. 아이돌 그룹 멤버 중 외모가 특히 빼어난 이를 가리키는 표현이다. '얼굴 담당'이라고도 한다. 여러 명으로 구성된 아이돌 그룹은 각자의 역할에 따라 여러 '담당'으로 나뉘는데, 비주얼 담당 외에도 보컬 담당, 외국어 담당, 춤 담당, 센터 담당(홀수로 구성된 아이돌 그룹에서 한가운데 위치에 서는 멤버) 등이다.

비덩 [명] 비주얼덩어리. 무리 중에서 아름다운 외모가 돋보이는 사람을 말한다.

비방 [명] 비공개 방. 온라인 게임 등에서 비밀번호가 설정돼 있어 아무나 들어갈 수 없는 방을 뜻한다. 반대로 누구에게나 열려 있는 공개 방을 가리켜 '공방'이라 한다.

비번 [명] 비밀번호.

비엪 [명] 'BF'(best friend)를 철자 그대로 발음한 것. '비'(B)와 '에프'(F)를 빨리 발음해 두 글자로 줄인 것이다. 가장 친한 친구를 뜻하며, '베프'(베스트 프렌드)와 같은 말이다.

비주얼쇼크 [명] 깜짝 놀랄 만한 장면. 충격적일 만큼 아름답고 매혹적인 장면, 또는 흉하고 지저분한 장면을 보았을 때 터져 나오는 말이다. 어떤 식으로든 보는 사람의 안구를 강타하는 이미지를 가리킨다. ¶ 돌아온 훈남, 여심 저격 비주얼쇼크.

비추 [명] 비(非)+추천. '추천'의 반대말로, 어떤 대상을 추천하지 않거나 의견에 공감 또는 동의하지 않는다는 뜻이다.

빅마 [명] 빅 마우스(big mouth). 말이 많거나 입이 가벼운 사람. 다소간 부정적인 어감을 가진 표현으로, 수다와 허풍에 능하고 남의 비밀을 퍼뜨리며 습관적으로 타인을 자주 헐뜯는 사람을 말한다.

빅엿 [명] 빅(big)+엿. '크다'라는 뜻의 영어 'big'과 한국어 관용 표현 '엿 먹이다'를 합한 것으로, '크게 엿 먹이다', 즉 '크게 골탕 먹이다'라는 뜻이다. ¶ 교수님이 이번 학기에 나에게 빅엿을 주셨다.

빈유 [명] 빈약한 유방, 크기가 작은 가슴을 가리킨다. 반대로 큰 가슴은 '거유'라고 한다. 일본에서 유래한 말이며 오타쿠층을 통해 전파되었다.

빙바우 [명] '빙그레 바나나맛 우유'를 줄인 말. 빙그레에서 1974년 출시한 바나나맛 우유는 지금까지도 가공유 시장 1위를 꾸준히 지키고 있다. 빙바우는 '뚱뚱한 바나나맛 우유'를 줄인 말인 '뚱바'로 불리기도 한다. '뚱바'는 이 제품의 용기 모양이 뚱뚱한 데서 착안한 별칭. ¶ 빙바우는 역시 빨대로 먹어야 함.

빙썅 [관] '빙그레 썅년'[놈]을 줄인 말. 빙그레 웃는 낯으로 눈치 없는 척 무례한 말을 하는 사람, 혹은 상대방 앞에서는 친절하게 대하지만 뒤로는 남을 헐뜯고 욕하는 사람을 가리킨다. 본데없이 막된 여자[남자]를 속되게 이르는 말인 '상년'[놈]의 센 표현 '쌍년'[놈]이 다시 '썅년'[놈]의 형태로 바뀌었다가 '썅'으로 축약되었다.

빙하기 [명] 보조금이 많이 지원되지 않아서 휴대전화의 가격이 올라 있는 기간. 단통법 시행 이전에 휴대전화 및 상거래 정보 공유 커뮤니티에서 주로 쓰였던 말이다. 반대로 보조금 지원이 많이 되는 기간을 '해빙기'라 불렀다.

빛삭 몡 빛의 속도처럼 빠르게 게시물이나 댓글을 삭제하는 행위. '빛'과 '삭제'를 합한 말이다. 빛을 뜻하는 한자어인 광(光)을 써, '광삭'이라고도 한다. ¶ 네가 인스타에 올렸다가 빛삭한 사진, 알림 뜨자마자 캡처해 놨어.

빠 몡 졉 어떤 대상을 열광적으로 좋아하는 사람, 즉 '팬'을 의미한다. 아이돌의 열렬한 여성 팬을 일컫는 '빠순이'라는 명칭에서 유래했으나, '빠'로 축약되고 중성화되면서 무언가를 좋아하거나 지지하는 사람을 가리키는 말로 자리 잡았다. 가령 '국빠'는 한국에 대한 자부심으로 무장한 사람, '일빠'는 일본 문화에 경도된 사람이다. 열광의 대상이 특정 인물인 경우도 상당한데, 노빠(정치인 노무현의 열렬한 지지자), 박빠(정치인 박근혜의 열렬한 지지자), 명빠(정치인 이명박의 열렬한 지지자), 문빠(정치인 문재인의 열렬한 지지자) 등이 그 예다. 대체로 부정적인 함의를 갖는데, 대상에 대한 맹목적 충성심과 몰입 탓이다. 반대로 특정 대상을 열렬히 깎아내리는 사람을 가리켜 '까'라고 부른다.

빠가남 몡 말끝마다 자신을 "오빠가…"로 칭하는 남성. "오빠가 여자많이 만나 봐서 아는데…", "오빠가 오늘 바쁠 것 같거든…" 하는 식으로 허구한 날 자신을 '오빠'라고 칭하는 남성이다. 꽁치남(공짜를 매우 좋아하고 가성비를 따지는 치졸한 남성) 등과 함께, 한국 남성을 부정적으로 이르는 '한남'이라는 말이 여러 형태로 분화하는 과정에서 생겨난 단어다.

빠던 몡 야구에서 홈런을 친 선수가 배트(bat)를 희한하게 던지는 행위. 배트를 한국식으로 부르는 말인 '빠따'와 동사 '던지다'의 각 첫 음절을 합성한 조어. 공을 때린 직후 홈런임을 직감한 타자가 타격의 연속 동작으로 배트를 힘차게 뒤로 던지거나, 타석에서 홈런 타구가 날아가는 것을 보고 서 있다가 공이 펜스를 넘어가면 배트를 독특하게 던지고 뛰어가는 등 유형도 여러 가지다. 야구 종주국 미국에서는 이를 배트 플립(bat flip)이라고 부르며, 상대 팀을 모욕하는 행위로 인식해 금기시하고 있으나 한국에서는 홈런 세레모니(ceremony)의 일부로 보는 시각이 강하다. 상대방에 대한 존중과 홈런을 허용한 투수에 대한 예의로 빠던을 자제해야 한다는 여론이 점차 형성되고 있다.

빠릴 붑 빨리. 컴퓨터 키보드 한

글 자판의 배열 특징상 자주 발생하는 오타를 일부러 따라 쓰는 것. #오타체

빠바 [명] 베이커리 체인점 '파리바게뜨'를 줄인 말. 동네마다 한두 개씩 있는 프랜차이즈 베이커리의 대명사로 카페를 겸업하는 경우가 많아 동네 사랑방이 되기도 한다. 빠바의 경쟁사는 '뚜쥬'(뚜레쥬르)다.

빠충 [명] 빠떼리(배터리) 충전기. 스마트폰 세대의 필수품이다.

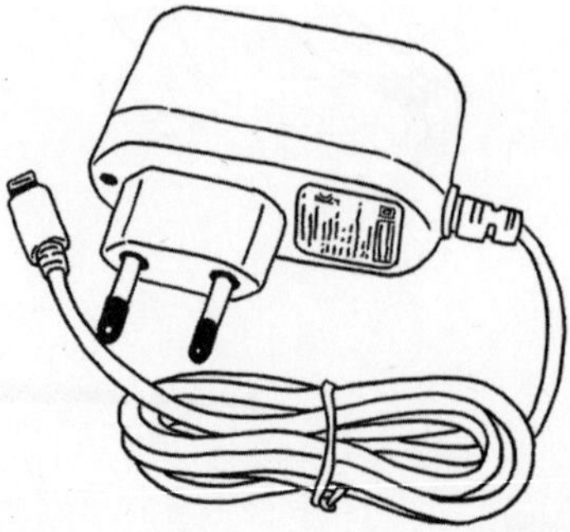

빠충

빡공 [명] 빡세게 공부. 열심히 공부하는 것을 뜻한다.

빡돌다 [동] '화가 나서 돌아 버리다', '머리끝까지 화나다'라는 뜻. '빡치다'와 구별 없이 쓰는 말이다.

빡세다 [형] 힘들다. 감당하기 어려울 만큼 고되다는 뜻.

빡치다 [동] 몹시 분노하다. 일반적으로 '화나다'를 강조하는 어감을 가진다. 명사형은 '빡침'. ¶ 녀석의 만행을 보고 깊은 빡침에 몸을 떨었다.

—빨 [접] '기세', '힘', '효과'의 뜻을 더하는 접미사 '—발'을 강하게 발음한 것. ¶ 오픈빨 이후론 파리만 날리는군.

빨다 [동] 치켜세우다 혹은 찬양하다. 언론계 은어로 취재 대상에 대해 호의적인 기사를 쓰는 것, 과도하게 옹호하는 것 등을 말한다. 반대말은 '조지다'로 취재 대상을 호되게 비판하는 것을 뜻한다. 대부분의 정부 편향적 언론은 대통령을 '빠는' 기사를 항시적으로 내보내며, 반대 세력에 대해서는 '조지는' 일이 다반사다. 또한 광고에 의존하는 수익 구조 탓에 상업 언론은 대체로 광고주를 '조지는' 기사를 꺼린다. ¶ 후배: 계속 조질까요? 선배: 한 번 조지면, 한 번은 빨아야지.

빨대 [명] [1] 상대에게서 지속적·고정적으로 이익을 취하는 행동을 비꼬아 이르는 말. 일반적으로

'빨대를 꽂다'의 형태로 쓴다. ¶ 빨대 꽂은 채로 하루하루 살아가는 노동자. ② 조직의 기밀을 은밀하게 외부로 유출하는 사람. 수사기관, 언론계 등에서 쓴다.

빵 몡 ① 담배를 이르는 은어. 가령 '길빵'은 길에서 담배를 피우는 것을 말한다. ¶ 어이, 빵 한 대 줘봐. ② 교도소를 이르는 은어. ¶ 당최 안 보이더니, 빵에라도 갔다 온 거유?

빵국 몡 프랑스. 프랑스의 빵과 제빵 문화가 유독 발달한 데서 유래한 별칭. #나라

빵셔틀 몡 빵+셔틀(shuttle). 일진 따위의 학교 내 강자의 협박으로 매점에서 빵을 사 나르는 학생을 일컫는 말. 학원 폭력의 피해자다.

빵순이 몡 빵을 사랑하는 여자. 새로운 빵이 출시되면 먹어 본 후 인터넷에 후기를 남겨 인증하고, 소문난 빵집을 찾아 일명 '빵지순례'(빵+성지순례)를 다니는 등 누가 봐도 빵 애호가인 여성이다. 남성형은 빵돌이.

빵심 몡 빵을 먹고 생긴 힘. '밥을 먹고 생긴 힘'이란 뜻의 '밥심'을 패러디한 말. 쌀밥을 주식으로 하는 한국의 식문화가 사회 변화와 함께 빵, 면, 간편식에 밀려나는 경향에 따라 언론 등에 등장하게 된 표현이다. 빵심 외에 면심(국수류), 풀심(샐러드류)이란 표현도 있다.

빵— 쩝 '못생긴' 혹은 '나쁜'의 뜻을 더하는 접두사. 두 가지 의미가 모두 해당되어 '못생기고 나쁜'이라는 뜻으로 사용되는 경우가 많다. 뒤에 붙는 명사를 비하할 때 쓴다. ¶ 빵남, 빵글, 빵국… 빵았네, 빵았어.

빵다 혱 못생기다. 혹은 엉망진창이다. '짓찧어서 가루로 만들다'라는 뜻을 가진 동사 '빵다'에서 유래한 표현. 외모를 비하하는 말로 쓰이기 시작했다가 질이 나쁜 무엇을 조롱하는 말로 그 의미가 확대됐다. ¶ 그 친구, 얼굴만 빵은 줄 알았는데 머가리(대가리)도 빵았고 아무튼 도망가자.

빼박캔트 쾐 빼박+캔트(can't). 즉, '빼도 박도 못하다'라는 뜻. 어떤 상황에서 이러지도 저러지도 못하는 상태를 말한다. "빼박캔트 상황에 빠져들었다"(이러지도 저러지도 못하는 상황에 처했다), "빼박캔트 오심이다"(빼지도 박지도 못할 명백

한 오심이다) 하는 식으로 사용된다. 한글을 축약한 뒤 다시 영어를 합성한 복잡한 구조의 말이나, 말뜻과 어감이 호응하는 면이 있어 널리 퍼졌다. ¶ 제자 폭행 교수, 삐박캔트 증거에 자백.

삐애애애액 ㉘ 떼쓰거나 투정 부릴 때 내는 소리로, 논거를 대지도 않으면서 무작정 자신의 말이 맞다고 우기는 사람이나 상황을 비꼬는 표현.

삑 ㉐ 뒤를 봐주는 사람을 일컫는 말. 영어 background(백그라운드; 배경)를 줄여 강하게 발음한 것이다. 해방 이후 등장한 표현으로, 정당한 절차가 아닌 학연이나 혈연, 지연으로 얽힌 관계 또는 사익 추구를 위한 결탁이 어떠한 자리를 차지하거나 사업을 수주하는 데 결정적으로 작용하는 세태를 꼬집는 말이다. ¶ "전에도 못 들어 본 말은 아니나 근래에 와서 삑이란 말이 성행하는 것을 본다. 그 사람은 삑이 좋아서 그 자리에 취직이 됐다, 아 그 사람은 삑이 굉장합니다, 삑이 없어서 안 될걸요? 적재적소에 저절로 불려가 들어앉아야 할 일 아닌가. '삑', '삑', 우리에게 퍼진 이것, 참 고질이다." ─ 〈경향신문〉 칼럼, 1950년 3월 17일.

삑전 ㉐ 삑(background)+전(戰). 청소년 사이에서 하급생 일진 간의 서열을 가르기 위해 그들의 '삑'인 상급생 일진이 대신 나서서 싸우는 것. ¶ A: 삑전 뜨자는데, 어떡하죠? 걔가 삑이 많아서요. B: 형들이 바빠서 안 된다고 하고, 다음에 뜨자고 해요.

삑치 ㉐ 몸에 딱 달라붙는 치마. 비슷한 말로 '짧치', '똥치' 등이 있다. 대개는 길이를 줄이고 몸에 달라붙도록 수선한 교복 치마를 이르는 말이다.

삥끼 ㉐ 요령, 꾀. 주로 동사 '치다', '쓰다'와 결합하여 '요령 피우다', '거짓말하다'의 뜻으로 활용된다. ¶ 보는 사람 없다고 삥끼 치지 말고 일해라.

삥이 ㉐ 고생. 대개 동사 '치다', '까다'와 결합하여 '고역을 겪다'의 뜻으로 쓰인다.

뻘글 ㉐ 아무 의미 없이 써 놓은 글. 심심해서 한번 써 봤다는 뉘앙스의 내용이 많다.

뻘짓 ㉐ 결과적으로 헛수고로 돌아간 일. 무용할 게 뻔하거나 무모한 행동을 뜻한다. 흔히 '삽질'이라고도 부른다. 자신의 두 손으로 가위바위보를 하거나 길을 걸을 때 같은 색 블록만 밟고 가는 등, 그냥 재미로 이 짓을 하는 사람도 많다. ¶ 뺄짓에 나이가 어딨니?

뽀글이 명 라면 봉지에 뜨거운 물을 부어 익혀 먹는 라면. 냄비를 사용하기 힘든 군인들의 레시피로 조리법은 다음과 같다. 먼저, 라면 봉지를 뜯지 않은 상태에서 면을 4등분한다. 다음, 라면 봉지를 조심스럽게 개봉하고 분말 수프 등을 넣는다. 뜨거운 물을 봉지 안에 붓고 입구를 나무젓가락으로 틀어막는다. 5분 정도 기다린 후 먹는다.

뽀대 명 멋. 주로 접미사 '—나다'와 결합한 '뽀대나다'의 형태로 '멋있다', '폼 나다'의 뜻으로 쓰이는데, 그 강도가 더 세다. ¶ 잘생긴 사람은 뭘 입어도 뽀대가 나.

뽀록 명 들통. 숨겼던 사실이 예기치 않게 드러난 것. 주로 접미사 '—나다'와 결합한 '뽀록나다'의 형태로 '들통나다', '탄로 나다'의 뜻으로 쓰인다. "몰래 한 사랑, SNS에서 뽀록", "카톡 하다 나이가 뽀록났다", "자연 미인이라더니 성형 뽀록" 하는 식으로 쓴다. 어원은 일본어 ぼろ(襤褸, 보로)로 원래는 '남루한 옷'을 뜻하나 '결점' 따위의 의미도 포괄하는데 이것이 건너오면서 현재와 같이 사용되고 있다.

뽀샵 명 어도비(Adobe)사의 이미지 편집 프로그램인 포토샵(Photoshop)의 별칭. 포토샵의 주요 기능은 사진 이미지의 색상 및 형태 보정, 오래된 사진 복원, 이미지 합성 등으로, 일반적으로 뽀샵이라는 말은 사진을 수정하여 예쁘고 보기 좋게 한다는 맥락에서 사용된다. 인터넷 얼짱 문화가 막바지에 이르렀을 때는 포토샵 보정 때문에 진짜 미모를 가려낼 수 없다는 탄식과 함께 그에 대한 비하적 표현처럼 유통되었으나, 현재는 약간의 실망만을 안겨 주는 관행으로 자리 잡았다. ¶ 뽀샵이 잘됐길래 괜히 한번 올려 봅니다.

뽀샵질 명 뽀샵+질. 어도비(Adobe)사의 이미지 편집 프로그램인 포토샵(Photoshop)으로 사진을 보정하는 행위. 본래의 사진을 더욱 매력적으로 가공하기 위해 하는 행동이다. 최근에는 그 의미를 확장해 원본 자료를 보기 좋게 세탁하는 행위까지 뽀샵질이라고 부른다. 가령, 이력서 작성 시 경력을 그럴싸하게 포장하는 행위를 '이력서 뽀샵질'이라고 한다.

뽀통령 명 뽀로로+대통령. 아이들에게 큰 사랑을 받는 애니메이션 〈뽀롱뽀롱 뽀로로〉의 주인공 뽀로로를 가리킨다. 아이들 사이에서 대통령이나 다름없는 뽀로로의 위상이 반영된 표현.

뽐거지 명 뽐(뽐뿌)+거지. 얼마 안 되는 이득을 취하려고 타인에게 피해를 주거나 상도에 어긋나는 행동을 하는 사람을 일컫는 말. 원하는 물건을 최대한 저렴하게 구입하기 위해 지나칠 정도로 옹색하게 구는 이를 비하하는 표현이다. 휴대전화 및 상품 거래 정보 공유 커뮤니티 '뽐뿌'에서 생겨난 용어. ¶ 저런 뽐거지한텐 차라리 안 팔고 말지.

뽐뿌 명 ① 무언가를 구매하고 싶은 열망이 펌프질하듯 솟아오르는 것. '지름신'과 비슷한 말이다. ¶ 새 맥북 뽐뿌 온다. ② 휴대전화 및 상품 거래 정보 커뮤니티 사이트. (www.ppomppu.co.kr)

뽐뿌질하다 동 어떤 일이나 행동을 하도록 부추기다. ¶ 쇼핑할 때 따라와서 뽐뿌질하지 마.

뽐지랖 명 휴대전화를 구입하려는 사람에게 자신이 더 좋은 구매 조건을 알고 있다며 오지랖을 떠는 행위.

뿜기다 동 뿜다+웃기다. 입안에 있던 음식을 뿜을 정도로 웃기다.

뿜다 동 난데없이 들어찬 웃음의 기운을 참지 못하고 터뜨리다. 격하게 뿜게 되는 상황을 가리켜 '격뿜'이라는 표현을 쓴다. ¶ 멍하게 읽다가 돌연 뿜었다.

사

사골 명 자주 우려먹어서 식상한 것을 뜻하는 말. 원래는 소의 다리뼈를 가리키는데, 반복적으로 삶아 국물을 우려내는 조리법에 비유하면서 생겨난 표현이다. '사골자료', '사골개그', '사골짤' 하는 식으로 쓴다. 자신이 올리는 게시글이 이미 여러 번 언급되어 진부한 경우 제목 옆에 '사골주의'라고 쓰는 경우도 흔하다.

사기캐 명 사기 캐릭터. '사기 캐릭' 혹은 '사캐'라고도 한다. 믿을 수 없을 만큼 놀라운 능력을 갖고 있는 사람을 가리킨다. 게임이나 만화에서 현실에서는 상상하기 힘들 정도로 능력이 월등한 캐릭터를 사기 캐릭터라고 부른 것이 유래다. 학생들 사이에서는 공부를 잘하고 외모도 뛰어나며 운동은 물론 성격까지 좋은 사람을 사기캐라 할 수 있다. 한마디로 뭐든지 잘하고 결점이 없는 사람이다. 비슷한 말로는 끝판왕, 낫닝겐, 능력자, 엄친아(엄친딸) 등이 있다.

사나샷 관 '사장님, 나이스 샷'을 줄여 이르는 말. 상사의 비위에 맞춰 알랑거리는 행위를 통칭한다. 비슷한 말로 '부장님, 나이스 샷'을 줄인 '부나샷'이 있다.

사못쓰 관 '4할도 못 치는 쓰레기'라는 뜻으로, 야구에서 타율이 3할은 기본이고 4할에 육박하는 엄청난 실력을 갖춘 선수를 칭하는 말. 여기서 '쓰레기'는 반어적인 표현이며, 현대 프로야구에서 한 시즌 4할 타율은 불가능한 기록으로 여겨진다. 프로야구 선수 김현수의 두산 베어스 시절 별명이기도 하다.

사바사 관 '사람 바이(by) 사람'을 줄여 이르는 말. 사람마다 경우가 다르다는 뜻. 닝겐(にんげん; 일본어로 '사람')마다 다르다는 뜻의 '닝겐 바이 닝겐'을 줄인 '닝바닝'과 같은 의미다. ¶ A: 여자들은 못생긴 남자가 고백하면 화내나요? B: 그건 사바사 닝바닝이죠.

사배자 명 사회적 배려 대상자. 기초생활수급자, 한부모가정, 다자녀가정 등이 있다. 소득 계층에 따른 교육 기회의 형평성을 꾀하고자 도입된 '사배자 전형'의 등장으로 널리 쓰이게 된 말이다.

사빈다 관 삽니다. 컴퓨터 키보드 한글 자판의 배열 특징상 자주 발생하는 오타를 일부러 따라 쓰는 표현. #오타체

사생택시 명 연예인의 사생활을 따라다니는 '사생팬'을 대상으로 영업하는 택시. 연예인의 프라이버시를 침해하는 것은 물론, 요금을 부풀려 받는 데다 뒤를 쫓느라 과속과 신호 위반을 일삼아 사고 위험을 부르는 등 여러 폐해로 논란이 되어 왔다. 줄여서 '사택'이라 한다.

사생팬 명 자신이 좋아하는 연예인의 사생활을 알아내기 위해 밤낮없이 따라다니는 팬. 택시를 대절해 연예인을 뒤쫓는 사생택시를 이용하는 것은 기본이고 숙소와 미용실, 해외 공연 시에는 비행기와 호텔까지 따라가 일거수일투족을 살피거나 촬영하는 부류다. 그중 일부는 고의로 접촉 사고를 내거나 연예인의 물건을 훔쳐 내다 파는 등 극단적인 행동을 저지르는 경우도 있다.

이에 따라 사생팬의 활동을 프라이버시 침해 및 스토킹 문제로 보는 시각이 팽배해졌다.

사스가 부 さすが. '과연', '역시'라는 뜻의 일본어. 가령, 음악 프로그램에서 미스에이(miss A)가 1위를 할 때 누군가 "사스가 미스에이"라고 한다면 '과연(역시) 미스에이'라는 뜻이다.

사슴상 명 사슴과 같은 인상. 외모를 묘사하는 말로 일반적으로 눈이 크고 초롱초롱하며 얼굴형이 갸름하고 목이 길다.

사오정 관 '45세면 정년퇴직'을 줄여 이르는 말. 정년이 점점 빨라지고, 안정이 보장될 일자리를 찾기 어려운 세태가 반영된 말이다.

사생팬

사이다 [명] 탄산음료 사이다를 마신 것처럼 속이 시원한 상황에 쓰는 말. 자신이 평소 생각해 왔지만 말이나 글로 표현하기 어렵던 것을 누군가 완벽하게 표현해 줬을 때, 답답한 속이 뻥 뚫린다는 감탄의 표현으로 이 말을 쓴다. 흔히 "캬, 사이다"라고 댓글로 화답한다. 내가 하고 싶었던 바로 그 말이고, 당신의 견해에 적극 찬동한다는 뜻이 담겨 있다. 반대말은 '고구마'로 가슴이 턱 막힐 정도로 답답한 상황에서 쓴다.

사이버불링 [명] cyber bullying. 인터넷 공간에서 특정인을 괴롭히고 따돌리는 행위. 온라인에서 악성 댓글, 적대적 발언, 문자 등으로 특정인을 공격하는 것, 카카오톡이나 밴드 같은 메신저 서비스 또는 커뮤니티 서비스에서 특정인을 배제하는 것 등을 포함한다. 가령 메신저에서는 특정인을 배제한 별도의 대화방을 만들고 여기서 나눈 정보를 공유함으로써 피해자가 자신이 따돌림을 당하는 것을 알도록 한다. 커뮤니티 서비스에서는 특정인을 강제로 탈퇴시키고 재가입을 차단하는 방법을 사용한다. 이 같은 사이버불링은 청소년뿐만 아니라 동창회, 아파트 입주자 모임 등 중장년층에서도 흔하게 일어난다.

사축 [명] 회사에서 가축처럼 일하는 직장인. 집에서 기르는 짐승이라는 뜻의 '가축'(家畜)을 변형한 말이다. 장시간 노동과 박봉에 시달리지만 회사를 떠날 수 없는 직장인의 비애가 서린 표현.

사토리세대 [명] 마치 득도(得道)한 것처럼 욕망을 억제하며 사는 일본의 젊은 세대를 가리키는 말. 일본어 さとり(사토리)는 '깨달음', '득도'를 의미하는데, 장기 불황의 저성장 시대를 살고 있고 또 살아갈 젊은 세대의 물질적 성공에 달관한 삶의 태도를 내포한다. 2011년 출간된 도서 《절망의 나라의 행복한 젊은이들》(絶望の国の幸福な若者たち)의 저자 후루이치 노리토시(古市憲壽)는 사토리세대가 '더 좋아질 수 없다는 확신'을 가지고 있어 현재에 만족하는 삶을 사는 것이라고 분석했다.

삭튀 [관] 삭제하고 튀는 것. 게시글을 올려 논쟁을 유발하다가 불리해지는 듯싶으면 글을 삭제하고 잠적하거나, 악플을 달았다가 심상치 않은 분위기에 댓글을 삭제하는 등 여러 유형이 있다. 자신이 썼던 글을 지워 버리는 경우에는 '글삭튀', 댓글일 경우에는 '댓삭튀'라고 한다.

산삼돌 몡 산삼+아이돌. 지치지 않는 체력과 발군의 운동신경을 갖춘 아이돌이다.

살려줏메 관 살려주셈. 컴퓨터 키보드 한글 자판의 배열 특징상 자주 발생하는 오타를 일부러 따라 쓰는 표현. #오타체

살마 몡 사람. 컴퓨터 키보드 한글 자판의 배열 특징상 자주 발생하는 오타를 일부러 따라 쓰는 표현. #오타체

삶포세대 몡 '3포세대'에서 파생된 말로, 3포(연애·결혼·출산을 포기), 5포(연애·결혼·출산·내 집 마련·인간관계를 포기), 7포(연애·결혼·출산·내 집 마련·인간관계·꿈·희망을 포기)에 이어 끝내 '삶'을 포기해야 하는 젊은 세대를 일컫는다.

삼귀다 동 사귀기 직전의 느낌으로 교제하다. 사(4)귀기 직전인 관계를 '삼(3)귀다'라고 이름 붙인 것이다. 정식 교제를 바로 앞둔 단계. ¶ 걔랑은 지금 삼귀고 있지.

삼마이 몡 양아치, 삼류, 싸구려. 일본 전통극 가부키에서 세 번째 순번으로 우스개 연기를 하는 단역 배우를 뜻하는 말 산마이메(三枚目; さんまいめ)에서 유래했다. 한국의 연극계 및 영화판에서 단역을 뜻하는 말로 쓰다가 '양아치'로 그 의미가 확장되어 사회 전반에 전파되었다.

삼바국 몡 브라질. 브라질의 전통 음악 장르 삼바(samba)에서 유래한 별명. #나라

삼보일쾅 관 세 걸음 걸을 때마다 한 번 쾅 쳐야 한다는 뜻으로 생식기 주변의 털을 제모하고 나면 몇 걸음 걸을 때마다 사타구니를 전봇대에 들이받고 싶을 만큼 간지럽다는 말. 세 걸음 걷고 한 번 절하면서 가는 것을 가리키는 삼보일배(三步一拜)를 변형한 표현이다.

삼성빠 몡 대기업 삼성과 관계된 것에 대해 무조건 호의적이거나 신뢰를 보내는 이를 비꼬는 말. '삼엽충'이라고도 한다. 이와 쌍을 이루는 말은 애플 제품을 무한히 신뢰하는 사람을 일컫는 애플빠, 앱등이 등이다.

삼식이 몡 ① 퇴직 후 집에 머물면서 삼시 세끼를 요구하는 남편을 일컫는 말. 퇴직 남성이 집 안에 있는 시간이 길어지는 한편, 가사 노동을

분담하려는 노력을 기울이지 않고 매사를 아내에게 의존하는 행태가 부부간 갈등의 원인이 되는 현실에서 생겨난 용어. ② 카메라 및 렌즈 제조사 시그마(Sigma)의 30mm F1.4 렌즈의 애칭. 밝은 조리개의 렌즈여서 실내에서의 인물 촬영에 특히 유용한 것으로 정평이 나 있다.

삼실 몡 '사무실'을 줄여 이르는 말. ¶ 삼실에서 담배 피우는 부장님, 어떻게 해야 하나요?

삼일절 관 31세까지 취업을 못 하면 절망적(더 이상 길이 없다)이라는 뜻.

삼초땡 관 30대 초반이면 명예퇴직을 생각해야 한다는 뜻.

삼팔선 관 38세까지 직장에서 버티면 선방이라는 뜻.

삼프터 몡 소개팅 이후 세 번째 만남. 소개팅 상대와 두 번째로 만나는 것을 뜻하는 '애프터'(after)에 '삼'(3)을 결합한 말. 마찬가지로 사프터는 소개팅 상대와의 네 번째 만남을 뜻한다. 오늘날 한국의 소개팅 문화에서는 삼프터와 사프터 사이에 상대와 사귈 것인지의 여부를 결정해야 한다.

삽질 몡 헛수고. 삽으로 땅을 파고 다시 메우는 것처럼 쓸데없이 힘만 썼지 아무런 의미도 없게 된 일을 가리킨다. 비슷한 말로 '뻘짓', '병크' 등이 있다.

상남자 몡 남자 중의 남자, 남자다운 남자. 평범한 남자가 아니라 유독 남성적인 남자를 말한다. 대개는 말수가 적고, 무심한 듯 챙겨 주며, 매너와 의리가 있는 남성을 지칭한다. 마초(macho)와는 조금 다른데, 마초가 남자다움을 과시하는 남성 우월론자라면 상남자는 성차별적 의미가 상대적으로 약한 데다 방송 용어로 순화되면서 부담 없이 쓰는 말이 되었다. 하지만 맥락에 따라 마초와 상남자가 거의 구별되지 않는 경우도 흔하다. 상남자의 여성 버전은 '상여자'로 단아하고 조신한 여성을 가리킨다.

상메 몡 상태 메시지. 메신저 애플리케이션 카카오톡에서 현재 자신의 상태를 프로필 사진 옆에 적어 두는 것. 곧잘 자기표현의 장이 되어, 가령 연인 사이에는 이것이 '밀당'의 수단이 되기도 한다. ¶ 상메만 봐도 뇌 구조 다 알아.

상타취 몡 어떤 기준에서 평균 이상이라는 뜻으로, 특정 대상을 평가할 때 주로 쓰인다. 커뮤니티 사이트 일간베스트 저장소(일베)에서 유행한 말. 온라인상에서는 초성만 따서 'ㅅㅌㅊ'라고도 쓴다. 평균 수준이면 펑타취(ㅍㅌㅊ), 평균 이하일 경우 하타취(ㅎㅌㅊ)라고 한다.

상폐남〔녀〕 몡 상장폐지+남[녀]. 나이가 드는 한편, 자기 관리를 전혀 하지 않아서 남성[여성]으로서의 가치가 바닥을 기는 사람을 가리킨다. 증권시장에서 상장폐지된 주식이 휴지 조각에 불과한 것을 빗댄 말이다. 혐오 표현에 가까우므로 사용에 주의해야 한다.

새 몡 '새 됐다'의 형태로 쓰여 '망했다', '바보 됐다'의 뜻을 표현하는 말. 새(조류)의 한자어가 조(鳥)인 것에 착안해 '좆 됐다'라는 의미를 은근히 드러내고자 사용하게 됐다는 해석이 있다. 가수 싸이(Psy)가 2001년 발표한 곡 '새'에서 "나 완전히 새 됐어"라는 가사가 히트하면서 널리 퍼졌다. 접 주로 욕설 뒤에 붙어 '새끼'의 뜻을 더하는 접미사. 개새(개새끼), 씨방새(씨발 새끼), 눈새(눈치 없는 새끼) 등이 그렇다. 그 외 특정 직군이나 사람 등을 칭할 때 접미사로 붙여 비하하는 경우도 흔하다. 짭새(경찰), 검새(검찰) 등이 그 예다.

새기 몡 '새끼'를 순화한 말. ¶ 오늘 이상한 새기 때문에 내가 이상해졌다 에이 개새기.

새오체 몡 어미로 '—새오' 또는 '—애오'(에오)를 붙여 문장을 끝내는 말투. 흔히 맞춤법이 서툴고, 손 글씨로 표현될 경우 어린아이가 쓴 것처럼 글자가 삐뚤삐뚤하며, 화자(話者)는 동물이나 무생물 등으로 설정되는 경우가 많다. 일본 작가 온다 리쿠(熊谷奈苗)의 단편소설집《나와 춤을》(私と踊って) 중 '충고' 편을 번역가 권영주가 한글로 옮긴 말투에서 유래했다. 이후 2015년 12월 한 대학가에 붙은 정치 대자보 아래 "안녕하새오 고양이애오 판사님 이거 제가 썼어오 주인님 자바가지 마라오"(안녕하세요 고양이예요 판사님 이거 제가 썼어요 주인님 잡아가지 말아요)라고 쓴 표현 등이 화제를 모은 바 있다. 인터넷 놀이 문화의 하나다.

새터 몡 새내기 새로 배움터. 대학교에 입학할 때 신입생을 대상으로 하는 오리엔테이션 프로그램을 말한다.

생까다 동 무시하거나 모른 척하다. 이때 '생'은 거의 '쌩'에 가깝게 발음한다. ¶ A: 앞으로 생까는 일이 없도록 합시다. B: 그동안 그렇게 생까신 건 뭔데요?

생선 몡 생일 선물. ¶ A: 여친이 생일이라고 생선 사 달라는데, 그게 뭐죠? B: 생일 선물의 약자입니다. 선물 사 주세요.

생얼 몡 생(生)+얼굴. 민낯, 즉 화장을 하지 않은 얼굴을 말한다. 특정 인물이나 집단의 본성이 적나라하게 드러나는 장면을 일컬을 때도 생얼이라는 말을 흔히 쓴다. ¶ 민간인 사찰은 정권의 추악한 생얼이 드러난 초유의 사건이다.

생축 관 생일 축하. ¶ 꽈꽈야, 생축생축~

생파 몡 생일 파티. ¶ 언니랑 나는 생일이 같아서 매년 합동 생파.

샤대 몡 서울대학교. 서울대 정문의 조형물이 '샤' 자와 유사하다고 하여 붙은 별칭.

샤로수길 몡 지하철 2호선 서울대입구역 2번 출구에서 이어지는 관악로 14길의 별칭. 젊은 취향의 맛집과 카페, 주점이 밀집한 거리다. 샤로수길은 서울대학교가 흔히 '샤대'(서울대학교 정문의 조형물이 '샤' 자와 유사하다고 하여 붙은 별칭)라 불리는 것에서 생겨난 이름.

샤이 혱 shy. '부끄러워하는', '겁이 많은'이라는 뜻의 영어로 여론조사

샤대

에서는 드러나지 않는, 숨은 지지자를 지칭할 때 쓰는 말. 가령 '샤이 보수'는 다분히 보수 성향인데도 남들에게 그것을 밝히길 꺼리는 사람을 뜻한다. 정치 성향이 밝혀지면 자신의 평판에 불리할 수 있기 때문에, 혹은 다른 이유로 정치 성향을 숨겨 여론조사로 가시화되지 않은 부류다. 2016년 미국 대통령 선거 국면에서 겉으로는 트럼프 지지를 밝히지 않았지만 실제로는 트럼프에게 투표한 이들을 '샤이 트럼프스터스'(Shy Trumpsters)라고 불렀는데, 이후 한국에서도 '샤이'라는 말이 정치 관련 언론 기사에 자주 등장하게 되었다.

샵마 [명] 샵(숍) 마스터(shop master). 백화점 등에서 고객에게 상품에 관한 정보를 제공하고 조언을 해 주는 전문가.

샵쥐 [명] 시아버지. 시아버지라는 단어를 빠르게 발음한 것이다. '#g'라고도 쓰는데 #(샵; 숍)과 g(쥐; 지)를 합친 것이 샵쥐와 거의 유사하게 들리기 때문이다. 마찬가지 맥락에서 '시어머니'를 섬니라 한다.

서류가즘 [명] 서류+오르가즘. 대기업 입사 시험에서 서류 전형을 통과하고 난 후의 환희와 쾌감을 지칭하는 표현. 바늘구멍 같은 취업난 속에서 첫 관문인 서류 심사에 합격하는 것마저 쉽지 않다는 통탄이 섞인 표현으로, 취업 준비생들 사이에서 쓰인다. ¶ 얼마 만이냐, 서류가즘 헉헉

서버전형 [명] 입사 지원 사이트에 접속해 채용에 지원하는 것. 이를 무사히 마치면 '서버전형에 통과했다'고 한다. 구직자가 한꺼번에 몰려 접속 자체를 못 할 수도 있기에, 그것마저 시험의 일부일 수 있다는 표현.

서연고 [명] 서울대학교, 연세대학교, 고려대학교의 각 첫 음절을 취한 말. 스카이(SKY; 서울대, 고려대, 연세대)와 구성은 같지만 순서가 다르다. 이런 유형의 표현에는 서성한이(서강대, 성균관대, 한양대, 이화여대), 중경외시(중앙대, 경희대, 한국외대, 서울시립대), 건동홍숙(건국대, 동국대, 홍익대, 숙명여대), 국숭세(국민대, 숭실대, 세종대), 광명상가(광운대, 명지대, 상명대, 가톨릭대), 한서삼(한성대, 서경대, 삼육대) 등이 있다. 대학의 서열화를 반영하는 말.

서오남 [명] 서울대+50대+남성. 서울대학교 출신의 50대 남성을 뜻한

다. 법조계에서 대법원 판사들의 인적 구성을 설명하는 표현으로 언론에 자주 등장하는데, 역대 대법원 판사의 대다수가 서울대 출신 50대 남성인 것을 빗댄 것이다. 대법원장을 정점으로 대법관들이 동문 인사로 채워지는 현상을 비판하는 맥락으로 사용될 때가 많다. 일반 기업의 상층부도 회사에 따라서는 서오남이 득세하는 경우가 있다.

서이추 〔관〕 서로 이웃 추가. 검색 포털 사이트 네이버의 블로그 서비스에서 다른 블로그 사용자와 교류하는 '이웃' 관계가 되는 것을 뜻한다.

서잡대 〔관〕 서울에 있는 잡스러운 대학. 서울에 위치한 하위권 대학을 낮춰 부르는 표현이다. '지방의 잡스러운 대학'을 뜻하는 지잡대의 서울 지역 버전으로 대학의 서열화를 반영하는 말이다.

선문 〔명〕 선(先)+문자메시지. 문자메시지를 상대보다 먼저 보내는 것을 말한다. 비슷한 표현으로 먼저 카톡을 보낸다는 뜻의 '선톡', SNS에서 먼저 팔로우한다는 뜻의 '선팔'이 있다. ¶ 그 남자한테 선문 옴.

선비 〔명〕 대뜸 나타나 진지한 어투로 충고하거나 고고한 척하는 사람. 원래 선비는 학식과 고결한 인품을 겸비한 사람을 이르는 말이나, SNS에서는 누군가가 자신의 입장을 논박할 경우 상대를 비하하는 의도에서 쓰일 때가 많다. '썹선비'는 '선비'보다 매우 강한 비하의 의미가 담긴 표현이다. 비슷한 말로 '진지병자'(병적으로 진지한 사람)가 있다.

선톡 〔명〕 선(先)+카카오톡. 특정 상대에게 카카오톡 메시지를 먼저 보내는 행위를 말한다. 휴대전화 메시지가 대중화된 이후, 카카오톡 메시지를 누가 먼저 보내는가, 또 어떻게 보내는가가 연애에서 중차대한 과정이 되었다. 즉 연애를 하려면 선톡을 잘해야 한다는 것. 문자메시지를 먼저 보내는 것을 뜻하는 '선문'과 구별 없이 쓰인다.

선풍기 〔명〕 야구 용어로 공을 제대로 맞히지 못하고 헛스윙을 남발하며 바람만 일으키는 타자를 이르는 말. 삼진을 많이 당하는 선수 중 헛스윙 비율이 높은 선수를 선풍기라 부른다.

선플 〔명〕 ① 선(先)+리플(reply). 게시물을 읽기 전에 댓글을 먼저 다는 행위. 이와 관련하여 '선리플 후

감상'이라는 표현도 있다. ② 선(善)+리플(reply). 욕설과 비하가 난무하는 '악플'의 반대말로 '착한' 댓글을 말한다. '선플운동본부'의 구호.

설 몡 ① 說. 확인되지 않은 채 떠도는 이야기. ② '서울'의 준말. 서울대학교를 '설대', 서울시장을 '설시장'이라고 부르는 식이다.

설렘사 몡 설레어서 죽을 것 같은 상태. 심쿵사(예상치 못한 감동과 맞닥뜨려 죽을 것 같은 상태)와 거의 동일한 말이다. ¶ 살짝 웃어 주는 것만으로 팬들은 한 방에 설렘사.

설리 몡 '설레게 하는 리플'(reply)을 줄여 이르는 말.

설명충 몡 분위기에 맞지 않게 설명을 늘어놓아 대화의 흐름을 끊고 재미를 반감시키는 사람을 비꼬는 말. 자신의 주장에 동조하지 않고 진지하게 비판하는 사람을 욕할 때 설명충이라는 딱지를 붙이는 경우도 많다.

설탕몰 몡 인터넷 쇼핑몰 'CJmall'을 가리킨다. CJ의 모기업이 제일제당인 데에서 유래했다.

섬짱깨 몡 대만 사람을 속되게 이르는 말. 대만이 섬나라인 것을 빗대, 중국인을 뜻하는 비하어 '짱깨'와 합친 말이다. 이런 조어법에 의하면 중국 본토인은 '대륙짱깨'가 된다.

섭 몡 '서버'(server)의 준말. 접속할 서버를 선택할 수 있는 온라인 게임에서 주로 쓰는 용어.

성괴 몡 성형 괴물. 과도한 성형수술로 부자연스러운 외모를 갖게 된 사람을 이르는 표현이다. 그 의미가 확장되면서 성형수술로 외모가 비슷비슷해진 사람들을 전반적으로 가리키기도 한다.

—성애자 젭 '무언가를 사랑하는 사람'이라는 뜻을 더하는 접미사. 특정 대상에 대한 애호가라는 의미다. 예를 들어 빵을 매우 좋아하는 사람을 가리켜 '빵성애자'라고 부르는 식이다. 그 외에도 개성애자(개를 매우 좋아하는 사람), 커피성애자, 디저트성애자, 녹차성애자, 치킨성애자, 방콕성애자 등 다양한 표현을 만들 수 있다.

성지 몡 聖地. '성스러운 장소'라는 뜻. 인터넷 문화에서는 어떤 사건이나 용어의 출처가 되는 원게시글로 회자되어 유명해진 게시물을 말한다. 최근 일어난 사건을 놀랍도록 정확하게 예측한 과거의 글, 팬 커뮤니티에 해당 연예인이 남긴 글, 심각한 물의를 일으킨 문제적 글 등이 이에 해당한다. ¶ 이 글은 곧 성지가 될 것이다.

성지순례 [명] 어떤 이유로 '성지'(聖地)가 된 게시물에 접속하는 행위를 말한다. 보통 새로운 성지가 떠오르면 다수의 사람들이 그곳을 향해 '순례'를 떠난다. 순례자들은 자신의 안위와 욕망을 기원하는(게시물과는 아무런 관련이 없는) 댓글을 달곤 한다. ¶ 성지순례 왔습니다, 시험 꼭 합격하게 해 주세요.

성진국 [명] 성(性)+선진국. 주로 인터넷상에서 사용하는 일본의 별칭. 일본의 성 문화가 개방적이라는 데서 유래했다. #나라 ¶ 속옷 노출도 당당하게, 역시 성진국!

세로수길 [명] 서울시 강남구 신사동에 위치한 가로수길의 양옆 골목을 따라 이어진 길. 가로수길과 방향이 엇갈린 길이라는 뜻에서 '가로'의 반대말인 '세로'를 붙여 만든 표현이다.

세젤— [접] '세상에서 제일'을 줄인 말. 최상급의 표현으로 접두사로 사용된다. '세상에서 제일 귀여운'을 뜻하는 '세젤귀', '세상에서 제일 예쁜'을 뜻하는 '세젤예' 등으로 응용된다.

세젤예 [형] '세상에서 제일 예쁜'을 줄인 말. 존예(존나 예쁜)보다 더 예쁜 대상을 가리킬 때 사용하는 말.

세컨 [명] ① 세컨드(second). SNS나 게임에서 보조로 사용하는 계정 혹은 캐릭터를 일컫는 말. 비슷한 말로 '부계', '부캐' 등이 있다. ② 세컨드(second). 법적 배우자 외의 연인을 뜻하는 말.

세컨폰 [명] 세컨드(second)+폰(phone). 보조로 사용하는 휴대전화, 또는 수신 용도로만 사용하는 값싼 휴대전화를 가리킨다. 휴대전화 정보 공유 커뮤니티에서 자주 쓰이는 말.

섹도시발 [명] TV 예능 프로그램에서 '섹시 도발'이라는 자막이 세로 방향 2행으로 쓰인 것을 가로로 읽어 유행이 된 말. 이후 다양한 짤방이 만들어졌다.

섹드립 [명] 섹스(sex)+애드리브(ad-lib). 성적인 농담. ¶ 유쾌와 불

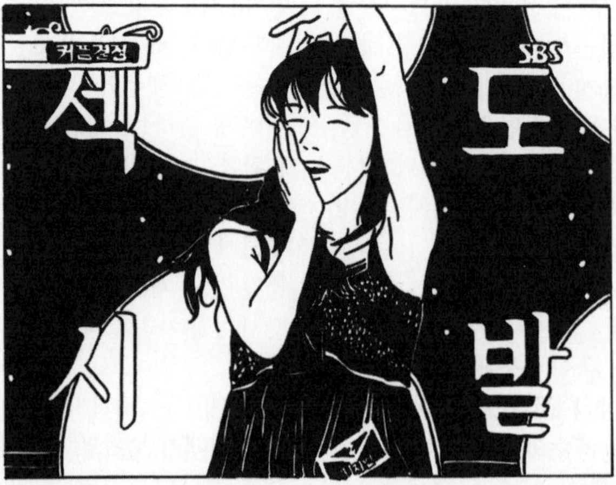

섹도시발

쾌가 한 끗 차이로 갈리는 것이 바로 섹드립.

섹알 [명] 섹스(sex)+아르바이트. 청소년들이 성매매를 해서 돈을 버는 것을 말한다. 건전하지 않은 아르바이트를 일컫는 비건(비건전 아르바이트)의 일종.

섹컨 [명] 섹스(sex)+세컨드(second). SNS에서 섹스를 목적으로 한 만남을 이루기 위해 만든 보조 계정을 가리킨다. 본계(주로 사용하는 계정)의 정체가 탄로 나지 않게 하려고 여러 가지를 날조하곤 한다. ¶ 이거 섹컨인 거 티 날까?

센송합니다 [관] '조센징이라 죄송합니다'를 줄인 것으로 한국인이 스스로를 자조하는 말. 국제적으로 문제를 일으킨 한국인에 대한 기사나, 외국 매체에서 한국의 부정적인 면을 다뤘음을 알리는 게시물의 댓글에서 자주 볼 수 있다. '동양인이라 죄송합니다'를 줄인 말인 '똥송합니다'와 유사한 표현이다. ¶ 미개한 국민으로서 센송하고 센송하고 또 한 번 센송합니다.

센캐 [명] '센 캐릭터'를 줄여 이르는 말. 능력이 뛰어난 게임 속 캐릭터를 가리키는 말로 출발했으나, 현실에서 강한 기운을 내뿜는 사람을 일컫는 말로 쓰임이 확장되어 드센 성격의 소유자 혹은 그런 이미지를 가진 이를 뜻한다. 남성들이 때로 출연하는 폭력 영화의 주요 배역들, 가령 조폭 두목, 형사, 밀고자 등은 최근 한국 영화 속 대표적인 센 캐들이다. ¶ 연예계 센캐 이경규가 만만치 않은 후배 센캐 박명수를 만났다.

센타까다 동 센터(center)+까다. '뒤져서 확인하다'라는 뜻의 속어. 가방이나 주머니 등을 뒤져 무엇이 있는지 알아보는 행위다. 학교에서 가방 검사를 하는 것, 불량배가 돈을 갈취하기 위해 피해자의 주머니를 뒤지는 것 등을 말한다. ¶ A: 돈 있냐? B: 없는데요. A: 센타까서 나오면 10원에 한 대썩이다.

셀기꾼 명 셀카+사기꾼. 실물보다 훨씬 잘 나오도록 셀카 사진을 촬영하거나 포토샵의 후보정 기능을 적극적으로 활용해 실물과 판이한 사진을 인터넷에 게시하는 사람을 지칭한다. ¶ A: 얼굴이 이쁜 편은 아닌데 셀기꾼이라는 소리 많이 들어요. B: 아, 네~

셀럽 명 셀러브리티(celebrity)를 줄인 말로 '유명인'을 뜻한다. 대중 매체의 주목을 받아 일거수일투족이 노출되어 대중에게 영향을 미치는 사람. 연예계 및 스포츠계뿐만 아니라 정치, 경제, 예술 등 어느 분야에든 존재할 수 있다. 패션 잡지에서 빈번하게 사용하는 말이다.

셀스타그램 명 셀카+인스타그램(Instagram). 소셜 네트워크 서비스 인스타그램에 셀카를 올리는 행위 혹은 그것을 자주 올리는 계정을 말한다.

셀완얼 관 '셀카의 완성은 얼굴'이라는 뜻. 촬영 각도 등을 아무리 신경 쓰더라도 결국 셀카의 퀄리티는 얼굴이 결정한다는 의미다.

셀카 명 셀프(self)+카메라(camera). 스스로 자신의 사진을 찍는 행위 혹은 그렇게 찍은 사진. 영미에서는 이를 셀피(selfie)라고 한다. 디지털 카메라가 보급되면서 유행이 되었

셀카

고, 스마트폰으로 촬영해 SNS에 실시간으로 게시할 수 있게 되면서부터 때와 장소를 가지지 않고 셀카를 촬영 · 게시하는 것이 지구촌의 풍속도가 되었다.

셀카고자 [명] 셀카+고자(鼓子). 셀카를 찍는 능력이 부족한 사람. '고자'는 생식기가 불완전한 사람을 뜻한다. ¶ 사진이 잘 안 나온다고 다 셀카고자는 아니란다.

셀프 [부] '스스로'라는 뜻. 다양한 단어가 뒤에 따라올 수 있는데, 가령 '셀프 서비스', '셀프 인테리어', '셀프 세차' 등 일상적인 표현을 비롯해 셀프 개혁(스스로 개혁하는 것), 셀프 인증(스스로 인증하는 것), 셀프 디스(스스로 자신을 비하하는 것)와 같은 말도 만들 수 있다.

셀프디스 [명] 셀프(self)+디스리스펙트(disrespect). 자기 자신을 비판하거나 비하하는 것. 일반적으로 디스(disrespect)는 누군가를 비난하고 경멸하는 것을 뜻하는데, 셀프디스는 타인이 아닌 자기 자신을 디스한다는 뜻이다. 자신의 치부를 공개적으로 드러내면서 웃음을 유발하는 방송 연예인들의 언동을 언급할 때 셀프디스라는 말을 흔히 쓴다. 정치권에서도 선거를 앞두고 자기비판을 하며 개과천선할 것을 다짐하는 전술을 셀프디스라 일컫는다.

셤니 [명] '시어머니'의 준말. 기혼 여성이 주를 이루는 커뮤니티에서 자주 쓰인다.

셩장 [명] '수영장'의 준말. 기혼 여성이 주를 이루는 커뮤니티에서 자주 쓰인다.

소맥 [명] 소주와 맥주를 섞어 마시는 폭탄주의 일종. 일반적으로 소주 30%, 맥주 70%의 비율로 맥주잔에 섞지만, 그 비율은 제조자의 취향에 따라 달라질 수 있다. 소주를 마실 때 느껴지는 역함을 맥주의 청량감으로 상쇄해 마시기 편하면서도 빨리 취할 수 있다는 장점이 있다. 소주의 함량 비율과 각 브랜드의 차이에 따른 장단점이 인터넷상에 돌아다니기도 한다. 맥주를 채운 잔에 위스키가 담긴 잔을 떨어뜨려 마시는 전통적인 폭탄주보다 저렴하게 즐길 수 있어 전 연령층에서 널리 선호된다. 소맥의 대표적인 변종으로는 소맥에 콜라를 추가한 '고진감래주', 백세주와 산사춘을 섞은 '소백산맥주' 등이 있다.

소맥

소오름 몡 놀랍고 무서워서 소름이 으스스 돋는 모양. 갑 두렵고 무서운 상황에서 터져 나오는 외침. 가운데 음절 '오'를 여러 번 반복할수록 감탄의 강도가 세다. ¶ 소오오오오름!!!

소중이 몡 여자의 성기를 일컫는 말. 여성 회원이 다수인 여초 커뮤니티 내에서 쓰이는 은어였으나 현재는 널리 퍼졌다.

소추 몡 소(小)+고추. 성기의 크기가 작은 한국 남성을 비하하는 말. 가슴 크기가 작은 여성을 비하하는 일부 남성들의 발언 패턴을 따라 한 것이다. 비슷한 말로 '나노자지', '실

좆' 등이 있다.

소추소심 관 고추가 작은 남자는 마음씨도 좀스럽다는 뜻. 일부 여성들이 한남(한국 남자)을 놀릴 때 쓰는 말이다.

소확행 몡 小確幸. '작지만 확실한 행복'을 줄인 말. 인생을 걸고 추구하는 거대한 목표가 아니라, 생활 주변에서 문득 느끼는 소소한 기쁨과 만족감 따위를 말한다. 이 말을 전파한 것으로 알려진 일본 작가 무라카미 하루키에 따르면 소확행이란 '갓 구운 빵을 손으로 찢어 먹는 것' 또는 '면 냄새가 풍기는 하얀 셔츠를 머리에서부터 뒤집어쓸 때의

기분' 같은 것이다. 더 많은 행복을 가지려고 죽도록 일하는 대신, 하루하루의 일상 속에서 작은 감동과 기쁨을 얻는 것이 더 소중하다는 가치를 담은 말이다.

속쌍 몡 속쌍꺼풀. 눈꺼풀 바깥에 굵게 파인 겉쌍(겉쌍꺼풀)과 달리, 눈꺼풀 안으로 말려 들어가 있는 형태의 쌍꺼풀이다. ¶ 난 겉쌍이 좋은데, 속쌍이라 속상.

손각대 몡 손+삼각대. 삼각대 없이 카메라를 손으로 들고 촬영하는 행위를 가리키는 말.

손발퇴갤 관 손발+퇴갤. '손발이 퇴갤한다'를 줄인 말로, 특정 대상이나 상황이 지나치게 낯간지러워서 손발이 오그라들어 사라질 것 같다는 뜻. 퇴갤은 갤러리(게시판) 활동을 그만두고 퇴장하는 것을 말한다. ¶ 오늘따라 손발퇴갤 멜로 영화를 보고 싶다.

손벌심쿵 관 손이 벌벌 떨리고 심장이 쿵쿵 뛰는 상태. ¶ 이름만 들어도 손벌심쿵, 헉헉.

손이고 관 '손님, 이건 고데기예요'를 줄여 이르는 말. 미용실에서 연예인 등의 사진을 보여 주며 원하는 헤어스타일을 주문할 때, 파마로는 연출할 수 없는 경우 미용사가 하는 말. ¶ 이런 파마 하고 싶은데 손이고일까요?

손이몸 관 '손님, 이건 몸매예요'를 줄여 이르는 말. '손이얼'(손님, 이건 얼굴이에요)에서 파생한 말로 옷을 돋보이게 하는 것은 몸매라는 뜻. ¶ 손이몸이란 걸 알지만 저 비키니 입고 싶다.

손이얼 관 '손님, 이건 얼굴이에요'를 줄여 이르는 말. 중요한 건 헤어스타일이나 옷이 아닌 얼굴이라는 뜻. 미용실에서 연예인 등의 사진을 보여 주며 원하는 헤어스타일을 주문할 때, 미용사가 속으로 생각하는 말. 또 연예인의 화장법을 따라 했는데 모습이 영 아닐 때, 옆에 있던 친구가 떠올릴 법한 말.

솔까말 관 '솔직히 까놓고 말해서'를 줄여 이르는 말. 솔직한 이야기를 하겠다는 선포다.

솔로 몡 solo. 애인이 없는 사람. 사귀는 사람이 없어 쓸쓸하고 외로운 처지에 있는 이를 가리킨다. 이런 사람에게는 '솔탈'(솔로 탈출)이 간절한 것이 된다.

솔로몬병 [명] 인터넷에서 어떤 논쟁이 벌어졌을 때 어떤 상황에서도 중립을 지키면서 현명한 시각을 가진 것처럼 보이는 데에 집착하는 병. 구약성서에 등장하는 '지혜의 왕' 솔로몬은 두 여인이 아기를 서로 자기 자식이라고 주장하자 아기를 둘로 가르라고 명했는데, 그중 한 여인이 자신의 주장을 거두는 것을 보고 생모를 알아챘다고 한다. 솔로몬병에 걸린 이들을 '쿨게이'라고 부르기도 한다.

솔로짤 [명] 연인이 없는 솔로(solo)의 애환과 슬픔을 표현한 사진 혹은 그림, 동영상. '외로운 짤'이라고 불리기도 한다.

솔삐 [부] 솔직히. '솔직히 까놓고 말해서'를 줄인 '솔까말'과 유사하나 어감이 귀엽다. ¶ 솔삐 요즘 좀 힘들다.

솔코 [명] 솔로 코스프레. 만화나 게임 관련 축제에서 코스프레(만화 또는 게임 속 등장인물로 분장하는 것)를 할 때 다른 사람과 함께하지 않고 혼자 하는 것. 반면 여럿이서 팀을 이뤄 하는 것을 가리켜 팀코(팀 코스프레)라고 한다. ¶ 서코(서울코믹월드 행사) 가서 솔코하면 이상할까?

솔탈 [명] 솔로 탈출. 사귀는 사람이 생겨 더 이상 솔로가 아닌 경우를 말한다.

솔플 [명] 솔로 플레이(solo play). 게임에서는 혼자 플레이를 하는 사람을 가리키나, 일상에서는 남들과 함께하지 않고 혼자 활동하는 사람을 말한다. 가령, 혼자 여행하는 것을 '솔플 여행', 혼자 영화 보는 것을 '영화 솔플'라고 한다. ¶ 콘서트 갔는데, 솔플도 의외로 괜찮더라.

솩 [명] '수학'(數學)의 준말. ¶ 중1 솩도 쉽지 않다.

솩여행 [명] 수학여행(修學旅行). ¶ 이번 솩여행 장기 자랑 때 뭘 입으면 좋을까?

쇼부 [명] 일본어로 승부(勝負, しょうぶ)라는 뜻이나, 일상에서는 '일이나 거래 따위를 끝내기 위한 흥정' 혹은 '협상'의 속어쯤으로 쓰이는 말. 즉, 뭔가를 얻기 위해 상대방과 교섭하여 협상하는 것을 가리키며 주로 동사 '보다', '치다'와 함께 쓰인다. 다소 비천한 어감이 있어 언설의 품위를 따지는 이들은 쓰지 않는 표현이다. ¶ 200 달라고 할 때 100 준다고 쇼부를 치다 보면 150 정도에서 거래가 이뤄지지요.

쇼타콘 몡 ショタコン(쇼타콘). '쇼타로 콤플렉스'를 줄인 말로, 어린 남자아이에게 애정을 느끼는 사람을 말한다. 일본 애니메이션 〈철인 28호〉의 남자 주인공 카네다 쇼타로의 이름에서 유래했다.

수꼴 몡 수구 꼴통. 합리적 대화가 불가능할 정도로 앞뒤가 꽉 막힌 보수 우익을 가리킨다. 상대 진영의 논리를 극단화할 때 이 용어를 쓰는 경우도 흔한데, 쉽게 말해 자신보다 좀 더 '오른쪽'에 속하는 정치적 성향을 부정적으로 못 박는 태도다. 반대의 경우는 '좌빨', '좌좀'(좌익 좀비)이라 칭하곤 한다.

수능성형 몡 대학수학능력시험을 치른 학생들이 대학교에 입학하기 전에 성형수술을 하는 것. 시험공부로 외모에 신경을 쓰지 못했던 학생들이 수능 시험 이후부터 대학 입학 전까지의 공백기에 성형수술을 받는 추세를 반영한 말이다. 이에 따라 성형외과들도 대대적인 판촉 행사를 벌인다.

수북청년단 몡 머리숱이 수북한 청년들. 탈모인 커뮤니티에서 쓰는 표현이다. 해방 이후 활동한 극우 반공 단체인 서북청년단을 패러디한 말이다. 반대로, 젊은 나이에 탈모 현상을 겪는 이들을 민두노총(머리카락이 없는 연습용 두상 마네킹+민주노총)이라 한다. ¶ 당신, 평생 수북청년단일 것 같아?

수시납치 몡 대학 입학과 관련하여, 수시 모집에 일단 합격하면 대학수학능력시험 성적과 상관없이 정시 모집에 지원하지 못하는 상황을 이르는 말. 수험생들이 쓰는 말로 수시에 합격할 경우 그 대학에 입학할 수밖에 없는 처지를 '납치'에 빗댄 것이다.

수재 몡 '수만 번 봐도 재수 없는 사람'을 줄인 말.

수저계급론 몡 부모의 경제적 신분이 자식에게 이어진다는 이론. 이른바 '금수저'의 자녀는 금수저가 되고, '흙수저'의 자녀는 흙수저가 된다는 것. 실제로 한국이라는 환경에서는 부모가 비정규직인 경우 돈이 부족해 자녀를 충분히 교육시킬 수 없기에, 자녀 또한 노동시장에서 약자가 될 수밖에 없고 결국 비정규직이 될 확률이 높아진다. 물려받은 재산 없이 개인의 노력이나 재능만으로 신분 상승을 이루어 내는 것이 사실상 불가능해진 저성장 시대 헬조선을 살아가는 현세대의 새로운 계층 구분 방식이다.

수포자 몡 수학(數學) 공부를 포기한 사람. 진도를 따라가지 못해 조금씩 뒤처지다가 어느 단계에 도달하면 도저히 감당할 수 없는 상태가 되어 아예 수학을 포기하게 된다. 처음에는 학생들 사이의 은어였으나, 수포자 수가 빠른 속도로 증가함에 따라 수학 교육 전반의 문제가 되어 언론에 빈번하게 등장하는 용어가 되었다. 많은 이들이 수포자가 되는 이유는 학생들이 태만하거나 머리가 나빠서가 아니라 우리나라 수학 교육의 구조적 문제, 즉 입시를 위한 수학 교육과 너무 어렵고 빠른 교육 과정 등이 복합적으로 작용해 수학에 대한 흥미도가 바닥을 치는 사정과 관련이 깊다.

순덕 몡 순(純)+덕후. 아이돌 팬덤 용어로 특정 아이돌을 순수하게 좋아하는 팬을 말한다. 새로운 음반이 발표되었을 때 스밍(음원 순위를 높이기 위해 각종 음원 사이트를 돌며 음악을 스트리밍하는 것)을 가장 열심히 돌리는 팬으로 알려져 있다. 순덕 외에 아이돌 팬으로는 안방팬(공개방송이나 팬 사인회에는 가지 않고 집에서만 팬질을 하는 팬), 현장팬(공개방송이나 팬 사인회를 모두 뛰는 팬), 사생팬(숙소, 연습실 등을 따라다니며 사생활을 쫓는 극성팬) 등이 있다.

순무 몡 '순진하고 무식한 놈'을 줄인 말.

순삭 몡 ① 순간 삭제. 관리자에 의해 게시글이 삭제되는 것. 빛의 속도로 빠르게 삭제된다는 뜻의 '빛삭', '광삭'과 같은 뜻이다. ② 온라인 게임에서 순식간에 사망하는 것.

순살 동 '순식간에 살해당하다'를 줄인 말. 한자로는 瞬殺(눈 깜짝일 순, 죽일 살)이라 쓸 수 있는데, 말 그대로 눈 깜짝할 사이에 승부의 결판이 나는 것을 의미한다. 격투기나 게임 등에서 주로 쓰이며, 보통 승부가 시작되고 나서 한 방에 상대를 죽이거나 반대로 죽임을 당하는 경우를 가리킨다.

술린이 몡 술+어린이. 술에 대해 잘 모르고 음주를 즐기지도 않는 술 초보자 혹은 문외한.

숨덕 몡 숨은 덕후. 자신이 덕후(오타쿠)라는 사실을 드러내지 않는 사람 또는 그러한 행위. 굳이 숨덕을 하는 이유는 오타쿠나 서브컬처에 대한 사회적 시선이 호의적이지 않은 현실과 관련이 있다. 실제로 무언가의 덕후임이 밝혀졌을 때 또래 집단에서 따돌림을 당하는 사례가 적지 않다고 한다. 숨덕과 비숫한 의미의 말로 일반인을 코스프레하다(일반인인 척하다)라는 뜻의 '일코'가 있다. 반대말은 대놓고 덕후 생활을 한다는 뜻의 '대덕'이다.

숨멎 ㉑ '숨이 멎을 정도로 황홀하고 아름답다'는 뜻. '심장이 쿵 내려앉다'라는 뜻의 '심쿵'과 유사한 표현이다. ¶ 생각만 해도 심쿵, 보고 나면 숨멎.

숨쉴한 ㉑ '남자는 숨 쉴 때마다 한 번씩 패야 한다'를 줄인 말. 일부 남성 인터넷 사용자들 사이에서 유통되는 여성 혐오적 단어 '삼일한'(여자는 3일에 한 번씩 패야 한다)을 뒤집은 말이다.

숨스밍 ㉑ '숨 쉬듯 스트리밍'을 줄인 말. 아이돌 팬덤 문화에서 쓰는 표현으로, 새 음반이 발매되었을 때 음원 순위를 높이기 위해 팬들이 음원 사이트를 배회하며 끊임없이(숨 쉬듯) 곡을 재생하는 것을 이른다.

숲으로돌아가다 ㉑ 수포로 돌아가다. 어떤 사람이 맞춤법에 맞지 않게 쓴 것이 재미있어서 따라 쓰는 표현. #맞춤법파괴

숲튽훈 ㊍ 가수 '김장훈'을 '金長훈'이라 쓰고, 이를 다시 모양이 유사한 한글로 나타낸 것. #야민정음

쉴드 ㊍ shield(실드). 누군가의 행위를 옹호하는 것. 어떤 사람이 잘못을 저질렀을 때 그것을 비난하는 이들로부터 그 사람을 보호하는 것을 말한다. 주로 동사 '치다'와 함께 쓰인다. 영어 shield는 명사로 '방패', '보호자', '보호막', 동사로는 '보호하다'라는 뜻.

쉽사빠 ㉑ 쉽게 사랑에 빠지는 사람. '금방 사랑에 빠지는 사람'을 줄인 '금사빠'와 같은 뜻이다. 개인 간의 관계에서뿐만 아니라 연예인이나 물건에 대한 감정 상태를 표현할 때도 이 말을 쓴다.

슈발 ㊂ '시발'을 귀엽게 말하는 것. '슈밤'이라고 표현하기도 한다. ¶ A: 과제 했어? B: 아 맞다, 슈발….

슈퍼스펙 ㊍ 아주 화려한 스펙(specification)을 보유한 상태 혹은 사람. 스펙이 없는 상태 혹은 사람을 일컫는 '무(無)스펙'과 반대된다.

스겜 ㊍ 스피드 게임. 게임을 빠르게 진행하는 것, 혹은 빨리 진행하자고 촉구하는 것을 뜻한다.

스골장 몡 스크린 골프장.

스드메 몡 '스튜디오 촬영, 드레스, 메이크업'에서 각 첫 글자를 딴 말. 웨딩 시장에서 쓰는 표현으로 흔히 결혼식을 치르기 위해 기본적으로 챙겨야 한다고 알려져 있는 3종 세트다. '스드메 견적', '스드메 패키지', '스드메 공동 구매' 따위의 표현으로 쓴다.

스릉흔드 동 어금니를 꽉 물고 '사랑한다'라고 말하는 것. 이를 악물고 말해 애정의 강고함을 증폭시키

스드메

는 표현이다. 앙증맞은 어감을 주므로 저연령층에서 선호된다. ¶ A: 스릉흔드, 으즈머니(사랑한다, 아주 많이). B: 느드(나도).

스몰럭셔리 [명] 사치품에 속하지만 립스틱처럼 가격이 비교적 저렴한 소품류. 혹은 그러한 것을 구매하는 현상. 저성장 시대의 소비 행태를 분석하며 등장한 용어다. 즉, 프리미엄 자동차나 명품 핸드백 등의 고가품은 살 형편이 되지 않지만, 명품 브랜드 중에서도 지갑이나 장신구 등 상대적으로 가격이 낮은 상품을 구매함으로써 자존감 혹은 심리적 위안을 얻는다는 것. 이때 구매 대상이 되는 제품군, 나아가 이러한 현상을 스몰럭셔리라고 한다. 커피, 디저트, 수입 맥주, 세제, 식료품 등 대상이 되는 제품은 매우 다양하다.

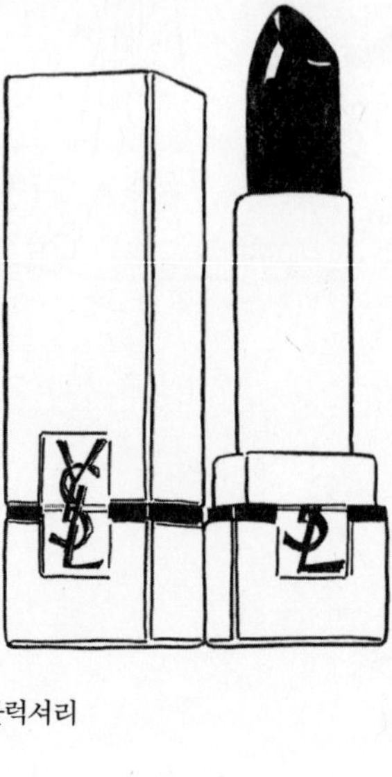

스몰럭셔리

스몸비 [명] smombie. 스마트폰(smartphone)과 살아 있는 시체를 일컫는 좀비(zombie)를 합친 말로, 스마트폰을 응시한 채 걸어 다니는 사람을 지칭한다. 스마트폰 의존도가 매우 높아 길을 걸으면서도 휴대전화에서 눈을 떼지 못하는 이를 뇌가 없고 휘적이며 걸어 다니는 좀비에 비유한 말이다. 주변 상황을 인지하지 못해 다른 사람과 부딪히거나 교통사고를 유발하는 등 새로운 안전사고 유형의 원인으로 지적된다.

스밍 [명] 스트리밍(streaming). 음악 혹은 영상을 실시간으로 재생하는 인터넷 서비스의 일종이다. 영상이나 음원을 다운로드하지 않고도 실시간 재생할 수 있다.

스벅 [명] 커피 체인점인 '스타벅스'(Starbucks)를 줄인 말.

스브스 [명] 지상파 방송국 SBS의 영어 철자를 음소로 읽은 것. SBS의 애칭이며 방송국 스스로도 "세상의 모든 뉴스를 스브스답게 전달해

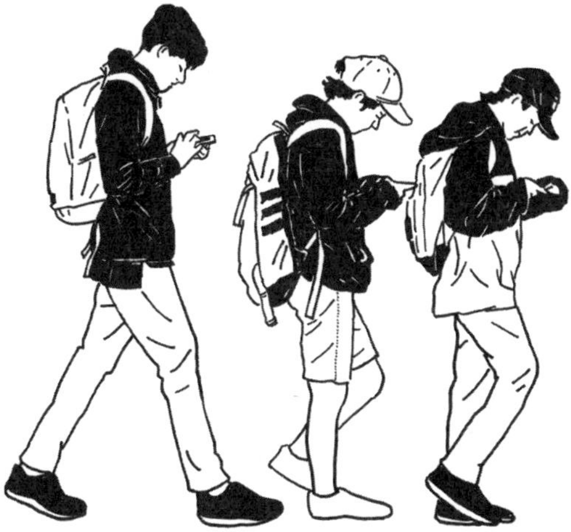

스몸비

드립니다", "오늘 주목할 스브스 교양"과 같이 홍보 어휘로 활용한다. 3대 지상파 방송의 애칭은 스브스 외에 마봉춘(MBC), 캐백수(KBS)가 있다.

—스빈다 [어] —습니다. 컴퓨터 키보드 한글 자판의 배열 특징상 자주 발생하는 오타를 일부러 따라 쓰는 표현. #오타체

스사 [명] 스티커 사진. 10대 혹은 20대 사이에서 친구, 연인끼리 기념으로 찍어 간직하는 사진이었으나, 셀카(셀피)의 유행으로 퇴조 경향을 보이고 있다.

스샷 [명] 스크린샷(screenshot). 현재 디스플레이 화면상의 화상을 그대로 파일로 보존하는 것. 캡처(capture)라고도 한다. ¶ 언제 지울지 모르니 스샷으로 박제해 둬라.

스세권 [명] 커피 체인점 스타벅스 근처를 이르는 부동산 용어로 '스타벅스 생활권'이라는 뜻. 기차나 지하철 역을 일상적으로 이용하는 주변 거주자가 분포하는 범위인 역세권에서 파생한 말 중 하나다. 맥세권(맥도날드 생활권)과 함께 주변 환경을 중시하는 젊은 층의 선호를 반영하는 표현이다.

스스디 [명] 반도체 메모리를 기반으

로 하는 정보 저장 장치 SSD(Solid State Drive)의 영어 철자를 음소 및 알파벳 그대로 읽은 것.

스시녀 명 스시(すし)+녀(女). 일부 한국 남성들이 한국 여성보다 순종적이라며 일본 여성을 추어올리면서 일컫는 말.

스아실 부 '사실'을 길게 늘여 쓰는 것. ¶ 여러분, 저 스아실 여자입니다.

스압 명 스크롤 압박. 온라인 게시물의 내용이 길어 스크롤바(scrollbar)를 상대적으로 많이 내리며 읽어야 하는 것을 가리킨다. 게시물을 열기 전에는 내용의 길이를 파악할 수 없으므로 웬만큼 많은 내용을 담고 있을 경우 제목에 '스압주의'라고 기재하는 것이 온라인상의 에티켓으로 여겨진다. 글이 매우 길 경우에는 '초스압주의', 조금 길 경우에는 '약스압주의'라고 구별해 표기하기도 한다.

스크 명 ① 이동통신사 SK의 영어 철자를 음소로 읽은 것. ② 한국 프로야구 구단 SK 와이번스의 애칭.

스터딩맘 명 studying mom. 학업

과정 중에 있는 엄마. 즉, 대학교나 대학원에 다니면서 출산과 육아를 하는 여성을 말한다. 육아와 학업을 개인의 선택 및 재량 문제로 간주하는 한국에서 스터딩맘은 사회적 지원의 사각지대에 있다.

스트레이트 명 straight. 이성애자를 일컫는다. 동성애자가 누군가를 스트레이트라고 부르는 것은 그를 이성애 중심주의자로 지칭한다는 의미이므로 어느 정도는 부정적인 평가를 담는다고 볼 수 있다.

스펙 명 spec. 영어 단어 specification(스페시피케이션; 사양, 설명서)을 줄인 말. 일반적으로 학력, 학점, 외국어 시험 점수 등 구직자의 업무수행 능력을 평가하기 위한 명목상의 지표를 의미한다. 원래는 공산품이나 시스템의 사양 및 특징을 의미하는 용어이나, 2000년경부터 취업시장에서 구직자의 조건을 가리키는 말로 등장하면서 그 의미가 확장되고 널리 퍼지며 많은 연관 용어도 생겨났다. 취업이 점점 더 어려워지는 와중에 자격증 취득, 인턴 경험, 각종 수상 경력, 어학연수 여부 등 스펙으로 갖춰야 할 항목은 점점 늘어나는 한편, 대학 입시에서도 학교생활기록부에 기입하기 위해 스펙 경쟁에 나서는 등 부작용이 속출하면서 한국을 이른바 '스펙 사회'로 보는 시선도 생겨나고 있다.

스펙강박증 [명] 스펙(spec)의 수준을 올리는 일에 과도하게 집착하는 증상. 이는 취업 준비생이라면 겪지 않을 수 없는 것으로 학벌이 낮을수록 심하다.

스펙리셋 [명] 스펙(spec)+리셋(reset). 스펙 중 가장 중요하게 여겨지는 학벌을 갈아엎는 행위. 가장 흔한 방법이 편입학이며, 그 외에는 전과(轉科), 유학, 재입학 등을 통해 이루어진다.

스펙성형 [명] 스펙(spec)+성형. 성형수술을 하듯 스펙을 새롭게 탈바꿈하는 것. 낮은 점수를 받았던 과목을 방학 기간 계절학기를 통해 재수강하여 학점을 올리는 것이 일반적인 방법이다. 이처럼 고학점 취득에 열을 올리는 것은 스펙 경쟁에서 학점이 아직까지 중요한 부분을 차지하기 때문이다. 애매하게 낮은 학점을 받았을 경우, 아예 재수강을 할 수 있도록 교수에게 더 낮은 학점을 요구하며 떼쓰는 일도 빈번하다.

스펙푸어 [명] 스펙(spec)+푸어(poor). 스펙을 많이 쌓아도 취업에 실패해 빈곤한 사람. 한국의 취업 시장에서 스펙 경쟁이 과열된 양상을 보여 주는 말이다.

스펙필터링 [명] 스펙(spec)+필터링(filtering). 공개 채용 시 서류 전형에서 구직자의 스펙만을 기준으로 탈락자를 걸러 내는 것을 말한다.

스포 [명] 스포일러(spoiler). 극의 결말이나 중요한 단서 등을 미리 알리는 행위로, 대개 작품의 재미를 떨어뜨리는 결과로 이어진다. 영화, 소설, 연극, 드라마는 물론이고 예능 프로그램에서도 스포일러가 흥행을 크게 좌우하는 경우가 많다. 영화의 감상 평 등을 쓸 때 불가피하게 줄거리나 결말을 밝혀야 하는 경우, 제목 또는 글의 첫머리에 "스포일러 있음" 하는 식으로 고지하여 타인이 해당 글을 읽을 것인지 여부를 선택할 수 있게 한다.

스포주의 [명] 스포일러(spoiler)+주의. 특정 영화, 소설 등의 줄거리나 결말을 언급한 게시물이니 주의하라는 뜻. 게시물의 제목 등에 표시해 주는 것이 미덕이다.

슴가 [명] 가슴. 여성의 가슴을 지칭할 때 음절의 순서를 거꾸로 한 것. 주로 일부 남성들이 쓰는 말로 쑥스러움 혹은 성적 뉘앙스가 담겨 있다.

습만튀 ⓟ 누군가의 가슴을 만지고 튀는 것. 타인의 가슴을 그가 놀랄 틈도 없이 만지고 잽싸게 도망가는 행위로 '엉만튀'(엉덩이를 만지고 튀는 것)와 함께 대표적인 성추행 행위 중 하나다. 가령 버스 정류장에 서 있는 여성의 가슴을 툭 만지고 도로를 건너 도망가는 것 따위의 행동이다. 학교에서 청소년 사이에 짓궂은 놀이로 널리 퍼졌고 일반 성인들 또한 거리에서 이런 행위를 하는 것이 늘어남에 따라 강제추행죄로 처벌받는 일도 왕왕 벌어진다. 인파로 붐비는 거리나 공연장 등에서 순식간에 일어나는 경우가 많지만 인적이 드문 골목, 등굣길, 놀이공원, 정류소 등 장소와 시간을 불문하고 다양한 형태로 벌어진다. '가만튀'라고도 한다.

습부심 ⓜ 가슴+자부심. 아름다운 가슴을 가진 사람만이 누릴 수 있는 자부심. 가슴 부위를 과도하게 노출하는 사람에게 흔히 "습부심 부린다"라고 말한다.

습 ⓜ 한국 프로야구 구단 SK 와이번스의 별칭.

시계국 ⓜ 스위스. 스위스가 명품 시계 브랜드로 유명해 붙은 별칭. #나라

시럽계 ⓜ '실업계' 고등학교. 어떤 사람이 맞춤법에 맞지 않게 쓴 것을 희화화하여 차용한 표현. #맞춤법파괴

시레기 ⓜ 에어컨 '실외기'. 어떤 사람이 맞춤법에 맞지 않게 쓴 것을 희화화하여 차용한 표현. #맞춤법파괴

시망 ⓟ '시발, 망했다'를 줄인 말. 절망적인 상황에서 감탄사처럼 쓴다. 그 외에는 대체로 '최악'이라는 뜻으로 문장 속에서 다양하게 사용되는데 "저 팀은 수비가 시망", "시청률은 시망이지만 덕후들은 열광한다", "텔레비전 화질이 시망이다", "시나리오를 못 살린 시망 연기력" 하는 식이다.

시발비용 ⓜ 일상의 짜증과 스트레스 때문에 순간적으로 지출하게 된 비용. 스트레스를 받지 않았다면 쓰지 않았을 비용이다. 비속어 '써발'을 순화한 '시발'과 '비용'(cost)이 결합된 용어로 홧김에 먹거리를 배달시키는 것, 대중교통을 마다하고 택시를 타 버리는 것, 기분 전환을 위해 립스틱 등을 충동구매하는

것 등을 이른다. 이렇게라도 하지 않으면 화병이 날 것 같아서 지출하는 비용이며, 대부분은 스트레스를 해소하기 위해 무계획적으로 저지르는 소소한 소비 행위를 말한다.

시새발끼 [명] '시발 새끼'의 글자 순서를 다르게 한 말. 같은 욕이라도 덜 저속해 보이는 효과가 있다. 같은 방식으로 '미새친끼'(미친 새끼)라는 말도 쓴다.

시선강탈자 [명] 좌중의 눈을 사로잡는 사람. 대부분은 엄청난 외모로 주변 사람들의 눈길을 빨아들이는 이를 뜻한다. 그 외에도 독특한 복장을 한 사람, 귀여운 반려동물을 비롯해 우람한 배기음을 내는 슈퍼카, 이상한 모양의 건물 등 타인의 시선을 끄는 모든 것이 시선강탈자가 될 수 있다.

시월드 [명] 시(媤)+월드(world). 남편의 본가, 즉 시집 세상을 일컫는 말. 시아버지, 시어머니, 시누이, 시동생 등 '시—'로 통칭되는 남편 가족의 커뮤니티를 가리킨다. 반대로 아내의 본가, 즉 처가의 가족 커뮤니티를 '처월드'(妻+world)라고 한다.

시전하다 [동] 시전(施展)하다. 신비로운 마법이나 기이한 기술 따위를 펼쳐 보이다. 중국 무협 소설을 번역한 문장에서 간혹 등장하던 표현이었으나, 요즘 인터넷 공간에서는 '어떤 동작이나 행동을 보란 듯이 해 보이다'라는 뜻으로 널리 사용된다. ¶ 축지법을 시전하여 간신히 지각을 면했다.

시조새 [명] 어떤 분야의 개척자 또는 조상 격인 사람을 재미있게 칭하는 말. 원래는 조류 최고(最古)의 조상으로 추정되는 화석동물을 뜻한다. "웹툰계의 시조새 박무직", "걸그룹계의 시조새 바다" 하는 식으로 표현한다.

시조새파킹 [명] 아주 오래된 시절. 새의 조상으로 알려진 시조새가 날아다니던 때를 비유한 말이다. "시조새파킹짤"(오래된 이미지), "시조새파킹하는 소리"(구닥다리 언설) 같은 식으로 쓴다.

식후땡 [명] 식후에 피우는 담배.

신박하다 [형] 신비롭고 기이하다. '신기하다'보다 어감이 강하며, 그 뜻이 확장되어 현재는 '참신하다', '기발하다'의 의미로도 쓰인다. ¶ 시위하면서 부채춤도 추고, 정말 신박하던걸.

신백 몡 백화점 체인 '신세계백화점'의 준말. 경쟁 백화점에는 롯백(롯데백화점), 현백(현대백화점)이 있다.

신상 몡 ① 身上. 어느 사람의 이력과 그가 처한 환경. 인터넷에서는 한 개인에 관한 정보를 총칭하는 뜻으로 쓰인다. 가령 '신상 공개'는 한 사람에 대한 각종 정보를 공개한다는 의미다. ② '신상품'(新商品)의 준말.

신상털다 관 여러 수단을 통해 누군가에 대한 개인 정보를 알아내 널리 인터넷에 공개하는 행위. 마녀사냥식 사이버 폭력의 대표적인 형태다. 유형은 여러 가지인데, 대중에게 공분을 일으킨 인물의 신상을 마구 파헤쳐 폭로하는 것이 가장 흔하고, 그 외에는 화제가 되는 사람의 이력을 추적하는 것, 또는 커뮤니티 회원들이 마음에 들지 않는 특정 회원의 개인 정보를 알아내 퍼트리는 것 등이다. 개인의 이름이나 아이디(ID) 정도만 알면 구글링을 통해 그 사람의 과거 사진은 물론 주소, 전화번호, 본인조차 까맣게 잊은 게시글 등을 쉽게 알아낼 수 있다.

신생아남[녀] 몡 다른 사람의 도움 없이는 아무것도 못 하는 남성[여성].

신세경 몡 신세계. 익숙하지 않은, 놀라운 것을 가리키는 말. 오로지 '신세계'와 철자가 비슷하다는 이유로 배우 신세경의 이름을 쓰는 것. ¶ 듀얼 모니터 오늘 처음 써 봤는데 신세경이네.

신의아들 몡 ① 병역면제자. ② 공기업에 취직한 남성.

신컨 몡 신(神)+컨트롤(control). 게임 운영을 매우 잘하는 것 혹은 게임을 매우 잘하는 사람을 가리킨다. 반대로 매우 못하는 사람은 '발컨'이라 부른다. ¶ 신컨을 꿈꾸는 발컨이 선택한 키보드.

신행 몡 신혼여행. ¶ 요즘은 신행 어디로 가나요?

실검 몡 검색 포털 사이트에서 제공하는 '실시간 인기 검색어'를 줄인 말.

실물깡패 몡 화면이나 사진에서 본 것보다 실물이 압도적으로 멋질 때 쓰는 말. 연예인이나 상품을 묘사할 때 자주 사용한다.

실버성형 몡 실버(silver)+성형.

노년층이 성형수술을 하는 것을 말한다.

실북갤 몡 '실시간 북적 갤러리'를 줄인 말. 인터넷 커뮤니티 사이트 디시인사이드가 제공하는 서비스로, 현재 접속자 수가 많은 상위 20개 갤러리를 모아 놓은 목록을 말한다.

심남[녀] 몡 관심이 가는 남자[여자]. 막연하게 호감이 있는 상태이나 애인으로 삼겠다고 결심한 대상도 아니며 상대방이 나를 어떻게 생각하는지도 아직은 모른다. 남녀 간의 관계는 대략 '남사친 또는 여사친'에서 '심남 또는 심녀'로 진행되고, 여기서 좀 더 발전하면 '썸남 또는 썸녀'로 이동한다. 즉 상대방을 심남 또는 심녀라 부르는 상황은 상대방과 썸을 타기 직전이지만 아무것도 결정되지 않은 국면이기도 하다.

심멎 관 가슴이 마구 설레어 심장이 멎다. 숨이 멎을 정도로 황홀하고 아름답다는 뜻의 '숨멎', 심장이 쿵 내려앉는다는 뜻의 '심쿵'과 유사한 표현. ¶ 심멎주의♡ 채연♡♡♡

심시티서울 몡 철거와 재건축이 너무 쉽고 빠르게 진행되는 서울을 도시 건설 시뮬레이션 게임 '심시티'(SimCity)에 빗댄 것.

심장어택 동 심장+어택(attack; 공격, 폭행). 보는 순간 매료되어 심장이 멎을 것 같은 상태. '심쿵'과 비슷하나 정서적 반응 강도가 상대적으로 세다. "눈만 마주쳐도 심장어택"하는 식으로 쓴다.

심쿵 관 심장이 쿵 내려앉다. 예상치 못한 아름다움 혹은 감동과 맞닥뜨렸을 때 쓰는 말. 아련하고 애달픈 감정이기보다는 순간의 충격을 동반한 격정적 상태를 말한다. 무심코 골목길에 들어섰다가 짝사랑하는 사람과 마주쳤을 때 가슴이 턱 내려앉는 것과 비슷하다. 가슴이 마구 설레어 심장이 멎는다는 뜻의 '심멎', 숨이 멎을 정도로 황홀하고 아름답다는 뜻의 '숨멎'과 큰 구별 없이 쓰인다. ¶ "자꾸만 심쿵해 / 널 보면 볼수록 / 가슴이 쿵쿵대 / 나도 모르겠어 / 심쿵해 나 어쩌면 좋아 / 자꾸만 네 품에 꼭 안기고 싶어" — AOA, '심쿵해' 가사 중, 〈Heart Attack〉, 2015년 6월.

심쿵사 몡 심쿵+사(死). 예상치 못한 아름다움 혹은 감동과 맞닥뜨려 거의 죽을 것 같은 상태. '심쿵'(심장이 쿵 내려앉다)을 강조하는 말이다. ¶ 그렇게 쳐다보시면… 저는 오늘 여기서 심쿵사합니다.

심쿵주의 명 매우 귀엽거나 아름다운 자료를 포함하고 있어 '심쿵'(심장이 쿵 내려앉다)할 수 있으니 게시물을 열기 전에 심장을 잘 붙잡으라는 말.

심쿵팔 명 심장이 쿵 내려앉을 정도로 아름답거나 감동적인 이미지. 앙증맞은 동물 사진, 연예인 사진, 애니메이션 캐릭터 등이 대부분이다.

십덕후 명 특정한 분야에 비상하게 열중하며 천착하는 사람을 지칭하는 '오덕후'(오타쿠, 덕후)보다 한 단계 높은, 훨씬 더 광적인 오덕후라는 뜻. 오(5)덕후+오(5)덕후=십(10)덕후. 십덕후를 줄여서 '씹덕'이라고도 한다. 십덕후가 오덕후의 강조형인 것과 마찬가지로 백덕후, 천덕후, 만덕후, 억덕후 등으로 덕후 생활의 심취도를 구분하는 경우도 있다. 반면에 오덕후의 경지에 이르지 못한 덕후는 삼(3)덕후라 부른다.

십라 감 시발. 컴퓨터 키보드 한글 자판의 배열 특성상 자주 발생하는 오타를 일부러 따라 쓰는 표현. #오타체

십장생 관 '10대도 장차 백수 될 것을 생각해야 한다'를 줄인 말. 취업이 점점 어려워지는 세태를 반영한 표현이다.

싱송라 명 싱어송라이터(singer-songwriter)를 줄여 부르는 말. 가수이면서 자신이 노래할 곡을 직접 만드는 사람을 말한다. ¶ A: 장래 꿈이? B: 싱송라.

싸다 동 (온라인 커뮤니티 게시판에) 똥을 싸듯이 글을 쓰다. 이렇게 탄생한 글을 가리켜 '똥글'이라고 한다.

싸닥션 명 싸대기+모션(motion). 뺨따귀를 때리는 행위를 뜻한다. "싸닥션 날리고 싶다", "연속 세 방, 불꽃 싸닥션 맞았습니다" 식으로 사용한다. 막장 드라마의 필수 요소처럼 돼버린 뺨을 가격하는 장면이 '싸닥션 명장면'으로 편집되어 여전히 웃음을 주며 돌아다니는 것이 한국 인터넷의 풍속도다. 그중 온 국민에게 깊은 인상을 남긴 드라마 속 장면은 단연 2014년 MBC 아침 드라마 〈모두 다 김치〉에서 포기김치로 남자의 뺨을 후려친 일명 '김

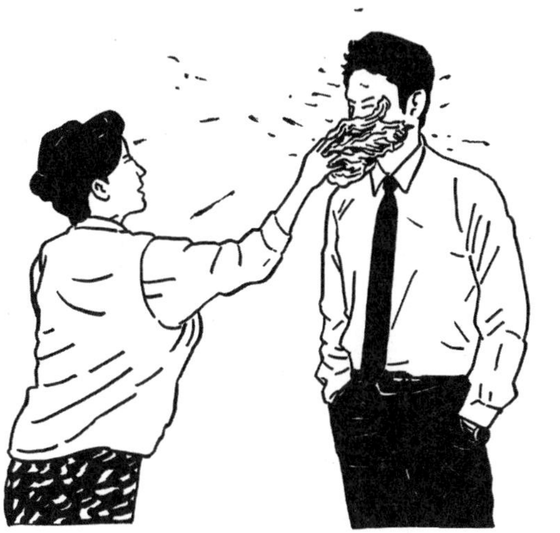
싸닥션

치 싸닥션'이라 하겠다.

싸지방 [명] 사이버 지식 정보방. 군인들을 위해 부대 안에 설치된 PC방을 말한다.

싸패력 [명] 사이코패스력(psychopath+力). 본래 사이코패스는 반사회적 인격 장애를 뜻하는 말이나 여기서는 보다 넓은 의미에서의 미친 상태를 가리킨다. 즉 싸패력은 '미친 정도'를 의미한다고 할 수 있으며, 논쟁 상황에서 상대를 공격하는 글을 게시하는 능력인 '화력'에 대한 찬사로 쓰이기도 한다.

싼커 [명] 散客. 중국어로 '개별 손님'을 뜻하는 말. 한국을 찾는 중국 관광객 중 단체가 아닌 개인으로 관광하는 사람을 일컫는 말로 쓰인다. 대체로 20~30대 젊은 층인 싼커는 능동적으로 정보를 탐색하며 소비에서도 개인의 취향을 중시하는 등, 유커(遊客; 단체 관광객)와 대비되는 특성을 보인다. ¶ 유커 떠난 빈 자리, 싼커들이 채운다.

쌍수 [명] 쌍꺼풀 수술. 성형 용어로 "앞트임+쌍수 후기", "붓기 없는 쌍수" 하는 식으로 흔하게 쓴다. ¶ A: 중3인데 쌍수해도 괜찮나요? B: 매몰법은 그나마 괜찮습니다.

쌍수매몰 [명] 쌍거풀 수술 중 매몰

싸지방

법을 말한다. 매몰법이란 피부의 절개 없이 피부의 미세 구멍을 실매듭으로 묶어 쌍꺼풀을 만들어 내는 시술법. 성형외과의 마케팅 용어로 자주 사용된다.

쌍액 명 쌍꺼풀액. 쌍꺼풀을 만들기 위해 바르는 액상 용품. 쌍꺼풀을 만들고 싶으나 이런저런 이유로 성형수술을 할 수는 없는 사람을 위한 제품이다.

쌍테 명 쌍꺼풀 테이프. 쌍꺼풀을 만들기 위해 눈꺼풀에 붙이는 단면 또는 양면 테이프.

쌤 명 선생님. 대상을 낮추어 부르는 듯한 어감이 있지만, 대개는 친근감과 격의 없음을 나타내는 말로 널리 쓰인다. 학생이 교사를 지칭할

때뿐만 아니라 교사들 간에도 이 말을 쓴다. 담임쌤, 국어쌤, 영어쌤, 체육쌤, 학원쌤, 원장쌤, 의사쌤, 교장쌤, 교생쌤, 과외쌤, 춤쌤 등 '선생님'이 들어가는 거의 모든 말을 대체할 수 있다.

썩소 명 썩은 미소. 누가 봐도 티가 나는 억지 미소. 마냥 웃을 수만은 없는 상황에서, 또는 상대방을 비웃어 줘야 하는 상황에서 이 표정이 자주 등장한다. 입은 웃고 있지만 눈은 그렇지 않은 표정이다.

썰 명 설(說). 흥미를 끌 만한 짧은 이야기를 뜻한다. '혀'를 뜻하는 '설'(舌)에서 연유한 것으로 보기도 한다. 비속어로 '썰 풀다', '썰 까다' 같은 형태로 수십 년 전부터 쓰여 왔으며, 과장과 허세가 섞인 언

설이라는 뉘앙스가 있다. 종편방송 JTBC의 〈썰전〉은 시사 이슈에 대하여 소위 입담가들이 거침없이 썰을 푸는 프로그램으로, '독한 혀들의 전쟁'이라는 부제를 달고 있다.

썸 〈몡〉 썸싱(something). 서로에게 호감이 있어 무언의 교감을 나누는 관계 혹은 그러한 감정을 말한다. 주로 동사 '타다'와 함께 쓰이는데, 가령 "나, 재랑 썸 타는 사이야" 하는 식이다. 기본적으로 사람과 사람 사이의 감정 상태를 묘사하는 말이나 "도서관, 학교와 썸 타다", "치맥과 썸 타다" 등과 같이 대상을 의인화하며 이 표현을 쓸 때도 있다. ¶ A: 우리 썸 타는 거 맞지? B: 헐…

썸남[녀] 〈몡〉 썸 타고 있는 상대 남자[여자]. 호감을 갖고 만나고 있는 상대를 지칭할 때 쓴다. 호감 정도나 관계의 깊이가 그보다 얕은 경우 '관심 있는 남자'[여자]라는 뜻의 '심남'[녀]으로 표현할 수 있다. 2015년 SBS는 솔로 남녀 스타들이 모여 진정한 사랑을 찾아간다는 취지의 예능 프로그램 〈썸남썸녀〉를 제작·방영하기도 했다.

썸썰 〈몡〉 썸(something의 준말)+썰(설; 說). 남이 '썸 타는'(연애 감정이 무르익어 가는) 이야기를 말한다.

쎅쓰 〈몡〉 섹스가 너무나 하고 싶다는 열망을 담아 '섹스'를 말하는 것. 컴퓨터 키보드 한글 자판에서 시프트(shift)를 누른 상태로 '섹스'를 입력한 결과다. ¶ 저랑 하고 싶은 사람 없나요? 쎅쓰!!!!

쏬 〈몡〉 웃음. 한글 'ㅆ', 'ㅜ', 'ㅈ'을 조합하면 한자 '笑'(웃음 소)와 모양이 비슷한 데서 유래했다. #야민정음

쓰랑꾼 〈몡〉 쓰레기+사랑꾼. 여러 면에서 쓰레기 같은 사람이지만 누군가를 사랑하는 마음 하나만은 진실한 사람. 2016년 tvN에서 방영된 드라마 〈굿와이프〉에서 온갖 비행을 저지르면서도 아내(전도연 분)를 끔찍이 생각하는 주인공 이태준(유지태 분)에게 누리꾼들이 붙여 준 별명이다.

쓰봉 〈몡〉 ① 쓰레기봉투. ② 바지. 주로 양복바지를 뜻하는 일본어 ズボン(즈본)의 발음이 이처럼 바뀌어 전해졌다. 벤또(도시락), 쓰메키리(손톱깎이), 다마네기(양파) 등과 함께 과거에 널리 쓰였으나 세대가 바뀌면서 사라진 말이다.

쏙 〈몡〉 신세계 쇼핑몰(www.ssg.com)의 애칭. '신세계'의 영문 이니

설 SSG를 한글로 발음한 것. ¶ A: 오우, 어디서 샀음? B: 쓱.

쓸고퀄 ⓐ 쓸데없이 고퀄리티. 결과물의 퀄리티가 결코 중요할 리 없는 일에 과도한 노력을 기울여 기막힌 연출과 품질을 보여 줄 때 쓴다. 평범한 사람이 보기에는 시간만 죽이고 사는 '잉여'만이 만들 수 있는 창작물로 알려져 있다. 한편으로는 대충 넘어갈 수 있는 부분조차 심혈을 기울이는 사람에 대한 칭찬으로 이 말을 쓰기도 한다.

쓸쓸비용 ⓐ 외로움을 달래기 위해 지출하게 되는 비용. 반대로 쓸쓸하지 않았다면 쓰지 않았을 비용이다. 집에 혼자 있는 것이 외로워 캐릭터 인형을 반복적으로 구매하는 것, 혼자 밥 먹는 것이 싫어서 친구에게 밥을 사며 같이 먹는 것 등을 말한다.

씐나다 ⓑ '신나다'를 재미있게 표현한 말. "아오, 씐나!", "씐나는 밤이었어" 하는 식으로 쓴다. ¶ 전생이 지렁이인가 봐. 비가 오면 너무 씐나.

씹덕 ⓐ '십덕후'를 속되게 말하는 것. 십덕후는 특정한 분야에 비상하게 열중하며 천착하는 사람이라는 뜻의 '오덕후'보다 한 단계 높은 덕후다. 동사 '터지다'와 결합해 미칠 정도로 좋아하는 마음을 드러내는 표현으로도 사용한다. ¶ 먹는 모습마저 씹덕 터지는구나.

씹덕사 ⓐ 씹덕+사(死). '씹덕'(십덕후)이 자신의 마음을 뒤흔드는 것을 발견하고 좋아서 죽을 것 같을 때 쓰는 말. 쉽게 말해 어떤 것이 죽을 만큼 좋다는 뜻이다. 그러한 자신의 상태를 가리켜 '씹덕사로 잠들다'라는 관용 표현을 쓰기도 한다.

씹선비 ⓐ 웃자고 한 농담에 과민한 반응을 보이는 사람을 비꼬는 말인 '선비'의 강조형. SNS에서는 자신의 입장을 논박하는 사람을 비난하려는 의도에서 쓰일 때가 많다.

씹치남 ⓐ '김치남'을 속되게 이르는 말로, 김치남은 한국 여성을 '김치녀'라고 비하하며 여성 혐오적 언행을 일삼는 한국 남성을 가리킨다. '씹치' 또는 '치남이'라고 부르기도 한다.

아

아가리파이터 명 '입'의 속어인 '아가리'와 '파이터'(fighter; 전사, 투사)의 합성어. 선동가 또는 독설가를 천하게 부르는 말이다. 아가리파이터계(界)의 살아 있는 전설 중한 명은 2015년 미국 공화당의 대통령 후보 경선에 나서 숱한 독설을 쏟아 낸 끝에 대통령이 된 도널드 트럼프.

아깽이 명 아기 고양이. '깽이'는 '고양이'의 준말인 '괭이'를 강하게 발음한 것. ¶ 동사무소에서 태어난 네 마리 아깽이를 소개합니다.

아깽이대란 명 고양이가 집중적으로 태어나는 시기인 4월 말에서 6월까지 벌어지는 소동. 새끼 고양이가 넘쳐 나는 기간으로, 구조 요청이 빗발치고 동물 보호소가 새끼 고양이로 바글거리는 시기다. '아깽이'는 '아기 고양이'를 이르는 말이다. ¶ 아깽이대란 속 아기 고양이 구조…, 식구가 늘었다.

아나테이너 명 아나운서+엔터테이너. TV 예능 프로그램 등에 자주 출연하는 아나운서.

아노대 관 '안 돼'를 잘못 입력한 것을 일부러 따라 하는 표현. 대개

아가리파이터

의 오타체처럼 강조의 뜻을 담고 있다. #오타체 ¶ 내일부터 시험이라니, 아노대!

아닥 ㉑ 아가리 닥쳐. 얼토당토 않은 말을 내뱉고 있는 그 입을 다물어 달라는 요청을 속되게 말하는 것. ¶ 우 쥬 플리즈(Would you please) 아닥?

아닥공 ㉑ 아가리 닥치고 공부. 효율적으로 공부하는 방법에 대해 갑론을박하느라 정작 공부는 하지 않는 수험생에게, 또는 합당한 근거를 제시하지 못하면서 시간만 축내고 있는 논쟁 상대에게 쓸 수 있는 표현이다.

아뒷어 ㉑ '아, 됐어'라는 뜻. 불리한 상황에 처한 남성이 이를 무책임하게 무마하는 것을 비하하는 말. 일부 남성들이 여성의 무책임함과 비합리성을 꼬집을 때 쓰는 표현인 '아몰랑'에 대응하는 말이다. 디시인사이드의 메르스갤러리에서 전파되었다.

아라 ㉐ '아이라이너'(eyeliner)를 줄인 말. 메이크업 용어. ¶ 안 번지는 아라 추천 좀.

아몰랑 ㉑ 여성들이 토론을 할 때 자기주장을 일방적으로 내세우다가 상황이 불리해진다 싶으면 "아, 몰라" 하고 도망간다고 하여 남성 인터넷 커뮤니티에서 만들어진 말. 비논리적이고 자기중심적인 여성상을 표상하는 용어로 생성되었으나, 정치·시사 분야로 용례가 확장되면서 대형 사건에 대해 시종일관 얼렁뚱땅 넘어가려는 정부 측의 무책임한 모습을 꼬집는 의도로 널리 쓰였다. 특히 2015년 메르스 사태 때 정책 당국의 어리숙한 대응을 비판하는 언론 보도에서 높은 빈도로 사용되었는데, "보건복지부는 오늘도 아몰랑", "아몰랑 정부, 언제까지 참아야 하나" 하는 식이다. '아몰랑'은 용어의 발생 초기와는 다른 맥락으로 의미가 변모한 케이스라 볼 수 있지만, 여성 혐오를 함의한 용어를 젠더 감수성에 둔감한 미디어가 대중의 취향에 영합하는 방식으로 남용한다는 지적도 있다.

아몰레기 ㉐ 아몰레드+쓰레기. 삼성 휴대폰의 아몰레드(AMOLED; 능동형 유기발광다이오드) 디스플레이에 불만이 있는 소비자들이 이를 비하해 칭하는 말.

아무말대잔치 ㉑ 주제에 맞게 말하거나 최소한 잠시라도 생각한 후에 말하는 것이 아니라 나오는 대로 마구 지껄이는 것을 이르는 말. 여러 명이 모인 대화에서, 혹은 누군가가 혼자서 맥락을 아랑곳하지 않고 아무렇게나 내뱉는 상황을 묘사한 표현이다. 매우 산만하고 정신없지만 때로는 의외의 웃음을 주기 때문에 '대잔치'라고 하기에 적당하다. 때로는 상대의 처지나 기분을 헤아리지 않고 상처가 될 말을 아무렇지 않게 던지는 상황을 이르기도 한다.

아벌구 ⦿ 아가리만 벌리면 구라. 입만 열면 뻥을 치는 허풍쟁이에게 붙이는 별명.

아봉 ⦿ 아가리 봉인. 쓸데없는 말만 하는 너의 주둥이는 영원히 밀봉하는 게 좋을 것 같다는 뜻. 아가리를 닥치라는 뜻의 '아닥'보다 위협적인 느낌을 준다.

아샤나 ⓜ '아시아나항공'을 줄인 말. 경쟁사 '대한항공'을 줄인 말은 '댄공'이다.

아세뽐유세뿌 ⦿ 'I say 뽐, You say 뿌'를 줄인 말. 온라인 커뮤니티 '뽐뿌' 이용자들이 서로의 정체를 확인하고 흥을 돋울 때 쓰는 표현. 내가 뽐이라 말하면 너는 뿌라고 말한다는 뜻이다.

아스트랄 ⓗ astral. 뭔가 정상적이지 않고 몽환적이거나 외계에서 온 것 같은 느낌을 표현하는 말. 영어 astral은 '별(星)의', '영적 세계의'라는 뜻이다. 정상적인 것과 거리가 멀고 우주나 심령 등과 관련이 있으며 황당하거나 어처구니없는 상황을 두고 "아스트랄하다"라고 말한다. 4차원적 특성을 가진 인물을 묘사할 때도 이 표현을 쓴다.

아시발꿈 ⦿ 방금까지 겪었던 모든 일들이 한낱 꿈이라는 것을 자각했을 때, 즉 꿈에서 깨어났을 때의 상황을 가리키는 말. 아쉬움과 안도감, 극도의 허무함이 뒤섞인 복잡한 감정이 뒤따른다. 유래는 커뮤니티 사이트 디시인사이드의 카툰연재갤러리 화풍(마우스로 배경 묘사 없이 간략하게 그리며 개연성이 없어 흔히 '병맛'이라 일컫는 스타일)으로 그려진 〈로또〉라는 엽편 만화의 대사다. 소설, 만화, 영화 등 창작된 서사에서 주인공이 그동안 겪었던 일이 꿈이라는 것을 깨달았을 때 독자가 느끼는 기분, 혹은 이러한 방식의 전개를 통틀어 지칭하기도 한다.

아싸 ⓜ 아웃사이더(outsider). 주위 학우들과 등을 지고 홀로 대학생활을 이어 가는 사람을 일컫는 말. 의도치 않게 다수에게 따돌림을 당하는 사람인 '왕따'와 달리 대개 자발적으로 선택한 것이다. 한국의 전근대적 문화가 압축돼 있는 일부 대학 문화에 대한 반감으로 아싸의 길을 택하는 이들도 많다. ¶ 공부에 집중하기 위해 스스로 아싸가 되었습니다.

아아 [명] 아이스 아메리카노. 아메리카노는 에스프레소에 물을 넣어 마시는 커피로 이때 물에 얼음을 넣어 차갑게 만든 것을 '아아' 혹은 '차아'(차가운 아메리카노)라 한다. 반대로 에스프레소에 뜨거운 물을 넣은 커피는 '따아'(따뜻한 아메리카노) 혹은 '뜨아'(뜨거운 아메리카노)라고 부른다.

아오안 [관] 아웃 오브(out of) 안중. 어떤 대상이 안중에도 없다는, 즉 자기 관심 밖이라는 뜻. 누군가의 '아오안'이라는 것은 대개 부정적인 의미로 '듣보잡'(듣도 보도 못한 잡것)과 유사하나, 오히려 이것이 극찬으로 작용하는 경우도 있다. ¶ 팀을 이전한 후 그 선수는 광속으로 아오안이 되었다(빠르게 잊혔다). ¶ 그는 출세나 돈벌이에는 철저히 아오안이라는 듯 묵묵히 자신의 일을 할 뿐이었다.

아웃오브안중 [관] 어떤 대상이 안중(眼中)에도 없다는 뜻. 즉 자신의 관심 밖이어서 신경 쓰지 않는다는 것. '~의 밖으로'라는 뜻의 영어 '아웃 오브'(out of)에 '안중에도 없다'라는 표현의 '안중'을 떼어 붙여 쓰는 말. 줄여서 '아오안'이라고 한다. ¶ 걔가 너한테 연락을 안 하는 이유는 딱 네 가지, 옥중(교도소 수감 중), 상중(초상을 치르는 중), 병중(앓고 있는 중), 아웃오브안중.

아웃팅 [명] outing. 커밍아웃을 하지 않은 성 소수자의 정체성을 타인이 (당사자의 동의 없이) 밝히거나 누설하는 행위.

아재개그 [명] 아재+개그. 아저씨가 하는 철 지난 농담을 말한다. 웃음을 주기보다는 일순간 좌중을 얼어붙게 만드는데, 웃어야 할지 울어야 할지 판단이 잘 서지 않기 때문이다. '싸움을 가장 좋아하는 나라는?'(답: 칠레), '세상에서 가장 가난한 왕은?'(답: 최저임금) 등 문답형 개그와 '피아노를 던지면 어떻게 피아노(피하노)?', '들깨 먹으면 술이 들(덜) 깨', '바나나 주면 나한테 반하나?' 같은 언어유희형 개그가 대부분이다. 아재개그 특유의 허무함과 실소를 즐기는 흐름도 있다.

아재체 몡 아재+체(體). 아저씨들 특유의 입담이 드러나는 온라인 문체. 여러 특성이 있으나 딱 봐도 노땅이 쓴 것 같은 기운이 느껴지는데, 가령 "저번에 산에 가서 캐 온 도라지~ 요것이… 참 별미인디 다시.. 이런 거 캘 수 있을까 몰러" 같은 문체다. 그 외 문장부호와 비속어 남발, 그리고 이상하리만치 침을 자주 뱉는다는 특성이 있다. "이 놈 덜 좀 보소…, 캬악~ 퉤!!!" 하는 식이다.

아재파탈 몡 아재+파탈(fatal). 아저씨 중에서도 치명적인 매력이 있는 사람. 프랑스어 fatal은 '치명적인'이라는 뜻의 형용사로, 아재파탈은 팜므파탈(femme fatale; 치명적인 매력을 가진 여자)을 패러디한 용어다. 매너와 유머 감각을 갖춘 중년 남성을 일컫는데, 주로 이 연령대의 남성들이 자칭하는 경우가 많다.

아점 몡 아침 겸 점심. 한국식 브런치(brunch)라 할 수 있으나, 아점이라는 표현은 서양의 브런치 문화가 한국에 유행하기 전부터 널리 쓰여 왔다.

아초항담 몡 '아그네스 초극세사 항균 담요'를 줄인 말. 2014년 SNS에서 입소문을 타고 유명해진 포근한 침구류의 애칭이다. "물아일체", "빠져나올 수가 없다" 등의 간증이 잇따른 인기 상품.

아카데미맘 몡 아카데미(academy)+맘(mom). 자녀 교육을 최고의 과업으로 삼고 사교육에 열을 올리는 학부모를 가리키는 말. 인기 있는 학원이나 강사에 대한 정보를 발이 빠른 다른 학부모와 교환하는데, 이 네트워크에 편입하여 아카데미맘이 되는 데도 진입 장벽이 존재한다.

아컨짤 몡 아이 컨택(eye contact)+짤. 상대방과 눈이 마주친 듯한 느낌을 주는 사진. 피사체가 카메라를 응시할 때 셔터를 누르면 마치 자신을 쳐다보는 듯한 사진이 나오는데, 이를 아컨짤이라 한다. 아이돌 촬영 시 아컨짤을 찍기 위해서는 스타가 일부러 카메라를 봐 줘야 하므로 이것을 얻을 수 있는 사람은 흔치 않다. 스타가 카메라를 향해 살짝 웃거나 윙크를 해 주면 이상적인 아컨짤이 될 가능성이 많다. '아컨', '아컨샷', '아컨캠' 등 몇 가지 파생어가 있다.

악수회 몡 일본에서 유래한 아이돌 팬 문화로 팬과 연예인이 악수를

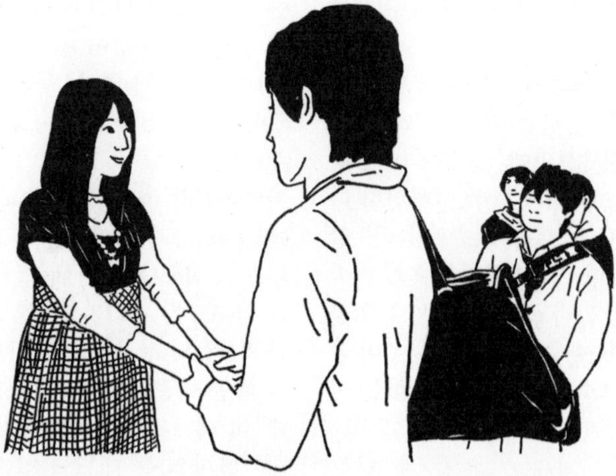

악수회

하면서 잠깐 동안 대화를 나누는 이벤트를 말한다. 일반적인 팬 사인회나 팬 미팅과는 달리 악수라는 스킨십이 중심이 되는 행사다. 일본의 아이돌 그룹 AKB48이 악수회를 통해 경이적인 음반 판매와 인지도를 얻은 사례가 유명하다.

안구정화 [명] 보기에 좋아서 심적 평화와 즐거움이 생동하는 것. 주요 매개체는 사진, 동영상, 그림, 글 등인데, 그것을 보거나 읽기만 해도 일상의 스트레스가 가시고, 훈훈한 감정이 생긴다. 유사한 표현으로는 귀를 즐겁게 한다는 뜻의 '고막정화'가 있다. ¶ 너희, 그러고 있으니까 안구정화 비주얼 커플 인정~.

안구테러 [명] 눈앞에 나타난 어떤 이미지가 너무나 불쾌하여 시신경이 공격받는 느낌이 드는 것. 느닷없는 소음에 노출되는 괴로움을 의미하는 '귀테러'와 마찬가지로 갑작스러움은 곧잘 위협이 된다. 게시물에 누군가에게는 혐오스러울 수 있는 이미지가 포함되어 있음을 '혐짤주의'라는 제목으로 미리 알리는 것이 미덕이 된 이유다. 안구테러라는 표현은 누군가의 외모를 모욕할 때 쓰이기도 한다.

안녕몰 [명] 전자 제품 전문 쇼핑몰 '하이마트'의 애칭. 영어 hi(하이)가 '안녕'을 뜻하는 인사말인 것에서 이런 표현이 나왔다.

안드로메다 [명] 현실과 동떨어진 다른 차원의 세계를 일컫는 말. 안드로메다(Andromeda)는 우리 은하와 가장 가까워 육안으로도 볼 수 있지만, 실제로는 지구로부터 약 200만 광년이나 떨어져 있다. 친근하면서도 비밀스러운 안드로메다는 범상치 않은 존재나 현상을 상상하는 데 모티브가 되어 왔다. 어딘가 독특하거나 괴짜 같은 사람에게 "안드로메다에서 왔다"라고 하거나, 점점 미궁으로 빠져드는 상황을 두고 "안드로메다로 간다"라 하는 말이 널리 쓰인다.

안물 [관] '안 물어봤음'을 줄인 말. 묻지도 않은 이야기를 상세하게도 늘어놓는 상대와 대화할 때 마음속으로 이 말을 백번쯤 반복하게 된다.

안물안궁 [관] '안 물어봤고, 안 궁금함'을 줄인 말. 듣고 싶지 않은 이야기를 끝없이 주절대는 상대에게 쓸 수 있는 말. 묻지 않았고 궁금하지도 않은 말을 내게 왜 하느냐는 의미다. 한마디로 '아닥'(아가리 닥쳐) 하라는 뜻.

안방순이 [명] 콘서트, 팬 미팅 등에 적극적으로 참여하는 대신 집에서 TV를 보거나 온라인 커뮤니티에 접속하는 방식으로 아이돌 덕질(특정 대상을 광적으로 아끼고 애정하는 행위의 총칭)을 하는 팬.

안방팬 [명] 아이돌 팬 문화 용어 중 하나로 팬 사인회, 콘서트 같은 오프라인 행사에 가지 않고 오직 집에서만 팬 활동을 하는 이를 말한다. 오프라인 행사에 열심히 참석하는 '현장팬'과 구별하기 위한 용어. 그 외 아이돌 팬에는 사생팬(아이돌을 보려고 숙소나 연습실을 배회하는 팬), 외국팬(외국인 팬), 급식팬(10대 학생 팬), 학식팬(20대 대학생 팬), 회식팬(직장인 팬) 등이 있다.

안산드레아스 [명] 경기도 안산시. GTA라는 게임 시리즈에 등장하는 무법 도시 '산 안드레아스'와 유사하게 외국인 노동자가 많고 강력 범죄가 자주 일어난다 하여 붙게 된 지역 비하적 별칭이다.

안생겨요 [관] 어떤 노력을 해도 애인은 생기지 않을 것이라는 말. 연애가 하고 싶어 안달이 난 이가 뭐라도 해 보려고 발버둥 치는 모습은 애처로운데, 이때 멀리서 안타까워하기보다는 조용히 다가가 이렇게 속삭여 주는 편이 좋다. 유사한 표현으로 각 음절을 이니셜로 처리해 은밀한 뉘앙스를 살린 'ASKY'가 있다. 파생어 'GRD ASKY'는 '그래도 안 생겨요'라는 뜻.

안습 관 '안구에 습기 차다'를 줄인 말. 슬프고 비루해 눈물이 맺혔을 때 혹은 감동적이거나 가슴이 찡해 눈물이 나오려 할 때 쓰는 말이다. 2000년대 중반 개그맨 지상렬이 처음 사용한 것으로 알려져 있으며, 이후 국민적인 유행어가 되어 난처하거나 곤혹스러운 상황을 폭넓게 이르는 말로 그 의미가 확대되었다. ¶ 오늘 생일, 미역국 직접 끓여 먹으려니 안습.

안알라줌 관 안 알려 줌. 상대방이 한 질문에 대한 답을 알고 있지만 가르쳐 주지는 않겠다는 뜻. 형태적으로 얄밉게 생긴 것만큼이나 발음도 얄밉게 이루어지는, 얄미움을 가장 효과적으로 유발할 수 있는 단어.

안여돼 명 안경+여드름+돼지. 안경을 착용하고 얼굴에 여드름이 많으며 체중이 많이 나가는 사람의 외모를 비하하는 말. ¶ 모든 덕후가 안여돼일 거란 편견은 버려.

안전이별 명 애인이나 부부 관계였던 두 사람이 이별할 때 물리적·심리적 상해 없이 안전하게 헤어지는 것을 일컫는 말. 이별 과정에서 발생하는 갖가지 폭력 사건이 심각한 사회문제로 떠오르면서 2015년 인터넷 여성 커뮤니티를 중심으로 확산된 표현이다. "술만 취하면 폭언을 일삼는 남친, 안전이별 가능할까요?", "안전이별, 축하합니다"라는 식으로 사용한다. 이별 과정에서 벌어지는 이른바 '이별 범죄'는 이별을 통보받은 쪽(주로 남성)이 분노와 좌절감에 휩싸여 상대(주로 여성)에게 폭언이나 손찌검을 하는 것부터 폭행 치상, 납치, 심지어 살인을 하는 경우까지 그 양상이 매우 다양하다. 한쪽이 자해를 하는 것 또한 상대에게 트라우마를 남기는 심각한 폭력이다. 이 모든 것이 당하는 쪽에서는 심대한 위협이 되기 때문에 '안전이별'은 매우 절실한 것이 된다.

안진마 관 '안 진다는 마인드' (mind)를 줄인 말. 쉽게 지지 않겠다는 마음으로 특정한 것을 열심히 해 보겠다는 다짐. ¶ 공부든 게임이든 기세가 중요하다, 다들 안진마로 파이팅하자.

않되 관 '안 돼'를 일부러 틀리게 쓴 표현. 무식함의 대명사로 여겨지던 철자법 오류를 일부러 드러내 보임으로써 자신이 하는 말의 무게를

줄이는 효과가 있다. #맞춤법파괴

알계 명 프로필 사진을 지정하지 않아서 계란(알) 모양의 기본 이미지로 설정되어 있는 SNS 계정을 말한다. 익명으로 남을 비난하거나 스팸 계정인 경우가 많아 보통은 기피 대상이다. ¶ 보고 있자니 답답해서 알계를 팠다.

알까기 명 ① 축구에서 공이 두 다리 사이로 빠져나가는 것. 가령 골키퍼에게 패스한 공이 엉겁결에 골키퍼의 다리 사이로 빠져 골대 안으로 들어갔을 때, "알까기를 선사했다"라고 한다. 한편 '알까기 드리블'은 수비수의 다리 사이로 골을 빼내는 것으로 당하는 쪽에서는 큰 굴욕을 느끼는 기술이다. 야구에서는 수비수가 공을 잡지 못하고 뒤로 홀리는 것을 알까기라고 한다. ② 바둑판 위에서 자신의 돌을 손으로 튕겨 상대의 돌을 떨어뜨리는 게임.

―알못 어 '~를 알지(도) 못하는 사람'의 약어. 무엇이든 넣어 말을 만들 수 있는데, 겜알못(게임을 알지 못하는 사람), 축알못(축구를 알지 못하는 사람), 음알못(음악을 알지 못하는 사람), 야알못(야구를

알까기

알지 못하는 사람), 영알못(영어를
알지 못하는 사람), 연알못(연애를
알지 못하는 사람), 수알못(수학을
알지 못하는 사람), 물알못(물리를
알지 못하는 사람), 패알못(패션을
알지 못하는 사람) 등이다. ¶ 컴알
못임. 사양 평가 좀.

알바 명 아르바이트(Arbeit)를 줄
인 말. 독일어 Arbeit는 원래 '노동',
'직업', '직장' 등을 뜻하나 일본을
통해 이 용어가 들어오면서 '시간제
노동', '임시 노동', '부업' 등의 의미
로 쓰인다. 학생, 주부 등이 시간제
로 일하는 것, 직업이 있는 사람들
이 본업 외에 하는 일 등이 여기에
속한다. 또 단기 근로 형태로 일하
는 사람을 알바라 칭하는 경우도 흔
하다. 오래전부터 쓰여 온 말이나,
편의점 등이 보편화되면서 시간제
노동의 대표적인 유형으로 자리 잡
자 1990년대 후반 이후 보통명사처
럼 '알바'라는 준말이 쓰이게 됐다.
'알바천국', '알바몬' 등은 아르바이
트 구인·구직 정보를 특화한 인터
넷 사이트이다. ¶ 편돌이·편순이
를 위한 편의점 알바 꿀팁.

알바생 명 아르바이트+학생. 10대
에서 20~30대에 이르는 아르바이
트 노동자를 가리키는 말. 최근 인
터넷 커뮤니티에서 사람들의 입에

자주 오르내리는 '알바생'은 그중
에서도 특히 블로그나 카페를 전전
하며 특정 상품을 노골적으로 홍보
하는 이를 일컫는다. 순수한 팬심인
경우도 있지만 경제적 이익과 결탁
하는 사례가 많아 자주 비난의 대상
이 된다. ¶ 후기들이 칭찬 일색이
라 전부 알바생이 쓴 줄 알았어요.

알바추노 명 알바(아르바이트)+
추노. 아르바이트로 일하다가 돌연
잠적해 연락이 되지 않는 사람을 말
한다. 2010년 방영된 KBS 사극 드
라마 〈추노〉에서 유래한 '추노'(推
奴)는 도망간 노비를 추적해 잡아
온다는 뜻. 고용주 입장에서는 업
무를 예고 없이 마비시키는 괘씸
한 존재이나 임금 대비 과중한 노
동과 추가 업무 지시 등에 따른 반
작용일 때가 비일비재하다. 주로 알
바생들이 쓰는 용어로 자신의 처지
가 노비와 유사하다는 의미도 담겨
있다.

알박기 명 개발 예정 지구의 토지
를 매입해 나중에 개발 시기가 되었
을 때 터무니없이 비싼 값에 되파는
부동산 투기 방법. 부동산 외의 분
야에서도 이 말을 간혹 쓰는데 어떤
경우에든 '비합리', '탐욕'이라는 어
감이 있다. 가령, 특정 장소를 선점
하기 위해 장기간 집회 신고만 하고

실제 집회를 하지 않는 것을 '알박기 집회', 명당으로 소문난 캠핑 장소를 독점하기 위해 1년 내내 쳐 놓고 자리를 차지한 텐트를 '알박기 텐트'라 한다.

알쓰 명 알콜(알코올) 쓰레기. 술을 잘 못 마시는 사람을 일컫는 말. 선천적으로 알코올을 분해하지 못하는 사람, 한 잔만 마셔도 온몸이 달아오르는 사람 등을 가리킨다. 술자리를 좋아해 2차, 3차까지 빠지지 않지만 알쓰인 사람이 간혹 있다. ¶ 알쓰도 반해 버린 청포도 막걸리.

알탕 명 ① 산속 계곡물에 들어가 물장구를 치거나 목욕하는 행위. 일부는 샴푸로 머리를 감거나 속옷까지 벗고 나체 목욕을 하기도 해 불법 취사와 함께 한국 등산 문화의 대표적인 민폐로 여겨진다. 노·장년층 남성이 알탕족의 대부분을 차지한다. ② '남성 편중'의 뜻을 갖는 명사로, 대개 마초적 남성들이 모여 있는 공간이나 집단을 비하하는 의도로 사용된다. 남자들만 득실대는 영화를 '알탕영화'라 부르는 것이 대표적이다. 단독으로도 쓰이지만, 알탕회사(마초 문화가 지배하는 회사), 알탕연대(남성들의 연대),

알탕

알탕카르텔(남자들의 담합) 등의 결합 표현도 자주 볼 수 있다.

알탕영화 [명] 남성이 주요 인물로 등장하며 주로 권력의 암투와 폭력을 그리는 영화. 최근 몇 년간 한국 극장가를 지배한 흐름으로 대부분 범죄 및 액션 스릴러 장르에 몰려 있는데, 주요 배역인 남성은 조폭이나 형사, 검사, 정치인, 군인으로 등장하고 신분 상승 욕구와 배신, 음모, 파멸, 우정, 복수 등의 정서를 뿜어내는 것이 특징이다. 이런 영화에서 여성 인물은 장식에 불과하거나 존재감 없는 역할에 그칠 뿐, 입체적인 캐릭터로 등장하는 경우는 매우 드물다.

알흠답다 [형] 아름답다. 형용사 '아름답다'를 보다 우아하게 발음하고자 하는 속된 표현. ¶ 헬스장에서 알흠다운 분이 역기 드는 거 보고 기절.

—앓이 [접] 특정 대상을 심히 그리워하는 증상. 병을 앓듯 어떤 것에서 헤어 나오지 못하고 점점 더 빠져드는 것을 말한다. 가장 흔한 표현은 연예인 등 유명인 이름에 '—앓이'를 붙여 깊은 애정을 표하는 것이다. '정해인앓이', '수지앓이', '지민앓이', '송중기앓이', '엑소앓이' 등이 그렇다. 그 외에도 '자전거앓이', '축구앓이', '제주도앓이', '막걸리앓이', '영화앓이'처럼 무엇이든 자신이 심취한 것에 이 말을 붙여 쓸 수 있다. ¶ 갔다 온 지 얼마 됐다고 유럽앓이 중.

압카 [명] '압도적인 카리스마'를 줄인 말.

앙기모띠 [관] 기분이 좋은 상태. 인터넷 방송 아프리카TV의 BJ 철구가 방송 중에 별풍선을 받을 때마다 리액션과 함께 이렇게 외친 것을 주 시청자층인 10대 청소년들이 따라 하면서 널리 퍼진 표현이다. '기모띠'는 일본 성인 동영상에서 자주 등장하는 문장 気持ちいい(기모치이이; 기분이 좋다)를 줄인 것으로 보인다. 청소년은 물론 어린아이들 사이에서도 무분별하게 사용이 확산되어 사회적 논란이 되고 있다.

앙대요 [관] '안 돼요'를 앙증맞게 표현하는 말. 장난스러움과 애교가 섞인 표현으로 개그우먼 김영희가 KBS 예능 프로그램 〈개그콘서트〉에서 사용하며 유행하게 된 것으로 알려져 있다. "고객님, 여기서 이러시면 앙대요" 하는 식으로 쓴다. ¶ 뭉치면 살고, 흩어지면 앙대요.

애겸마 [명] '애기(아기) 엄마'를 줄인 말. 기혼 여성 커뮤니티 사용자들 사이에서 '○○맘'과 함께 자신의 신분을 가리키는 말로 쓰인다.

애빼시 [관] 애교 빼면 시체. 2007년 어느 방송 연예 프로그램에서 출연자의 대화 중에 등장해 유행한 표현이다.

애완돌 [명] 애완동물(반려동물)처럼 귀엽고 앙증맞은 아이돌. 압도적인 카리스마나 신비감보다는 친근하고 귀여운 이미지의 아이돌을 말한다.

애유엄브 [관] '애 유치원 보낸 엄마들의 브런치'를 줄인 말로, 기혼 여성 커뮤니티에서 육아 생활의 이상적인 라이프스타일을 표상한다. 일부 남성들은 육아하는 여성이 여유로운 시간을 보내는 것을 비난하는 의도로 이 말을 쓰기도 한다.

애저씨 [명] 아이+아저씨. 말투나 행동이 아저씨를 빼닮은 남자아이를 말한다. 입버릇처럼 "흠, 오늘따라 허리가 찌뿌둥하네" 같은 말을 하거나 헛기침을 하는 것, 자주 한숨을 쉬는 것도 주요한 특징이다. 늙스구레한 외모, 설렁탕 같은 전통 음식을 좋아하는 아이도 애저씨라 할 수 있다. 여성형은 애줌마(아이+아줌마).

애줌마 [명] 아이+아줌마. 말투나 행동이 아줌마를 빼닮은 여자아이를 말한다. 네 살짜리 여자아이가 능청스러운 할머니 말투로 "유치원 애들이 감기에 걸려서 아주 난리가 났어, 난리가. 어쩌면 좋아"라고 말하는 동영상이 인터넷에서 인기를 끌면서 이런 말이 생겼다. 말투뿐만 아니라 헤어스타일이나 외모 등 행색이 나이 들어 보이거나, 가수 나훈아를 유독 좋아하는 등 성년 취향을 가진 여자아이도 애줌마라 부를 수 있다. 남성형은 애저씨(아이+아저씨).

액받이무녀 [명] 왕으로 대표되는 윗사람의 액운을 몸으로 받아 내어 자신의 건강을 해치는 무녀의 운명에 '을'의 처지를 빗대어 자조적으로 쓰는 말. 타인의 재앙을 대신 감내하는 일종의 '인간 부적'이다. 2012년 방영된 MBC 드라마 〈해를 품은 달〉에서 유래한 것으로 추정된다.

앱등이 [명] 애플+곱등이(꼽등이). 컴퓨터 소프트웨어 및 개인용 컴퓨터, 휴대전화 등을 제조하는 애플(Apple Inc.)의 추종자를 비하하는 말. 애플의 신제품이 출시되면 조금이라도 먼저 사려고 가게 앞에서 밤을 새워 줄을 서기도 하는 이들은 애플 제품을 단순히 선호하는 것을 넘어 제품에 과대한 의미를 부여하고 애플 창립자인 스티브 잡스를 신격화하는 한편 경쟁사 제품을 깎아내린다. 삼성 제품의 추종자인 '삼엽충'과 벌레 대 벌레 구도로 서로를 비난하는 불건전한 라이벌 관계가 형성되어 있다. '애플빠'라고도 불린다. ¶ 아이폰 X 한국 출시 가격, 앱등이도 화났다.

앵그리맘 [명] 앵그리(angry)+맘(mom). 자녀들이 더 나은 환경에서 살기를 바라는 마음에서 사회문제에 분노하는 엄마. 2015년 방영된 MBC 드라마 〈앵그리맘〉에서 유래했다. 드라마는 학창 시절 소위 '날라리'였던 엄마가 다시 학생이 되어 한국 교육의 문제점을 해결해 가는 이야기다.

야그너 [명] 야근+er(~하는 사람). '야근하는 사람'이라는 뜻. 일상적으로 야근이 많은 사람의 경우 특별히 '프로 야그너'라 칭한다. ¶ 야그너를 위한 건강 처방전!

야레야레 [감] やれやれ(야레야레). 일본어로 '이런 이런', '아이고', '맙소사'라는 뜻. 일본어의 번역 투, 혹은 일본어를 한국어 문맥 안에서 대책 없이 사용하는 이른바 '한본어'의 대표적인 사례. 만화에서 특정 캐릭터의 성격을 표현하는 데 자주 쓰이는 말이어서 오타쿠 및 후조시 문화를 반영하고 있기도 하다. ¶ 야레야레, 망했군…. ¶ 야레야레, 쇼가나이나(しょうがないな; 어쩔 수 없네).

야마 [명] 언론계에서 기자들 사이에 쓰는 은어로 기사의 주제 혹은 핵심, 방향 등을 두루 포괄하는 말. "야마가 뭐냐?"라고 할 경우 기자가 쓰려고 하는 기사의 주제가 무엇인지를 묻는 말이다. 저널리즘에서 야마가 중요한 이유는 이것이 없으면 기사가 초점을 잃기 십상이기 때문인데, 따라서 야마를 세팅하고 사건과 사실을 일목요연하게 재구성하는 것이 일선 기자의 중요한 덕목이다. 한편, 언론사와 편집부의 입장이 개별 기사의 야마에 지대한 영향을 주는 현상을 비판적으로 보는 시선도 있는데, 동일한 사건이라도 야마에 따라 기사의 논조는 정반대가 될 수도 있다. ¶ 우리가 이런 용어를 쓰면 안 되는데, 네 기사엔 항상 야마가 없어서 큰일이다.

야매 [명] 정식이 아닌 방법. 불법적

인 거래를 뜻하는 일본어 やみ(야미)에서 유래한 말이다. ¶ 넌 어쩜 인생이 그렇게 야매스럽니?

야민정음 몡 야갤+훈민정음. 인터넷 커뮤니티 디시인사이드의 야구 갤러리(야갤)에서 만들어 낸 한글 조어 체계. 어떤 글자를 그것과 형태적으로 유사한 다른 글자로 바꿔 쓰는 일종의 언어유희다. 가령 '귀여워'를 '커여워'로, '한글 파괴'를 '한글 파쾨'로, 개그맨 '유재석'을 '윾재석'이라고 표현하는 식이다. 우리말 훼손이라는 시각도 일부 있으나, 한글의 조어 방식을 유쾌하게 해석한 긍정적 일탈로 언어문화를 다양하고 풍성하게 만드는 에너지가 될 수 있다는 견해가 설득력을 얻고 있다.

야빠 몡 야구+빠. 야구를 광적으로 좋아하는 사람을 가리킨다. '―빠'라는 말에는 어떤 대상에 깊게 몰입하는 것 외에도 그것에 맹목적으로 빠져드는 측면이 두루 반영되어 있다. 따라서 '빠'들은 서로 대척점에 있다고 생각하는 다른 빠를 배타적으로 대하는데, 가령 '야빠'의 경우 '축빠'(축구+빠)와 사이가 좋지 않다.

야오이 몡 やおい(야오이). 주로 여성이 창작하고 여성이 즐기는 남성 간의 동성애물을 말한다. '야마나시'(やまなし), '오치나시'(おちなし), '이미나시'(いみなし)라는 세 단어의 머리글자를 딴 약어에서 유래했다. 각각 주제, 소재, 의미가 없다는 뜻으로 미소년·미청년의 애정 행각을 여성 취향으로 묘사한 작품이라면 모든 것이 허용된다는 일본 동인계의 문화를 반영한 표현이다. 인터넷을 타고 한국에 이 말이 들어와 한창 쓰이다가 최근에는 BL(Boys' Love)이라는 표현으로 거의 대체되었다.

야톡 몡 ① 야구+토크(talk). 야구에 관한 이야기를 나누는 것. ② '야한 토크'를 줄인 말.

약빨다 동 마약을 한 것처럼 제정신이 아닌 상태를 나타내는 말. 정상적이지 않은 행동, 나아가 미친 것 같은 행동을 할 때 이 말을 쓴다. 한편으로는 누군가의 행동이나 어떤 작품의 전개가 어이없음에도 불구하고 설명하기 힘든 흡입력으로 시선을 빼앗을 때, 그것에 경탄했다는 의미로도 쓰인다. 예를 들어 광기 어린 연기를 보여 준 배우를 향해 "약빨았다"라고 말한다면 이는 그의 연기력에 찬사를 보내는 것이다. 1960년대 미국을 중심으로 실제 마약에 취해 창작 활동에 임했던 예술가들을 기리는 표현이기도 하다. 반대로 '진지빨다'라는 말은 진지한 척해서 재미가 없고 분위기를 해친다는 의미에서 쓰인다. ¶ 그 드라마 작가는 내내 약빨다 요새 갑자기 진지빨고 있다.

약스압 [명] 약한 스크롤 압박. '스압'(스크롤 압박)이란 온라인 게시물의 내용이 길어 스크롤바(scroll bar)를 상대적으로 많이 내리며 읽어야 하는 것을 가리킨다. 따라서 이 경우 글 제목에 '스압주의'라고 기재하는 것이 인터넷 에티켓으로 여겨진다. 약스압은 약한 정도의 '스압', 즉 게시글이 조금 긴 상태를 말한다. 반면 글이 극단적으로 길 경우 '초스압'이라 한다.

약혐 [명] 약한 혐오. 혐오감을 조금 불러일으킨다는 뜻. 그것을 미리 경고하는 차원에서 게시물의 제목에 '약혐주의'라고 표시하는 경우가 많다. 이와 구분되게 정도가 매우 심한 혐오를 불러일으킬 경우 '극혐'이라고 한다. 그러나 자신과 관련된 일이라면 더 강하게 느끼기 마련인 인간의 성정 탓에 약혐과 극혐의 기준은 대부분 모호하다. ¶ 약혐이라길래 클릭했는데 극혐….

얀데레 [명] 일본어 ヤンデレ(얀데레)와 같은 말로, 病む(야무; 병들다)와 でれでれ(데레데레; 부끄러워하는 모양)의 합성어로 알려져 있다. 어떤 대상에 광적으로 집착하며 그만큼의 애정을 돌려받으려 극단적인 행동을 하는 일본 만화 또는 애니메이션 캐릭터의 성격, 혹은 그런 캐릭터나 사람을 가리킨다. 비슷한 말로 상대방을 좋아하지만 겉으로는 쌀쌀맞게 대하는 성격 또는 그러한 사람을 '츤데레', 겉으로는 차가워 보이고 과묵하지만 본심은 그렇지 않은 성격 또는 그러한 사람을 '쿨데레'라고 한다.

얄짤없다 [형] 예외 없다. 어떤 사정도 고려해 줄 수 없는 경우에 쓰는 말. 줄여서 '짤없다'로 쓰는 경우도 많다. ¶ 결석 세 번이면 얄짤없이 퇴실이다.

양덕 [명] ① 서양인인 '덕후'. 어떤 대상에 광적인 애정을 보이고 그것에 천착하는 서양인을 가리키는 말. ② 서양에 대한 '덕후'. 서양의 특정 하위문화에 특별한 관심을 갖고 '덕질'을 하는 사람. 덕질이란 자신의 관심사에 몰두하고 천착하는 행위다.

양민학살 [명] 게임, 스포츠 등에서 어떤 한 사람이 경쟁자들을 압도해 버리는 것. 경쟁 구도의 활동에서 독보적인 사람의 존재는 나머지를 상대적으로 평범한 '양민'(良民)으로 만들곤 한다. 양민학살은 특정 연예인의 빼어난 외모를 가리키는 표현으로까지 확장되었는데, 연예인이 일반인과 함께 있을 때 그는 우월한 신체 조건과 외모가 더욱 돋보이지만 일반인은 더욱 초라하게 보이는 현상을 말한다. 이때 일반인은 본의 아니게 양민학살의 대상이 된다. ¶ 뒤늦게 들어온 원빈이 옆에 서자 다른 배우들은 모조리 양민학살당했다.

양판소 〔명〕 양산형 판타지 소설. 공장에서 양산해 낸 것처럼 내용이나 설정 등이 정형화된 판타지 소설을 비꼬는 표현.

어공 〔명〕 어쩌다 공무원이 된 사람. 민간 출신의 공무원을 일컫는다. 반대말은 고시 등 자격시험을 통해 임용된 '늘공'(늘 공무원인 사람)이다.

어그로 〔명〕 aggro. 인터넷 공간에서 타인의 관심을 유도하기 위해 공격적으로 던지는 말 혹은 행동. 특정한 입장을 가진 사람들이 필히 반응할 만한 부분을 자극하여 논란을 일으키는 것이다. 영미권에서는 이를 troll(트롤)이라고 하는데, 선동적이거나 불쾌한 내용을 자극적인 방식으로 인터넷 공간에 올려 분란을 야기하는 행동을 말한다. 어그로는 대체로 부정적인 의미로 쓰이지만, 한편으로는 상대와의 입장 차이를 명확히 하고 자신의 주장을 분명하게 전달하는 측면도 있다. 온라인 게임에서 어떤 몬스터의 표적이 되어 그것을 끌고 다니기 위해 먼저 공격하는 행위를 뜻하기도 한다. ¶ "진 선생이나 나나 어그로 전문가지만 이건 아니죠." — 허지웅 트위터(영화 〈명량〉과 관련한 진중권의 어그로에 대하여), 2014년 8월 12일.

어그로꾼 〔명〕 어그로(타인의 관심을 끌기 위해 공격적으로 던지는 말 혹은 행동)를 유도하는 사람. 모든 사람은 논란의 중심에 설 수 있지만 그것을 상습적으로 반복하는 이가 바로 어그로꾼이다. 타인의 시선을 의식하며 주목받기를 원한다는 측면에서 어그로꾼은 '관종'(관심종자)일 가능성이 높다.

어깨깡패 〔명〕 운동으로 다져진 넓고 탄탄한 어깨를 가진 사람을 일컫는 말. 실제 깡패와는 거리가 멀다. 흔히 남자들 사이에서 과장되게 쓰는 부러움의 표현.

어깨빵 〔명〕 어깨로 상대를 치는 것.

어깨깡패

혼잡한 곳에서 주변 사람과 어깨끼리 부딪히는 것, 남의 어깨를 들이받거나 밀치는 것을 포함한다. 가장 빈번하게 발생하는 장소 중 하나가 지하철로, 승하차 시 다급하게 몸을 들이밀 때 혹은 성급하게 계단을 오르내릴 때 어깨끼리 부딪히거나 어깨로 밀치게 된다. 이런 경우 상대에게 사과하는 일은 많지 않은데, 특유의 한국적 현상으로 여겨 이를 코리언 범프(Korean Bump)라고 부르는 외국인도 있다.

어덕행덕 ⓐ '어차피 덕질할 거 행복하게 덕질하자'를 줄인 말. '덕후'(특정 분야의 마니아)끼리 주고받는 일종의 건배사 같은 구호. 덕질이란 자기 관심사에 애정을 쏟는 행위를 통칭하는 말이다. ¶ A: 남자가 방탄소년단 팬 사인회 가도 괜찮을까요? B: 덕질에 남녀가 따로 있나요, 어덕행덕!

어르봉카드 ⓜ 의료보험 카드. 실제로 의료보험 카드를 '어르봉카드'로 잘못 알고 있던 사람들의 틀린 표현이 재미있어 따라 쓰게 됐다. 비슷한 경우로 5회말카드(OMR 카드), 고정간염(고정관념), 지뢰사정(질외 사정) 등이 있다. #맞춤법파괴

어마무시하다 ⓗ 어마어마하고 무시무시하다.

어먹금 ⓐ '어그로꾼에게 먹이 금지'를 줄인 말. 어그로꾼은 타인의 관심을 유도하기 위해 공격적인 말이나 행동을 던지는 사람인데, 온라인상에서는 주로 그러한 성격의 게시글 또는 댓글을 써서 상대를 도발하는 양상을 보인다. 어먹금은 어그로꾼의 말에 반박을 하는 등 그에게 관심을 보이면 게시판이 난장판이 될 수 있으니 차라리 무시하라는 뜻.

어뭉 ⓜ '엄마'라는 뜻. 기혼 여성

커뮤니티에서 사용자가 자신을 지칭할 때 자주 쓰는 표현. 자녀의 이름이나 애칭 뒤에 붙여 '○○어뭉' 혹은 '○○맘'이라 부르는 식이다.

어미새 [명] 패션 또는 쇼핑 관련 커뮤니티에서 유용한 정보를 물어다 다른 사용자들의 입에 넣어 주는 사람을 일컫는 말. 어미새처럼 지켜봐 주거나 떠먹여 주는 것을 가리켜 '어미새모드' 등으로 부르기도 한다. 예능 프로그램에서 특정 캐릭터나 연예인을 바라보는 팬의 태도를 지칭할 때도 있다.

어뷰징 [명] abusing. 포털 사이트의 검색 키워드 알고리즘에서 기사가 상위에 노출되도록 기사를 작성하는 일. 사실상 하나의 기사인데 제목과 내용을 조금씩 바꿔 수십 건의 기사로 반복적으로 내보내는 수법 외에도, 실시간 검색어를 기사 전체에 넣는 등 검색 알고리즘을 속이는 방법 등도 있다. 언론사가 어뷰징을 하는 이유는 트래픽(traffic)을 유발하기 위해서다. 가령 실시간 검색어를 클릭한 사람들은 대개 검색어와 관련된 수많은 기사 중 하나를 다시 클릭해 읽게 된다. 이 과정에서 언론사 사이트에 게재된 광고가 함께 출력되고, 언론사는 광고를 통해 수익을 얻는 것이다. 어뷰징이 저널리즘 환경을 황폐화하는 주범으로 인식되면서 이를 제재하기 위한 여러 방안이 강구되고 있다.

어사 [명] 어색한 사이. ¶ 어사 어떻게 벗어나요?

어상 [명] 어이 상실. '어이가 없다', '어이를 상실했다'는 뜻이다.

어솨요 [관] 어서 오세요. 초기 PC 통신체의 대표적인 표현 중 하나. "방가방가" 하고 인사하면 "어솨요"라 응답하곤 했다.

어이털림 [명] 속수무책으로 어이를 잃어버리다. 예상치 못했던 황당한 일을 당해 어처구니를 도둑맞았을 때 쓰는 말.

어장관리 [명] 어장 안의 물고기를 관리하듯이 자신에게 호감을 갖고 있는 주변 사람들에게 적시적기에 연락을 하거나 관심을 보이는 식으로 관리하는 행위. 이런 식의 관계 속에서 상대방은 대상과 특별한 사이로 발전할 수 있으리라는 기대를 버리지 못하게 된다. 특별히 연애를 염두에 두지 않고 남에게 고루 잘 대해 주는 사람이 흔히 받는 오해이기도 하다. ¶ 저 지금 썸 타는 걸까요, 어장관리당하는 걸까요?

어쩔 ⬜ '어쩌라고'를 줄인 말. 상대방의 쓸데없는 참견에 대한 따분함을 드러낼 때, 혹은 자신의 말을 논리적으로 반박해도 소용없다는 태도를 드러낼 때 쓴다. 비슷한 말로 '안물'(안 물어봤음)이 있는데, 이 둘을 결합해 '어쩔안물'이라고 하면 그 뜻을 더욱 강화할 수 있다. 대신 듣는 사람은 복장이 터진다.

언더부심 ⬜ 언더그라운드+자부심. 오버그라운드에서 인지도와 부를 얻는 대신 언더그라운드에서 명예와 예술을 헌신적으로 추구하는 데에 자긍심을 느끼는 것.

언락 ⬜ 잠금 해제. 영어 동사인 unlock (열다, 드러내다)을 명사처럼 쓰는 것. 주로 휴대전화기에 대하여, 특정 국가나 통신사 전용으로 사용하도록 설정되어 있는 잠금을 해제하는 것을 말한다.

언팔 ⬜ 언팔로우. 영어 동사인 nfollow를 줄여 명사처럼 쓰는 것. 트위터를 위시한 사회관계망 서비스(SNS)에서 상대방을 팔로우하던 것을 취소해 그 사람의 게시물이 타임라인에 보이지 않도록 하는 것을 말한다. 여기서 팔로우(follow)란 SNS에서 상대방의 게시물을 보는 관계가 된다는 뜻으로, 팔로워(follower)는 나를 팔로우한 사람, 팔로잉(following)은 내가 팔로우한 사람을 뜻한다. 언팔을 하면 인터넷 공간에서 상대방과의 관계가 끊어져 그 사람의 게시물이 더 이상 자신의 계정에 나타나지 않는다.

언플 ⬜ 언론 플레이. 특정 개인 혹은 집단의 이익을 위해 신문, 방송 등의 언론 매체를 직간접적으로 이용하는 것. 다른 말로 '여론 몰이'라고도 할 수 있는 이것은 연예계나 정치계에서 흔한 일이다. 뚜렷한 의도하에 본래의 의미를 부풀리거나 상황을 편향되게 보도하는 식으로 언론을 활용한다.

얼꽝 ⬜ 얼굴+꽝. 얼굴이 아주 못생긴 사람. 탁월한 외모의 소유자를 뜻하는 '얼짱'의 반대말이다.

얼로너 ⬜ aloner. 인간관계를 최소한으로 맺으면서 나 홀로 삶을 영위하는 사람. 자발적인 선택이라는 점에서 '왕따'와 다른데, 현대사회의 복잡다단한 네트워크에서 벗어나 고립된 삶을 택한 부류라고 할 수 있다. 대체로 1인 소비, 새로운 라이프스타일의 등장이라는 맥락에서 언급된다.

얼빠 ⬜ 얼굴+빠. 얼굴만 보고 특

정 인물을 좋아하는 사람. 혹은 특정 인물의 얼굴에 열광하는 사람을 일컫는다. 가령, 어떤 스포츠 선수를 그의 경기 능력이나 매너 같은 것은 아랑곳하지 않고 얼굴만 보고 좋아하는 사람이다. ¶ 저는 강다니엘 얼빠예요.

얼사 [명] 얼굴 사진. 증명사진뿐만 아니라 얼굴이 나온 모든 종류의 사진을 말한다.

얼집 [명] 어린이집. 주로 기혼 여성 커뮤니티에서 쓰인다.

얼짱 [명] 얼굴+짱. 얼굴이 극도로 잘생긴 사람을 칭하는 표현. 인터넷 카페와 미니홈피, 블로그 등 개인 온라인 미디어의 정착으로 자신의 사진을 유포할 수 있는 수단이 확보되면서 본격적으로 퍼진 인터넷 문화 중 하나다. 반 홈페이지에 올린 학생증 사진이 우연히 인터넷상에 돌면서 얼짱으로 지목되어 연예계에 진출한 사례도 있다고 한다. 한국에서 얼짱 문화가 꽃피었던 시기는 미니 홈페이지로 기세가 하늘을 찌르던 싸이월드의 전성시대와 일치하는데, 이 시절 전국 각지의 얼짱이 수많은 일촌을 거느리며 인기를 누렸다. 한편, 얼굴 외에 몸매가 매우 이상적인 사람을 '몸짱', 마음씨가 아주 좋은 사람을 '맘짱'이라고 한다.

얼척 [명] '어처구니'의 사투리. '얼척 없다'는 '어처구니가 없다' 혹은 '어이가 없다'는 뜻이다. 한반도 남쪽 지역의 방언이지만 사용이 확산되는 추세로 다른 지역에서도 자주 쓰인다.

얼평 [명] 얼굴+평가. 얼굴이 나온 사진을 게시판에 올리면 다른 사용자들이 그에 대해 평하는 것을 말한다. 자신의 외모를 객관적으로 평가받고 싶은 심리와 외모 관리에서 개선해야 할 점 등에 대해 조언을 구하기 위한 방편으로 청소년들 사이에서 유행하는 문화. 인터넷 방송 진행자(BJ)가 참여자의 사진을 보고 외모를 평가하며 조언(성형 견적 따위)을 해 주는 얼평 방송도 있다. ¶ 욕먹을 거 각오하고 올림. 솔직한 얼평 부탁합니다.

엄근진 [명] 엄격+근엄+진지. 상대적으로 매사에 진지한 상태 혹은 그러한 사람을 가리킬 때 이 말을 쓴다. ¶ '안경 선배', 컬링 김은정의 엄근진 매력!

엄마몬 [명] 엄마+몬스터. 잔소리하는 엄마를 괴물 같은 존재로 여겨 부정적인 의미로 쓰일 때도 있으나, 한편으로는 '포켓몬'처럼 귀엽게 부르는 말이기도 하다.

엄마사정관제 [명] 엄마의 재력과 정보력에 따라 자녀의 스펙(spec)이 결정된다는 뜻. 학업 성적보다는 잠재력을 보고 신입생을 선발하겠다는 취지에서 도입된 '입학사정관제'에서 파생된 말이다.

엄빠 [명] 엄마와 아빠를 합해 귀엽게 말하는 것. ¶ 집에 지금 엄빠 있음.

엄빠주의 [명] 엄마 혹은 아빠가 갑자기 방에 들이닥쳐 모니터를 들여다볼 수도 있으니 주의하라는 뜻. 주로 노출 수위가 높은 사진이나 영상을 포함하고 있는 게시물의 제목에 이같이 표기한다. 비슷한 말로 뒤를 조심하라는 뜻의 '후방주의'가 있다.

엄지척 [명] 엄지손가락이 하늘을 향한 모양. 영어의 thumb up(섬 업)에 해당하는 것으로 만족, 동의, 찬성, 칭찬, 격려 등의 의미를 나타낸다. "홈런 치고 엄지척 세레모니", "미국 언론, 한국 선수들 활약에 엄지척" 하는 식으로 쓴다.

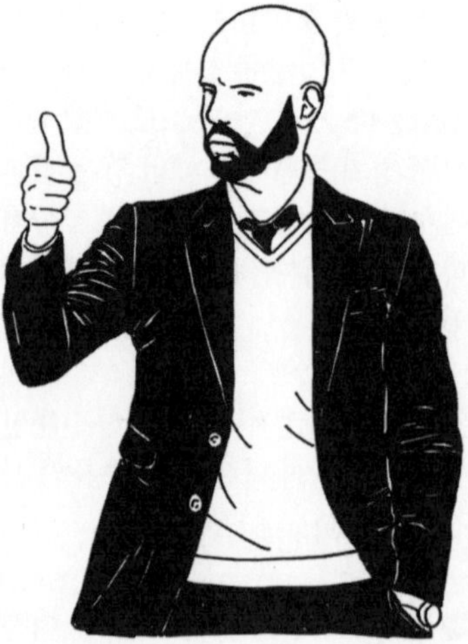

엄지척

엄창 [명] '이게 거짓이면 우리 엄마는 창녀다'라는 의미. 자신의 말이 그만큼 명백한 사실임을 장담하려는 의도이지만, 어머니를 담보로 이 같은 표현을 사용하는 것은 윤리적으로 부적절하게 여겨져 종종 사회의 지탄을 받는다.

엄친아 [명] 엄마 친구 아들. 엄마가 자꾸만 내세워 비교하는, 뭐든지 잘하고 능력 있는 또래를 말한다. "엄마 친구 아들은 공부 열심히 해서 서울대 들어갔다더라" 하는 식의 말에서 연유되었다. 2007년경 널리 확산된 용어이며, 점차 그 의미가 변형되어 이제는 모자란 것 없이 완벽한 사람을 가리킨다. 즉 성격이 밝고 예의 바르며, 공부도 특출하게 잘하는 데다 인물이 훤하고 집안도 부유한 젊은이. 연예인의 경우 특유의 빛나는 외모 외에 좋은 학벌까지 겸비한 사람을 말한다. ¶ 율곡 이이는 조선의 대표 엄친아죠.

엄카 몡 엄마 카드. 한도 내에서 마음대로 쓰라고 엄마가 빌려준 신용카드. 부(富)의 상징이다. ¶ 엄카 있으니 오늘은 내가 쏜다.

엄크 몡 엄마 크리티컬(critical). 엄마의 갑작스러운 개입(주로 공부하라는 압박)으로 치명타를 입은 것. 대개는 애초에 계획했던 무언가를 하지 못하는 결과로 이어진다. 주로 동사 '터지다'와 결합하여 쓰인다. ¶ 주말에 엄크 터져서 아무 데도 못 감.

엄훠 깝 감탄사 '어머'를 능글맞게 표현하는 것.

업뎃 몡 업데이트(update). 컴퓨터 프로그램 혹은 스마트폰의 애플리케이션을 최신 버전으로 바꾸는 것. 정보가 추가되거나 디자인이 변경된다.

업소녀 몡 유흥업소에서 일하는 여성.

엉만튀 꽌 누군가의 엉덩이를 만지고 튀는 것. 타인의 엉덩이를 그가 놀랄 틈도 없이 만지고 잽싸게 도망가는 행위로 '슴만튀'(가슴을 만지고 튀는 것)와 함께 대표적인 성추행 행위 중 하나다. 순식간에 엉덩이를 꽉 움켜쥐었다가 쫓아올 수 없도록 빠르게 도망치는데, 학교에서 청소년 사이에 짓궂은 놀이로 널리 퍼졌고 일반 성인들 또한 거리에서 이런 행위를 하는 것이 늘어남에 따라 강제추행죄로 처벌받는 일도 왕왕 벌어진다.

엉부심 몡 엉덩이+자부심. 아름다운 엉덩이를 가진 사람만이 품을 수 있는 자부심. 굴곡 있는 엉덩이 라인을 자신 있게 드러내는 사람을 시샘할 때 "엉부심 부린다"라고 말한다.

엉찢청 몡 엉덩이 부분이 찢어진 청바지. 엉덩이 바로 밑에 포인트를 주어 둔부를 일부 노출하는 스타일로 해외 셀러브리티(유명인)들의 인스타그램을 통해 퍼진 패션이다.

에듀테크 몡 ① 에듀케이션(education)+테크놀로지(technology). 교육 관련 애플리케이션이나 스마트 기기 등 교육과 기술을 결합한 산업을 뜻한다. ② 에듀케이션

엉쩔쩡

(education)+재테크. 자녀 교육비를 모으기 위해 자녀가 어릴 때부터 저축을 시작하는 것을 말한다. 고액의 등록금, 교육 경쟁, 사교육 과열 세태가 반영된 말.

에듀푸어 몡 에듀케이션(education)+푸어(poor). 빚이 있고 적자가 나는 등 형편이 좋지 않은데도 교육비를 평균 이상으로 지출하여 빈곤하게 사는 가구. 보도에 따르면, 에듀푸어는 가구의 소득 수준이 높아지는 속도가 교육비 지출 증가 속도를 따라잡지 못하며 확산되고 있다고 한다. 한국 사회, 특히 교육 영역에서의 과도한 사교육 의존도와 사교육비 지출 규모를 동시에 보여주는 대표적인 예다.

에바 혱 영어 단어 over(오버)가 변형된 말로 '지나치다'라는 뜻. "너 오늘 패션 완전 에바" 하는 식으로 사용한다. 대표적인 급식체(학교 급식을 이용하는 세대인 초등학생 및 중고등학생이 사용하는 특유의 문체) 표현 중 하나로 별다른 의미 없이 '참치'를 뒤에 붙여 '에바참치'라고 할 때도 많다. 마치 랩 가사처럼 운율을 지어내는 언어유희적 표현도 흔하다. ¶ A: 야, 오늘 숙제만 스무 장이 넘는데, 개에바인 부분. ㅇㅈ?(인정?) B: ㅇㅇㅈ.(어, 인정.) 이거 완전 에바 쎄바 참치 꽁치 넙치 뭉치면 살고 흩어지면 죽는 각~

에스컬레이터족 몡 스펙(spec)을 올리기 위해 더 높은 평가를 받는 학교로 편입학을 거듭하는 학생.

엑박 몡 엑스 박스. 인터넷상에서 이미지가 화면에 정상적으로 나타나지 않고 왼쪽 상단에 작고 붉은 'X' 자만 표시되는 현상이다. 이미지 파일의 주소가 잘못 입력되었을 경우, 또는 원출처의 해당 파일이 삭제되었거나 주소가 달라졌을 경우 이 같은 문제가 발생할 수 있다. 이를 방지하려면 글 작성 시 이미지의 주소를 링크하기보다는 이미지 파일을 직접 다운로드한 후 게시글에 첨부하는 방법이 권장된다. ¶ 엑박으로 뜨는데 무슨 사진이에요? 넘 궁금해요.

엘린이 [명] LG+어린이. 프로야구 구단 LG 트윈스의 어린이 팬. 어린 시절부터 LG를 응원한 골수팬을 말하기도 한다. 삼린이(삼성 라이온즈), 넥린이(넥센 히어로즈), 두린이(두산 베어즈)라는 용어도 야구 커뮤니티에서 흔히 쓰는 말이다. ¶ 끝내기 역전승, 의기양양 엘린이.

여덕추 [관] '여기 덕후 하나 추가요'를 줄인 말. 특정 대상에 매혹되어 그에 대한 '덕후'가 됐음을 알리는 순간에 쓴다. 비슷한 말로 교통사고 당하듯 돌발적으로 어떤 것의 매력에 치여 덕후가 됐다는 뜻의 '덕통사고'가 있다. ¶ A: 태민이라는 아이 무대 영상, 무한 재생 중…. B: 여덕추!

여미 [명] 여자에 미친 아이. 대응하는 말로 '남자에 미친 아이'란 의미의 '남미'가 있다.

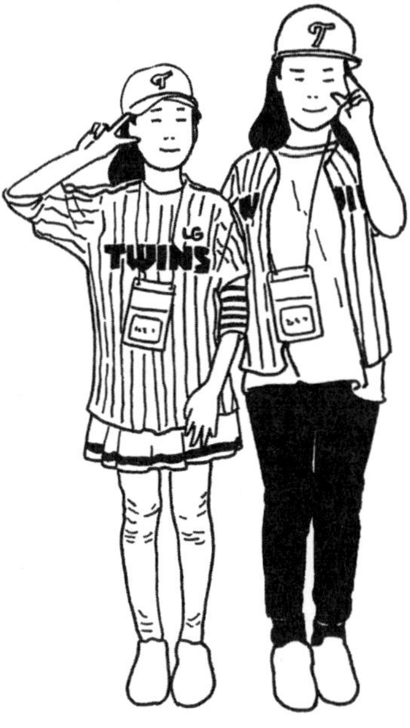

엘린이

여병추 [관] '여기 병신 하나 추가요'를 줄인 말. 어떤 사람의 글이나 행동이 한심하고 어리석다며 비하하는 표현이다. 비슷한 말로 '이건 뭐 병신도 아니고'를 줄인 말인 '이뭐병', '병신이 따로 없네'를 줄인 말인 '병따없'이 있다.

여사친 [명] '여자 사람 친구'를 줄인 말. 애인이 아니라 단지 여성이고 사람인 친구라는 뜻이다. 주로 남성 입장에서, 애인 사이는 아니지만 보통 이상으로 친한 관계를 지칭할 때 이 말을 쓴다. 여성 입장에서 상대가 남성인 경우 '남사친'이라고 한다.

여소 [명] 여자 소개. 누군가에게 사귀어 볼 만한 여성을 소개해 주는 것. 한편 '남자 소개'는 '남소'라 한다.

여신 [명] 女神. 눈부시게 아름다운 여성을 일컫는 말.

여자력 [명] 여자+력(力). 일본에서 일상어로 정착한 유행어(女子力; じょしりょく)가 건너온 것으로 화장, 요리, 패션 감각 등을 통해 소위 '여성스러움'을 드러내는 '능력' 또는 '힘'을 말한다. 외견으로 드러나는 여성성의 정도를 가리키기도 한다. 흔히 여성에게 강요되는, 사회적 통념에 따른 여성상에 근거한 개념이기에 이에 대한 문제의식과 비판이 제기되고 있다. ¶ 프레임 씌우지 마…, '여자력'에 반발하는 일본 여성. — 〈아시아투데이〉, 2017년 2월 23일.

여주 [명] 여자 주인공. 남자 주인공은 '남주'라 한다.

여초 [명] 여성+초과. 어떠한 집단에 내에 남성보다 여성의 수가 훨씬 많아 성비가 불균형하다는 말. 인터넷상에서 대표적인 여초 커뮤니티로는 '레몬테라스', '베스티즈', '여성시대', '인스티즈', '쭉빵카페', '파우더룸', '82쿡' 등이 있다. 반대말은 '남초'.

여친짤 [명] 여자 친구의 사진. 그러나 자신의 여친짤이라며 올리는 사진 속 인물이 정말로 그의 여자 친구인지는 알 수 없다.

여캐 [명] 여자 캐릭터. 게임, 만화, 드라마, 영화 등에 등장하는 여자 캐릭터를 말한다. ¶ 남캐(남자 캐릭터)가 아닌 여캐가 극을 주도하는 드라마 톱 5.

여혐 [명] 여성 혐오. 한국 사회의 내면에 항상 존재해 왔지만, 여성 혐오가 온라인상에서 눈에 띌 정도로 공공연히 실체를 드러낸 것은 2000년대 초반 여성부 출범과 군가산점제 위헌 판결에 분노한 뭇 남성들이 응집하면서부터다. 그 후 여성 혐오는 남성 회원이 주를 이루는 '남초' 커뮤니티에서 흔히 발견되는 정서로 뿌리를 내렸는데, '된장녀', '개똥녀' 등 소위 '—녀' 시리즈로 여성을 낙인찍는 신조어들이 큰 유행을 끌기도 했다. '여혐'이라는 줄인 말이 본격적으로 쓰이기 시작한 것은 2015년경이다. '여혐'으로 규정되어야 할 언행들이 쏟아져 나온 시기였으며, 이에 대항하려는 움직임이 뚜렷하게 가시화된 시점이기도 하다.

여혐러 ⑲ 여혐+er(~하는 사람). 여성 혐오자를 말한다.

역갑질 ⑲ '갑질'을 뒤집은 것으로, '을'의 횡포를 말한다. 일반적으로 갑을 관계에서 을은 약자 혹은 피해자로 여겨지지만 간혹 자신의 처지를 역이용해 상대를 굴복시키고 이익을 챙기는 경우가 있다. 이때 을의 행동을 역갑질이라 부른다. '을질'이라고도 한다.

역관광 ⑲ 우습게 봤던 상대에게 무참히 패배하는 것. 혹은 압도적으로 이기고 있다가 전세가 역전돼 무너지는 것. 일부 남성들이 '완전히 패배하다'라는 뜻으로 쓰는 은어 '강간당하다'를 순화한 '관광'이란 표현이 인터넷상에 널리 퍼졌는데, 관광을 시키려다 오히려 관광을 당하게 된 경우라 하여 역관광이라고 부르게 되었다. ¶ 경찰관 차 훔치려다 역관광당한 도둑들.

역대급 ⑲ 歷代級. 여태껏 보지 못한, 아주 엄청난 대상을 일컫는 말. 역대 최고의 무엇을 뜻한다. '역대급 반전', '역대급 미모', '역대급 경기', '역대급 열연', '역대급 굴욕' 하는 식으로 쓴다.

역변 ⑲ 아름다운 외모로 추앙받던 사람(주로 연예인)이 공백기를 거친 후 이상하리만치 못생겨진 것을 묘사할 때 쓰는 말. 반대로 외모가 이전보다 훨씬 준수해진 경우는 '정변'이라 한다.

역저격 ⑲ 저격하려던 상대에게 역으로 당하는 것.

역조공 ⑲ 연예인이 자신의 팬들에게 선물하는 행위 또는 그러한 선물. 이때 '조공'은 팬들이 연예인에게 선물하는 행위 또는 그러한 선물을 말하는데, 역조공은 반대로 연예인이 사랑에 대한 보답으로 팬들에게 하는 조공을 가리킨다. ¶ 팬 사랑도 레전드급, '깜짝 역조공'!

역주행 ⑲ ① 게시물이나 댓글을 역순으로 읽어 나가는 것. 연재물을 최신 화부터 감상하는 것을 말하기도 한다. 반대말은 게시물이나 댓글은 물론 연재물을 가장 처음 것부터 차례로 읽어 나가는 '정주행'이다. ② 발표한 지 꽤 오래된 콘텐츠가 입소문 등의 영향으로 주목을 받으며 순위나 판매량이 오르는 것. 팬덤에 의존하는 대형 기획사의 출시 음악이 초반에 차트를 장악하고 인기가 하락하는 데 반해, 처음에는 주목을 받지 못하다가 어떤 계기로 뒤늦게 인기를 올리는 것 등을 말한다. 출판계에서는 어떤 도서가 출간 후 꽤 시간이 지난 시점에서 새롭게 조명되어 베스트셀러에 오를 때 이 말을 쓴다. 역주행은 대부분 SNS에서의 입소문이 발단이 된다.

역직구 〔명〕 외국의 소비자가 한국 인터넷 쇼핑몰에서 상품을 직접 구매하는 것. 한국의 소비자가 해외 인터넷 쇼핑몰에서 상품을 직접 구매하는 '직구'와 반대 방향인 구입 형태다. 해외에 유통되지 않는 한국 상품을 포함하여, 화장품, 패션 상품 등이 역직구의 주요 품목이다.

연기돌 〔명〕 연기+아이돌. 본격적으로 연기 활동을 시작한 아이돌 가수. 혹은 연기를 잘하는 아이돌로, 드라마나 영화에 출연해 능숙하게 배역을 연기하는 이다. 아이돌 가수로 연예계에 진입해 인지도를 쌓은 후 본격적으로 연기를 겸업하는 것이 한국 엔터테인먼트 산업의 공식 중 하나다.

연못남〔녀〕 〔명〕 연애 못하는 남자[여자].

연서복 〔명〕 연애에 서투른 복학생. 군 전역 후 갓 복학한 남학생, 특히 군인 마인드에서 완전히 벗어나지 못했지만 연애 의욕은 충만한 인물을 가리킨다. 소셜 네트워크 서비스 트위터에서 동명의 콘셉트 계정이 이모티콘과 함께 "울 애기", "넝담~ㅎ" 등 특유의 연서복체를 구사해 인기를 끌었다.

넝담~ㅎ

연서복

연성물 〔명〕 만화, 애니메이션, 게임 등의 서브컬처에 열광하는 '오타쿠', '후조시'가 자신의 공간 혹은 네트워크에서 좋아하는 작품의 설정을 바탕으로 새롭게 만들어 낸 글, 그림, 만화 등의 작품을 총칭하는 말. '2차창작물'이라고 할 수 있다. '연성'이란 원작의 흥미로운 부분을 확대 해석하여 재창조하는 것을 가리킨다.

연성하다 동 만화, 애니메이션, 게임 등 특정 서브컬처의 한 작품 속에 등장하는 인물이나 세계관을 재료 삼아 새로운 작품을 창조하다. 가령 작품 안에서 전혀 관계가 없었던 인물을 연인으로 설정하여 새로운 이야기를 만드는 식이다. 이와 같은 행위를 '2차창작'이라 부른다.

연어 명 강물을 거슬러 올라가는 연어처럼 인기 게시글의 댓글들을 역순으로 읽는 행위. '여초' 커뮤니티 사이트인 '여시'(여성시대) 등에서 주로 쓰는 표현이다. 일반적으로는 '역주행'이라는 말을 쓰는 경우가 많다.

연어족 명 ① 부모로부터 독립했다가 경제적 어려움 등을 겪고 집으로 되돌아오는 젊은이를 일컫는 말. ② 해외에서 유년을 보내고 성장 후에 일자리를 찾아 국내로 들어오는 젊은이를 일컫는 말.

연어질 명 오래된 인터넷 게시물을 찾아 읽는 것. 산란을 위해 자신이 태어난 곳으로 돌아오는 연어의 습성을 패러디한 말이다. 자신이 좋아하는 사람이 과거에 올린 게시글,

오래된 유명 동영상이나 유머 글 등을 찾아내는 것을 포함한다.

연옌 명 연예인. ¶ 이상형 발견…, 이 연옌 누군지 아시는 분?ㅜㅜ

열공 관 '열심히 공부'를 줄인 말. 내뱉는 건 쉬우나 실천하기는 너무 어려운 말. ¶ A: 열공하자. B: 그래야겠지….

열도 명 섬나라 일본. 흔히 '반도' 한국과 비교된다. 본래 열도(列島)는 길게 줄지은 모양으로 늘어서 있는 여러 개의 섬을 뜻한다. #나라

열렙 관 열심히 레벨 올리기. 게임에서 레벨을 높이기 위해 경험치를 반복해서 쌓는 행위를 일컫는다. 현실에서는 자기 계발을 위해 노력하는 것을 의미하여 '열공'(열심히 공부)과 비슷한 뜻이다.

열스밍 관 열심히 스트리밍. 아이돌 팬덤 문화에서 쓰는 말로, 새 음반이 발매되었을 때 음원 순위를 높이기 위해 팬들이 음원 사이트에서 곡을 열심히 재생하는 것을 이른다. 비슷한 말로 '숨스밍'이 있으며 '숨 쉬듯 스트리밍'이라는 뜻이다. ¶ 헉, 아이유 기습 곡에 한 단계 밀림. 여러분, 열스밍 제발!!

열정페이 [명] 열정을 미끼로 터무니없이 적게 주는 보상. 노동의 대가를 제대로 받지 못하고 착취당하는 청년 세대의 현실이 투영된 말로, 이는 갤러리 등의 예술 기관, 방송국, 패션 디자인 분야 등 취업 준비생은 넘치지만 일자리는 한정된 창의 산업 분야에서 흔하다. 세계적인 현상이기도 한데, 그중 꽤 알려진 사례는 유엔 유럽본부의 무급 인턴 노숙 사건이다. 2015년 뉴질랜드 출신 데이비드 하이드는 스위스 제네바 소재 유엔 유럽본부의 6개월 무급 인턴직에 지원해 합격했으나 비싼 주거비 탓에 방을 구하지 못하고 호숫가 근처에서 텐트를 치고 노숙했다. 이 사실이 지역 언론과 SNS를 통해 알려지자 그는 "아무도 내게 노숙을 강요하지 않았고, 인턴을 그만둔 것도 스스로 결정했지만 이 같은 시스템은 공평하지 않고, 전 세계 모든 무급 인턴들이 우리의 가치와 권리를 인정해 줄 것을 촉구해야 한다"라고 말했다. 이 무렵 영국의 〈가디언〉지는 2012~2013년 유엔이 고용한 무급 인턴이 4,000명이 넘는다고 보도했다. 이들이 무급 인턴을 감수하는 이유는 유엔 기구 근무라는 화려한 경력 때문인데, 이처럼 열정페이는 그것을 감수하고 경력을 쌓을 수 있는 사람과 그렇지 못한 사람 사이의 격차를 벌리는 제도로 작용하기도 한다.

열폭 [명] 열등감 폭발. 잠자고 있던 열등감이 외부의 자극으로 깨어나 흉한 모습으로 드러나는 것을 말한다. 모든 폭발이 그렇듯 열폭 후 그 사람의 마음은 폐허가 된다. 가만히 있다가 자폭(스스로 폭발)하는 경우도 더러 있다. 온라인상에서는 주로 타인에게 질투심을 느껴 뚜렷한 이유 없이 상대를 비방하는 사람을 조롱하는 의미로 쓰인다.

열폭크리 [명] 열폭+크리(critical). 열등감이 폭발하는 상황이 연속적으로 일어나는 것.

엽사 [명] 엽기 사진. 비정상적이고 괴이한 사진을 말한다. 2000년대 초중반 엽기 코드가 유행했을 때 인터넷 커뮤니티를 중심으로 화제를 모았다.

영관 [명] FPS(First Person Shooting) 게임 '서든어택'에서 고위 계급인 소령과 중령, 대령을 통칭하는 말. 본래 영관(領官)은 소령, 중령, 대령을 이르는 군사 용어다. ¶ 음, 서든어택 영관급으로서 한마디하겠다.

영드 [명] 영국 드라마. 한국 드라마

보다 다양한 소재를 다루고 독립된 에피소드 형식을 갖춘 미드(미국 드라마)가 인기를 끌자, 그와 유사하면서 조금 다른 정서를 지녀 주목받은 콘텐츠. 인터넷의 발달로 다양한 장르의 팬들이 실시간으로 해외 문화에 접근할 수 있게 된 기술적 배경이 깔려 있다. 한국에서는 영국 BBC의 2010년 드라마 〈셜록〉(Sherlock)이 KBS와 OCN에서 차례로 방송되어 큰 인기를 얻으면서 대중적으로 유행하기 시작했다.

영맨 [명] 영업 사원. 특히 자동차 판매 사원을 흔히 부르는 말. 파생 용어로 영맨 할인(차량 판매 시 영업 사원이 재량으로 추가해 주는 할인), 영맨 서비스(자동차 유리창 선팅 등 영업 사원이 재량으로 제공하는 서비스) 등이 있다.

영유 [명] 영어 유치원. 영어로 대화하고 가르치는 유치원을 뜻한다. 기혼 여성 커뮤니티에서 주로 쓰이는 말. ¶ 영유를 보낼지 일유(일반 유치원)를 보낼지, 정말 고민이에요.

영치덕 [명] 영국 정치 덕후. 영국 정치인에 관련한 자료를 수집하고, 정치인들 사이의 관계에 비상한 관심을 갖고 있는 사람을 일컫는다.

영타 [명] 영어 타자. 가령 "한글을 영타로 친다"라 하면 키보드를 영어 입력 모드로 둔 채 한국어 단어 또는 문장을 타이핑한다는 뜻이다.

영통 [명] 영상 통화. ¶ 어디? 영통 걸어 봐.

영혼없는리액션 [관] 상대방의 말이나 행동에 대하여 마치 영혼이 없는 사람처럼 감정을 담지 않고 기계적인 반응을 보이는 것. 상사 혹은 손윗사람의 어처구니없는 농담에 무슨 말이든 대꾸해야 하는 때와 같이, 영혼 버튼을 끄는 것이 정신 건강에 이로운 경우가 있다. 만약 대화 상대의 반응에서 영혼이 느껴지지 않는다면 자신의 화법이나 태도부터 점검해 보는 편이 좋을 것이다.

옆동네 [명] 비슷하거나 경쟁 관계에 있는 온라인 커뮤니티를 지칭할 때 이름 대신 돌려 말하는 용어.

예능돌 [명] TV 예능 프로그램에서 두각을 나타내는 아이돌. 개그맨이나 MC를 방불케 하는 탁월한 예능 감각을 보유하여, 리얼리티 예능 프로그램 등에서 활약하는 아이돌을 말한다.

예랑 몡 예비 신랑. ¶ 결혼 전 예랑이와 꼭 해 봐야 할 것들.

예민보스 몡 유별나게 예민한 사람. 여기서 보스(boss)는 '대장' 혹은 '톱'(top) 정도의 뜻을 갖는데, 여기에 적절한 말을 합성해 다양한 파생어를 만들 수 있다. 대표적인 것이 존예보스(예쁜 사람들 중에서도 가장 예쁜 사람), 애잔보스(너무나 애잔한 상황에 놓인 사람) 등이다.

예스미 몡 거리에서 "예수 믿으세요"라는 말을 시작으로 일방적인 전도(傳道) 행위를 펼치면서 행인들을 괴롭히는 사람. 거부 의사를 밝혀도 좀체 포기하지 않아 문제가 된다. 예스미와 유사하게 "도를 믿으십니까?"라고 물으며 길을 막아서는 '도르미'가 있다.

예스잼 몡 예스(yes)+재미. 재미가 있다는 뜻. '유잼'(有+재미)이라고도 한다. 반대말은 재미없다는 뜻의 '노잼'(no+재미).

예신 몡 예비 신부. ¶ 예신님들, 피부 관리 어떻게 하고 계세요?

예지앞사 관 예나 지금이나 앞으로도 사랑해. 2012년 데뷔한 7인조 남성 그룹 비투비(BTOB) 멤버 이창섭이 SNS에서 팬클럽인 멜로디 회원들에게 종종 사용하면서 알려진 말이다. ¶ 2018년 시작입니다. 예지앞사♡ — 이창섭 트위터, 2018년 1월 1일.

예판 몡 예약판매. 도서나 음반 등의 초판이 나오기 전에 미리 예약해서 발매일에 받는 것. 일반적으로 가격 할인이나 초판 한정 사은품 증정 등의 혜택이 있다.

오구오구 깝 '어이구, 어이구'를 줄인 말. 어떤 대상이 너무 귀여워서 어쩔 줄 모르겠을 때 쓰는 표현. 칭찬과 격려의 의미가 포함돼 있다. ¶ A: 오구오구 재미쩌? B: 웅웅, 대박~!

오그리토그리 몡 말이나 행동이 너무 느끼하거나 유치해서 부끄러움에 손발이 오그라들다 못해 토할 것 같은 기분을 귀엽게 말하는 것.

오글거리다 동 말이나 행동이 너무 느끼하거나 유치해서 부끄러움에 손발이 오그라들다. 불판 위의 오징어처럼 온몸이 뒤틀릴 만큼 부끄러움을 참을 수 없을 때 쓰는 말.

오글오글 붐 '오글거리다'(말이나 행동이 너무 느끼하거나 유치해서 부끄러움에 손발이 오그라들다)의 어근을 의태어로 활용한 것. 본래는 여러 군데가 안쪽으로 오목하게 들어가고 주름이 많이 잡힌 모양을 뜻하는 '오그랑오그랑'의 준말이다.

오나전 [명] [부] '완전'의 오타를 일부러 따라 하는 표현. 늘어지는 발음 탓에 뜻이 강조되는 효과가 있다. 부사로 '완전히' 또는 '완전하게'를 써야 할 자리에 명사 '완전'을 사용하는 것이 유행하면서 오나전 역시 마찬가지 방식으로 쓰이게 되었다. 컴퓨터 키보드 한글 자판의 배열 특성상 발생하기 쉬운 오타를 차용한 말로는 '제발'을 뜻하는 '젭라', '빨리'를 뜻하는 '빠릴' 등이 있다. #오타체 ¶ 저, 오나전 정상인입니다.

오닭후 [명] 치킨을 사랑하는 사람을 일컫는 말. 닭에 대한 오덕후(어떤 것을 광적으로 좋아하는 사람)를 뜻한다.

오덕력 [명] 오덕후+력(力). 어떤 분야를 미친 듯이 파고드는 오덕후의 내공을 총칭하는 말. 관심 분야에 대해 축적해 놓은 지식이나, 그것을 알아내는 데 필요한 기술, '덕질'(자기 관심 분야에 열정을 쏟는 덕후 나름의 과업)을 가능하게 하는 경제적 능력 등을 일컫는다. 줄여서 '덕력'이라고 부르기도 한다.

오덕후 [명] 일본어 オタク(오타쿠)를 한국식으로 음차한 표현. 특정한 서브컬처, 특히 일본 만화나 애니메이션, 게임 등에 심취하여 (시간과 돈을 포함한) 애정을 쏟는 사람을 일컫는다. 오타쿠에게 내려지는 부정적인 시선과는 별개로, '오덕후'는 '어떤 것을 깊게 좋아하는 사람' 쯤으로 그 의미와 범위가 확장되었다. 일례로 2015년부터 2016년까지 방영된 MBC 예능 프로그램 〈능력자들〉은 오덕후를 특정 분야의 전문가로 호출하며 지식을 갖춘 개인을 통해 전국민의 교양을 향상시키겠다는 목표를 밝히기도 했다. 다른 말로 '오덕', '덕후', '씹덕' 등으로 불리기도 한다.

오래방 [명] 오락실+노래방. 오락실 내에 설치되어 있는 작은 간이 노래방. 동전을 넣고 이용한다.

오륙도 [관] '56세에도 직장에 근무하면 도둑놈'이라는 뜻. 해가 갈수록 정년이 빨라지는 현실을 자조하는 말.

오링 [명] 도박판에서 쓰이던 은어로 영어 all-in(올인; 가지고 있던 돈을 한판에 전부 거는 일)을 일본식으로 발음한 것. 주로 동사 '나다'와 결합하여 준비한 물건이 모두 떨어졌다는 뜻으로 쓰인다.

오맞말 ㉙ '오늘도 맞는 말 했네'를 줄인 말. 극우 성향의 웹툰 작가 윤서인을 옹호하기 위해 커뮤니티 디시인사이드 주식갤러리를 중심으로 달린 댓글에서 유래한 표현이다.

오메가버스 ㈀ omegaverse(omega +universe). 남성 간의 동성애물을 창작·소비하는 여성들인 '후조시' 사이에서 쓰이는 세계관 중 하나. 미국의 SF 드라마 〈스타 트렉(Star Trek)〉의 팬들이 외계 종족 발칸족의 발정기에 대한 설정과 늑대 인간 모티브를 이어 붙여 만든 세계관에서 유래했다. 오메가버스에서 성별은 남녀가 아닌 알파, 오메가, 베타로 나뉘며 알파는 오메가를 임신시킬 수 있고, 베타는 일반 사람이며 외양과 성 역할이 동일하다. '양덕'(서양 덕후)에게서 유래해 인터넷을 통해 유포되었으나 한국에서 많은 호응을 얻는 장르는 아니다.

오저씨 ㈀ 오빠+아저씨. 오빠라고 부를 수 있을 정도로 젊은 감각을 소유한 아저씨. 남성의 입장에서는

'여전히 오빠라는 말을 듣고 싶은 아저씨', 여성의 입장에서는 '오빠라고 부르고 싶은 아저씨' 정도로 통용된다. 어감이 안 좋은 만큼이나 한국 중년 남성 문화를 비판적으로 보는 이들에겐 환영받을 수 없는 말이다.

오지다 ㈐ 충실하고 야무지다. 흡족할 정도로 만족스러울 때 쓰는 표현. 이른바 급식체(학교 급식을 먹는 나이대인 초등학생 및 중고등학생이 사용하는 특유의 문체)에서는 '대단하다', '엄청나다'는 뜻의 감탄사로 쓰이는 빈도가 매우 높다. 때로는 특별한 의미 없이 운율을 따르는 언어유희 재료로 등장하기도 한다. ¶ 님 얼굴 오지구여, 몸매 지리네여. ¶ 대박 중박 소박 시박이도 인정하는 각. 지리고요 오지고요 고요고요 고요한 밤이고요. 실화냐? 다큐냐? 맨큐냐? 오지고 지리고 렛잇고 오졌따리 오졌따 쿵쿵따리 쿵쿵따…

오지라퍼 ㈀ 오지랖+er. 남의 일에 유난히 참견하는 사람. 본래 '웃옷이나 윗도리에 입는 걸옷의 앞자락'을 뜻하는 '오지랖'에 '~하는 사람'을 뜻하는 영어 접미사 '—er'을 붙

여 발음한 형태다. 대체로 비꼬는 뉘앙스가 있는 말이며, 한국어로는 '참견쟁이' 정도로 표현할 수 있다.

오징어 몡 얼굴이 못생긴 사람. 주로 그러한 남자 친구를 가리키는 말이다. 극장에서 배우 원빈이 출연하는 영화를 보면서 팝콘을 먹다가 문득 옆자리의 남자 친구를 봤더니 웬 오징어 한 마리가 앉아 있더라는 이야기에서 유래했다. 잘생긴 연예인과 비교하여 자신의 외모를 자조할 때도 더러 쓰이는 슬픈 말.

오타쿠 몡 オタク. 만화, 애니메이션, 게임 등 주로 일본의 서브컬처 팬을 지칭하는 말. 폐쇄성이나 사회성 결여 등의 이유로 오타쿠 문화는 문제적이라는 비판을 받곤 하는데, 한편으로 이들이 대중문화에 미치는 영향력을 긍정적으로 바라보는 입장도 존재한다. 한국에서는 '오덕후'로 음차·변형되어 '특정 분야에 각별한 관심과 애정을 가진 사람' 정도의 뜻으로 쓰인다. ¶ A: 오타쿠는 자살하거나 범죄를 일으키지 않아. B: 왜? A: 다음 주 애니메이션을 봐야 하니까.

옥떨메 관 옥상에서 떨어진 메주. 누군가의 외모를 공중에서 떨어져 뭉개진 메주에 빗대 회화화하는 말

로 1970년대 후반 청소년층에서 널리 쓰였다. EDPS(음담패설), 아더메치유('아니꼽고, 더럽고, 메스껍고, 치사하고, 유치하다'를 줄인 말) 등과 함께 1970년대를 대표한 유행어 중 하나.

온리전 몡 온리(only)+전(展). 연성(기존 작품의 등장인물이나 세계관을 토대로 새로운 작품을 만들어내는 행위, 즉 '2차창작')을 하는 오타쿠 또는 후조시 동인 중에서 특정 작품의 팬인 사람들이 모여 한 가지 동일한 주제로 2차창작품을 발표하고 판매하는 행사.

올팬 몡 올(all)+팬(fan), 즉 어떤 아이돌 그룹을 좋아할 때 특정 멤버가 아닌 멤버 모두를 좋아하는 팬. 여기서 '팬'은 단순히 '팬'과 형태적으로 유사하다는 이유로 팬 대신 붙은 것이다. ¶ 죄송한데, 올팬 아니면 가입하지 마세요. 한 명도 포기 못 합니다.

올수니 몡 올(all)+수니(순이). 어떤 아이돌 그룹을 좋아할 때 특정 멤버가 아닌 멤버 모두를 좋아하는 여성 팬. 여기서 '수니'는 아이돌의 열렬한 여성 팬을 일컫는 말인 '빠순이'를 변형한 것이다. ¶ A: 올수니는 알겠는데, 태올수니는 무슨 말

이야? B: 방탄소년단에서 태형이(뷔)가 제일 좋지만 다른 멤버도 좋아한단 뜻.

올킬 [명] 올(all)+킬(kill). 나머지 모든 것을 압도하는 뛰어난 존재 또는 그러한 능력을 뜻한다.

올팍 [명] 올림픽 파크(Olympic Park). 서울시 송파구에 위치한 올림픽공원을 가리킨다.

와타나베여사 [명] 저금리를 피해 해외 자산에 투자하는 일본의 개인 투자자 여성층을 일컫는 말로, '와타나베'(渡邊)는 한국의 김 씨만큼이나 흔한 성씨다. 외환시장에서 이들의 비중이 높아지며 금융시장의 유행어가 되었다. 한국에도 비슷한 현상이 생기면서 '김 여사'라는 말이 등장했다. 중국의 '왕 여사', 미국의 '스미스 여사', 유럽의 '소피아 여사'도 마찬가지다.

완소 [명] '완전(완전히) 소중'을 줄인 말로, 매우 소중하게 여긴다는 뜻. 단독으로 쓰거나, 다양한 단어 앞에 나란히 사용할 수 있다. ¶ 저렴한 가격으로 완소 아이템 하나 장만하세요.

완얼 [관] '완성은 얼굴'을 줄인 말. 패션이나 헤어스타일 등을 완성해 주는 것은 결국 얼굴이라는 뜻이다. 그 밖에도 '패션의 완성은 얼굴'이라는 뜻의 '패완얼', '헤어의 완성은 얼굴'이란 뜻의 '헤완얼' 등이 널리 쓰이며 '고완얼'(고백의 완성은 얼굴)이라는 표현도 있다. 완얼과 비슷한 말로 '완원'이 있는데, '완성은 원빈'이라는 뜻이며, 사실이다. ¶ 완얼이라지만 성격이 노잼이면 그것도 별로.

완피 [명] 완전(완전히) 피곤. 너무 피곤해 죽어 버릴 것 같을 때 쓰는 말.

외노자 [명] 외국인 노동자. 한국에 들어와 주로 3D 업종에 종사하는 외국인 노동자를 지칭한다. 한국이 저출산 고령화 사회로 진입하면서 국내로 유입되는 외국인 노동자의 수는 앞으로도 계속해서 증가할 것이므로, 이들의 인권을 보호하고 사회적 갈등을 줄이기 위한 관련 법안과 지원 정책의 수립이 정책적 과제로 떠오르고 있다.

외떠리 [명] 외국어 고등학교 입학을 지원했다가 떨어져서 일반 고등학교에 진학한 학생. 비슷한 말로는 과떠리(과학 고등학교에 떨어져 일반고에 다니는 학생), 민떠리(민족

사관학교에 떨어져 일반고에 다니는 학생)가 있다. 대치동 엄마들 사이에서 통용되는 은어.

요자 [명] 요금제 자유. 약정을 맺고 휴대전화를 구입할 때 원하는 요금제를 자유롭게 선택할 수 있는 것을 말한다. 휴대전화 구매 정보 커뮤니티에서 주로 쓰인다.

욕받이 [명] 여러 이유로 시도 때도 없이 욕을 먹는 사람이나 조직. 사회적 차원에서는 가령 연이은 음주나 폭력, '갑질' 등 지탄이 되는 사건을 저지른 밉상 유명인, 납득이 가지 않는 졸전으로 거푸 경기에 패한 국가 대표, 국민은 아랑곳하지 않고 사익 추구에 여념이 없는 정치인 등이 욕받이로 등극하는 경우가 많다. 총알받이, 씨받이에서 보듯 '—받이'는 대상을 인격적으로 대하는 표현과 거리가 멀고 어감도 좋지 않아, 대개 비하하거나 놀리는 상황에서 이 말을 쓴다.

욕음제 [명] 욕 나오는 요금제. 이동통신 분야에서 통용되는 용어로 고가의 요금제를 말한다. 보통 소비자들은 휴대전화 기기를 구입할 때 할부 금액을 깎는 대신 특정 요금제를 약정해야 하는데, 이때 선택을 경솔히 하면 약정 기간 동안 매우 비싼 요금제를 유지해야 한다. 휴대전화 구매 정보 커뮤니티에서 주로 쓰이는 말.

욕튀 [관] 욕을 하고 튀는 것. 청소년들이 장난삼아 하는 불량 행동의 하나. 이런 유형 중에 대표적인 것으로 욕튀 외에도 벨튀(남의 집 벨을 누르고 도망가는 것), 택튀(택시비를 내지 않고 튀는 것) 등이 있다. 그 과정을 동영상으로 촬영한 후 온라인 카페 등에 게시해 누가 더 황당한 행동을 했는지 과시하는 것이 청소년 인터넷 문화의 일면이다.

욜로 [명] YOLO. '인생은 한 번뿐이다'(you only live once)의 영문 이니셜을 딴 말. 단 한 번뿐인 인생을 후회 없이 즐기며 사랑하고자 하는 라이프스타일이며 미래를 위해 인내하고 희생한 구세대의 생활양식과 구별된다. 이러한 가치관을 가진 부류를 '욜로족', 이런 방식의 생활을 '욜로 라이프'라고 한다. ¶ A: 나 오늘부터 욜로로 살기로 했음. B: 잘해, 나중에 골로 가지 말고.

용자 [명] 勇者. 용감한 사람을 일컫는 말. 두렵거나 꺼려져서 남들이 쉬이 하지 않을 것 같은 행동을 하는 사람을 칭한다. 일본 만화와 롤플레잉 게임의 용자물 세계관(용맹

한 주인공의 모험 이야기)에서 따온 것으로 추정된다. 무모한 일을 저질러서 망신을 당하거나 민폐를 일으키는 사람을 비꼬는 말로 쓰이기도 한다. 반대말은 '비겁한 사람'이란 뜻의 겁자(怯者). ¶ 시대에 맞선 진정한 용자, 무하마드 알리 별세.

용팔이 명 용산 전자상가에서 전자 제품을 판매하는 사람을 낮잡아 이르는 말. 데스크에 비스듬히 기대서서 "얼마에 알아보고 오셨어요?"라고 떠보면서 시세 등을 잘 모르는 사람에게는 바가지를 씌우고 자신들끼리 네트워크를 조직해 소비자를 호구로 만드는 판매원이다. 용팔이에 대응하는 말로는 '테팔이'가 있는데, 용산 전자상가와 쌍벽을 이루는 전자 제품 쇼핑몰인 테크노마트의 판매원을 가리킨다.

우라까이 명 언론계에서 쓰는 용어로 다른 언론사의 기사를 적당히 가공해 보도하는 것. 일각에서는 일본어 裏反す(우라카에스; 뒤집다)에서 유래한 것으로 추측하고 있다. 과거에는 낙종을 면하기 위해 타사 기사를 토대로 문장 순서를 바꾸거나 표현을 살짝 달리해 자사가 취재한 것처럼 우라까이를 하는 일이 흔했으나, 뉴스 플랫폼이 인터넷 포털로 바뀐 후에는 클릭 수를 늘리기 위한 기사 개수 늘리기, 즉 하나의 기사를 조금만 바꿔 수십 개, 수백 개의 기사로 쏟아 내는 형태의 우라까이가 기승을 부리고 있다. 취재원이 제공한 보도 자료를 조금만 손봐서 기사로 내는 것도 대표적인 우라까이 형태다.

우래기 명 '울 애기'를 소리 나는 대로 쓴 것. 우리 아기를 말한다.

우빵 명 싸움을 잘하는 척 하거나 잘 노는 척을 하는 등 사실은 그만한 능력이 안 되지만 허풍을 치는 것. 청소년들 사이에서 쓰이는 말이다. ¶ A: 초6입니다. 좋아하는 애 앞에서 저도 모르게 우빵 잡거든요. 계속 이렇게 해도 될까요? B: 여자들은 우빵 잡는 남자 안 좋아합니다.

우에까라매생이 명 남을 깔보는 듯한 거만한 태도. '위에서 내려다보는 듯한 시선'이라는 뜻의 일본어 上から目線(우에카라메센)에서 유래한 말. ¶ 우에까라매생이 질 좀 그만하지 그래.

우유남[녀] 관 우월한 유전자를 가진 남자[여자]. 2010년대 초에 주로 외모가 뛰어난 사람을 '우월한[이기적인] 유전자'라고 부르는 것이 유행했다.

우젤귀 형 '우주에서 제일 귀여운'을 줄인 말.

우젤예 형 '우주에서 제일 예쁜'을 줄인 말.

움짤 명 움직이는 짤방. 여러 장의 사진을 이어 붙이거나 영상의 일부를 추출하여 만든, 움직이는 이미지. 주로 애니메이션 효과를 구현할 수 있는 GIF 파일 형태이며, 짧은 영상을 가볍게 보여 주는 데 용이하다. 프레임 수에 따라 다르지만 동작의 유연성을 구현하는 데는 한계가 있으며 대개 일정 구간이 무한 반복되는 형태를 띤다.

웃프다 관 웃기다+슬프다. 웃긴데 슬픈, 혹은 슬프면서도 웃긴 감정을 나타내는 말. ㅋㅋ(웃음소리)과 ㅠㅠ(우는 표정)를 합친 '큐큐'와 함께 쓰기도 한다. 2011년 이후 시사 보도에도 빈번히 등장하는데, 대체로 실소를 자아내는 사건·현상이지만 사실은 우리의 어두운 현실을 반영할 때 이런 표현을 쓴다. 한마디로 웃을 수도 울 수도 없는 상황을 말한다.

워라밸 명 '일과 삶의 균형'이라는 뜻의 영어 work and life balance(워크 앤드 라이프 밸런스)를 줄여 이르는 말. 연봉은 높지만 상시적인 과로에 시달리기보다는 급여는 다소 적더라도 업무와 일상생활의 조화를 추구하는 것이 행복한 삶이라는 가치관이 주목받으면서 퍼진 말이다.

워킹맘 명 사회생활을 하며 육아를 하는 여성. '직장맘'이라고도 한다. 저성장 시대에 여성의 직장 생활이 당연시되고 있지만, 육아 및 가사에서 여성의 부담이 여전히 크기에 워킹맘의 양육 부담을 덜어 주는 정책 마련이 과제로 대두되고 있다.

원츄 관 영어 want you를 소리 나는 대로 쓴 표현. 2000년대 초반부터 '추천하다', '멋지다', '최고다'라는 뜻으로 널리 쓰였으나 현재는 그 빈도가 현격히 줄었다.

월급고개 명 월급이 다 떨어졌지만 다음 달 월급은 아직 들어오지 않은 궁핍한 기간. 곡식이 거의 바닥났으나 보리는 아직 여물지 않은 시기인 '보릿고개'에 비유한 표현이다.

월급로그아웃 명 월급+로그아웃

(log-out). 카드 대금, 통신비를 비롯해 각종 공과금이 빠져나가 월급이 바닥나는 것. 통장에서 월급이 빠져나간 상태를 '사용 중인 네트워크에서 연결을 끊고 나오는 것'인 '로그아웃'에 비유한 표현이다.

월급로그인 명 월급+로그인(log-in). 월급이 통장에 들어오는 것. 네트워크에 연결하는 로그인처럼 월급이 들어오지만 카드값 등을 내고 나면 월급이 순식간에 로그아웃된다는 맥락에서 쓰는 말. 월급에서 이러한 비용이 빠져나가는 것은 "퍼 가요~"라고 희화화해 표현한다. '퍼 가요~'는 타인의 인터넷 게시물을 스크랩할 때 댓글 등으로 남기는 메시지다.

월급루팡 명 별로 하는 일 없이 월급만 축내는 직원을 괴도 루팡에 빗대 이르는 말. ¶ 먹고살기 힘든 요즘…, 내 꿈은 월급루팡.

월척 명 크게 속아 넘어간 사람. 혹은 별생각 없이 던진 속임수에 여러 사람이 넘어가는 것을 말한다. 후자의 경우에는 흔히 "낚였다"라고 말한다.

웜톤 명 warm tone. 주로 개인의 타고난 피부색에 대하여, 노란 기가 돌아서 발랄한 느낌을 주며 혈관은 녹색을 띠는 피부. 이에 반해 '쿨톤'(cool tone)은 하얗고 투명하며 혈관이 푸른색인 피부다. 자신의 톤이 어디에 속하는지 파악하고 그에 맞춰 화장을 하거나 옷을 입는 것이 이른바 퍼스널 컬러(personal color) 전략이다. ¶ 웜톤을 위한 강추 립스틱 3종.

위꼴사 관 위장이 꼴리는 사진. '성적으로 흥분하다'라는 뜻의 속된 말 '꼴리다'를 사용한 표현으로, 위장이 흥분될 정도로 먹음직스러운 음식 사진을 가리킨다. 주로 밤이나 새벽에 배포되는 경향이 있다. 이러한 게시물을 인터넷상에 게시할 때는 글 제목에 '위꼴주의' 혹은 '위꼴사주의'을 함께 표기해 주는 것이 에티켓으로 여겨진다. 비슷한 말로, 먹는 사진을 뜻하는 '먹짤'이 있다.

위꼴주의 명 위장이 꼴릴 수 있으니 주의하라는 말. 위꼴사(위장이 흥분될 정도로 먹음직스러운 음식 사진)를 올릴 때 해당 음식을 참을 수 없을 만큼 먹고 싶어질 수 있으니 주의하라는 문구다. ¶ 위꼴주의: 안 먹어 본 사람은 있어도 한 번만 먹은 사람은 없다.

위추 명 위로의 추천. 커뮤니티 게

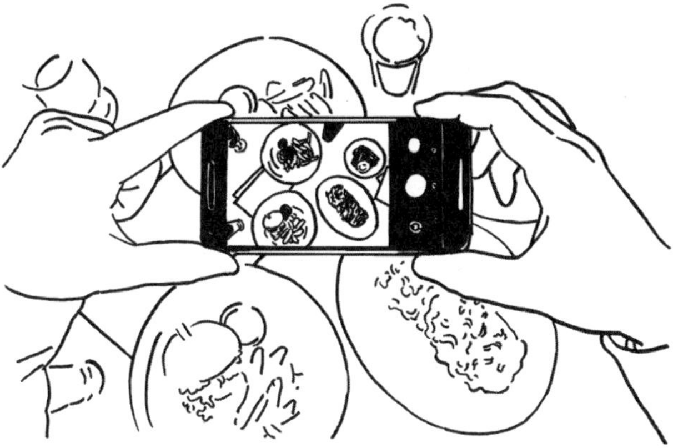

위끌사

시판에서 특정 게시물에 대한 반응이 미미할 때 이를 위로하기 위해 '추천' 버튼을 누르고 간다는 뜻이다.

위키 [명] wiki. 간단한 마크업 언어(markup language)를 사용하여 누구나 쉽게 내용을 작성하거나 편집 또는 삭제할 수 있는 웹 사이트를 말한다. 인터넷 백과사전 위키피디아(www.wikipedia.org)를 비롯해 한국에는 특정 문화적 집단의 언어를 반영하는 나무위키(namu.wiki), 크르르르(krrr.kr) 등이 있다.

위키니트 [명] 위키+니트(NEET). 위키피디아 등 익명의 인터넷 사용자들이 집단적으로 작성하는 백과사전 페이지에 매달려 항목 작성과 하이퍼링크 탐색에 많은 시간을 쓰는 사람. 니트족(NEET; Not in Employment, Education or Trainning)은 학생도 아니고 직장인도 아니면서 그렇다고 직업훈련을 받지도 구직 활동을 하지도 않는 무리, 또는 그런 사람을 가리킨다.

유동닉 [명] 특정 인터넷 커뮤니티에서 가입은 하지 않고 주기적으로 닉네임을 바꿔 가며 글을 써서 익명성을 유지하는 것, 또는 그런 사람을 가리킨다. ¶ 유동닉 고소하려는데, IP 추적해서 잡을 수 있나요?

유리멘탈 [명] 유리+멘탈(mental). '유리'에 영어 형용사 mental(정신의, 정신적인)을 명사처럼 가져와 붙인 말. 유리처럼 깨지기 쉬운 위태로운 정신 상태로, 별것 아닌 일에도 자주 멘탈붕괴하는 것을 말한다. 유의어로 쿠크다스(잘 부스러지는 것으로 유명한 과자)처럼 부서지기 쉬운 정신 상태라는 뜻의 '쿠크다스멘탈'이 있다. ¶ A: 저, 터프해 보이지만 스아실(사실) 유리멘탈임. B: 방탄유리겠지.

유리몸 몡 유리+몸. 주로 스포츠 분야에서 쓰이는 용어로 유난히 부상이 잦은 선수를 말한다. 깨지기 쉬운 유리의 성질을 빗대 만들어진 말로 특히 축구 종목에서 흔히 쓴다.

유리밥통 몡 유리로 만들어져 깨지기 쉬운 밥통. 언제라도 해고되기 쉬운 일자리 또는 그런 일자리를 가진 사람을 자조적으로 칭하는 말이다. 반대말로 매우 안정적인 일자리를 일컫는 '철밥통'이 있다.

유리지갑 몡 근로소득자의 월급봉투를 가리킨다. 소득이 투명하게 노출되어 세금을 곧이곧대로 납부할 수밖에 없는 반면에 변호사, 의사 등 일부 전문직 고소득자 및 자영업자는 소득을 숨기고 탈세하는 세태에 대하여, 근로소득자의 처지를 비유한 말이다. 1980년대 초 이래로 세무 행정과 공평 납세 관련 언론 기사에 등장한 표현이다. ¶ 건보료 폭탄, 유리지갑 직장인 화난다.

유병장수 몡 병치레를 하면서 오래 사는 것. 병 없이 오래 산다는 뜻의 무병장수(無病長壽)를 뒤집은 말로, 평균수명이 길어지면서 말년에 이르러 각종 질병에 시달릴 가능성이 커질 것으로 보고 생겨난 표현이다.

유슬림 몡 유교+무슬림(Muslim). '꼰대'로 대표되는 한국적 유교주의 가치관에 찌든 사람을 근본주의 이슬람교도에 빗대어 비하하는 말. 평화학·여성학 연구자 정희진은 '유슬림'이라는 제목의 칼럼(〈PD저널〉, 2015년 10월 19일)에서 이 단어가 이슬람에 대한 편견과 서구중심적 사고를 전제하고 있다고 지적한 바 있다.

유잼 몡 유(有)+재미. 재미가 있다는 뜻. '예스잼'(yes+재미)이라고도 불린다. 반대로 '노잼'(no+재미)은 재미가 없다는 뜻인데, "유잼무죄 노잼유죄"와 같이 응용된다.

유커 몡 한국을 찾는 중국인 단체 관광객을 지칭하는 말. 중국어로 여행객(遊客)이라는 뜻이며, '요우커'로 표기·발음하기도 한다. 많은 인원이 함께 움직이고 구매력이 커서 유통업계가 큰 관심을 기울이는 집단이다. 유커와 달리 개인 관광을 즐기는 젊은 중국인 관광객은 '싼커'(散客)라 불린다.

유튜버 [명] 유튜브(YouTube)+er(~하는 사람). 동영상 공유 사이트인 유튜브에 정기적 또는 비정기적으로 동영상을 많이 올리는 사람, 즉 유튜브를 통해 자신이 생산한 콘텐츠를 배포하는 사람을 말한다. 구독자가 많은 경우 다양한 수익 모델로 돈을 벌 수 있다. '유튜브 크리에이터'(YouTube creator)라고도 한다.

유튭 [명] 2005년 창립된 동영상 공유 사이트 유튜브(YouTube)를 줄인 말. 누구나 영상 클립을 업로드하고 공유할 수 있다. 자료가 워낙 방대해 많은 사람들이 일상적으로 사용한다.

육덕지다 [형] 마르지 않고 몸에 살이나 근육이 적당히 붙은 모양을 속되게 이르는 말. 여성을 성적으로 대상화할 때 주로 쓰이며, 몸매가 풍만해서 섹스어필한다는 뜻이다.

윰차 [명] 유모차. 기혼 여성 커뮤니티에서 주로 쓰인다. ¶ 20개월 울 딸램(우리 딸내미) 오늘 윰차 타고 얼집(어린이집) 댕겨 왔네여.

으리 [명] 의리(義理). 배우 김보성이 1990년대부터 자신의 신조로 외쳐 온 말로, 2014년 tvN 〈코미디빅리그〉에서 개그우먼 이국주가 이를 따라 하면서 크게 유행했다. 수많은 드립(패러디 혹은 농담)을 양산했는데, 마무으리(마무리), 아메으리카노(아메리카노)처럼 '리' 자가 들어가는 자리에 '으리'를 끼워 넣는 식이다.

윾잼 [명] 어떤 것이 재미있다는 뜻의 '유잼'(有+재미)을 형태적으로 유사한 다른 글자로 표현한 것. '윾'은 언뜻 보면 '유'처럼 보인다. #야민정음

은꼴 [동] 은근히 꼴리다. 파격적인 노출 없이도 성적인 상상을 불러일으킨다는 의미다.

은꼴사 [관] 은근히 꼴리는 사진. 신체 부위가 은근히 드러나는 사진이 주류를 이룬다. 대중교통이나 공공장소에서 사전에 동의를 구하지 않고 불법적으로 도촬(도둑 촬영)한 익명의 여성 사진을 가리키는 경우가 많다.

은따 [동] 은근히 따돌리다. 어떤 공

동체에 속한 다수가 특정한 개인을 은근슬쩍 따돌리는 것. 대놓고 드러내지 않을 뿐 '왕따'와 다를 게 없다. ¶ 폭행은 줄었지만 은따는 더 심해져.

은섹 [형] 은근히 섹시하다. '은근히 꼴리다'를 줄인 말인 '은꼴'과 비슷한 맥락으로 쓰인다.

을질 [명] 일반적인 갑을 관계의 세력 도식을 뒤집어 약자라는 지위를 이용해 상대방을 굴복시키거나 이익을 취하려는 행동. 힘 있는 사람 혹은 집단이 약자에게 자신의 권력을 휘두르며 군림하는 '갑질'의 반대 버전이다. 예를 들면, 식당에 취직한 후 며칠만 일하고 업주에게 시비를 걸어 해고되면 원산지 표시 위반, 유통기한 경과 등 각종 허위 민원을 제기하는 방식으로 업주를 협박해 돈을 뜯어내는 것 따위다. 고용인(을)과 고용주(갑), 임차인(을)과 임대인(갑), 가맹점(을)과 가맹 본부(갑) 사이에는 갑질뿐만 아니라 을질도 언제든 발생할 수 있다.

음슴체 [명] 인터넷상에서 흔히 쓰는 말투로 모든 어미를 '—임', '—음'으로 끝낸다. '알겠음', 모르겠슴'(모르겠음), '아님', '싫음' 같은 표현이다. 장황한 표현을 요약해 빠르게 소통할 수 있고 전달하려는 내용이 객관적인 것처럼 보이는 장점이 있다. 보통 글을 시작할 때 선언처럼 적어 놓는다. ¶ 편하게 음슴체로 쓸게 24살 여자임 남친 없음 내 얘긴 아님.

음쓰 [명] 음식물 쓰레기.

음원깡패 [명] 발표하는 음악마다 어김없이 주요 음원 차트의 최상단을 차지하는 사람.

응24 [명] 인터넷 쇼핑몰인 '예스24' (Yes24)의 애칭. '그래24'로 불리기도 한다.

의느님 [명] 의사+하느님. 주로 성형외과 의사를 가리킨다. 성형수술을 통해 어떤 사람을 마치 다른 사람인 것처럼 못 알아보게 재창조한다는 뜻. ¶ 부모님 날 낳으시고, 의느님 날 만드셨네.

의란성쌍둥이 [명] 의사+일란성쌍둥이. 주류 성형수술 경향에 따라 개성을 잃고 비슷비슷한 외모를 갖게 된 사람.

의레기 [명] [1] 의사(醫師)+쓰레기. 환자의 건강보다는 돈에 눈이 먼 의

사, 사회 구성원 전체를 생각하기보다는 자신의 이익만을 추구하는 일부 의사를 비하하는 말. ② 국회의원이나 지방자치단체 의원 같은 '의원'(議員)과 '쓰레기'의 합성 조어. 국가와 사회를 위해 헌신해야 할 의무를 저버리고 시민 위에 군림하려 하거나 사리사욕에 빠진 일부 의원을 조롱해 부르는 말이다. 정치인에 대한 뿌리 깊은 적대감의 표현이기도 하다.

의젖 [명] 의사+젖. 성형수술로 볼륨을 키운 유방을 말한다. 간혹 어떤 인터넷 커뮤니티에서는 가슴이 큰 여성 연예인의 사진을 두고 의젖이냐 아니냐를 논쟁하는 상황이 벌어지곤 한다.

의치한 [명] '의예과, 치의예과, 한의예과'에서 각 첫 글자를 취한 말. 입시에서 가장 선망받는 자연계 학과들 중 하나다.

이구백 [관] '20대의 9할이 백수'를 줄인 말. 날이 갈수록 높아지는 청년 실업률을 풍자한 것이다. 비슷한 말로 '20대 태반이 백수'라는 뜻의 '이태백'이 있다.

이맛헬 [관] '이 맛에 헬조선 삽니다'를 줄인 말. 탈출구 없는 대한민국의 암담한 현실이 어떤 사건 등에 의해 실제로 표면화될 때 추임새처럼 쓰는 어구로, 가망 없는 이 사회에 대한 냉소가 묻어 있다. ¶ 뉴스: 가난한 청년들, 2015년 20~30대 가계소득 최초 마이너스… 네티즌: 캬, 이맛헬.

이뭐병 [관] '이건 뭐, 병신도 아니고'를 줄인 말. 어떤 사람이 한심한 언행을 반복한다며 비하하는 표현이다. 이와 비슷한 말로 '여기 병신하나 추가요'를 줄인 '여병추', '병신이 따로 없네'를 줄인 '병따없'이 있다.

이반 [명] 異般(二般). 이성애자를 보통의 사람으로 보아 '일반(一般)인'으로 칭하는 것에 빗대 만들어진 말로 게이(gay), 레즈비언(lesbian), 바이섹슈얼(bisexual), 트랜스젠더(transgender; transsexual) 등 성적 소수자 전반을 일컫는다. 게이 커뮤니티 내에서 자신들을 부르는 은어로 사용하던 것이 그 의미가 확장되었다.

이불킥 [명] 이불+킥(kick). 자신이 했던 말이나 행동이 부끄럽고 후회스러워 이불을 발로 차는 행위. 자려고 누워 이불을 덮고 천장을 바라보면 문득 쪽팔린 기억이 떠올라,

이를 쫓아내려 발차기를 하는 것을 말한다. 가령, 새벽 두 시에 옛 연인에게 문자메시지로 "자니?"라고 보냈다가 답신이 없자 "자는구나…"라고 재차 보낸 후, 다음 날 내가 왜 그랬나 후회하며 죄 없는 이불을 걸어차는 식이다.

이불킥

이불킥썰 (명) 이불킥+설(說). 쪽팔린 경험담. 아직도 이불킥(부끄러운 기억을 떨쳐 내려 이불을 발로 차는 행동)을 유발하는 강렬한 이야기다.

이빠이 (부) '가득'이라는 뜻의 일본어 いっぱい(잇파이)의 발음이 변형된 말. 의미는 원어와 비슷하나, 화자가 다소 속되게 보이므로 점잖은 자리에선 피해야 하는 말이다. ¶ A: 차 샀는데, 핸들 이빠이 꺾으면 이상한 소리가 납니다. B: 이런, 기분 이빠이 나쁘시겠네요.

이생망 (관) '이번 생(生)은 망했다'를 줄인 말. 아무리 노력해도 희망이 보이지 않는 세태를 자조하는 차원에서 청년들이 하는 농담.

이선좌 (관) 이미 선택된 좌석입니다. 인터넷을 통해 인기 공연을 예매할 때 종종 마주치는 문구로, 특정 좌석을 클릭해 선택하는 짧은 시간 동안 다른 누군가가 해당 좌석을 선점했다는 뜻이다. 당사자에게 마상(마음의 상처)을 안기는 말. 팬들이 몰릴 것으로 예상되는 공연이라면 동시 접속자들과의 경쟁에서 티켓을 쟁취할 수 있도록 빠른 인터넷 속도와 '번개손'이 절실해진다. ¶ 헉, 나 예매 성공…? (잠시 후) 이선좌, 에라이~

이태백 (관) 20대 태반이 백수. 삼팔선(38세에 퇴직 여부 선택), 사오정(45세면 정년퇴직), 오륙도(56세에도 직장에 근무하면 도둑놈) 등과 함께 우리나라 취업 시장의 현실을 반영하는 표현이다.

익친 (명) 익명 친구. 고유명사로 인터넷 커뮤니티 '쭉빵카페'의 '익명친목게시판'을 칭하는 경우도 많다. 인터넷 유머 글의 산실로 알려져 있다.

익친짤 [명] 인터넷 커뮤니티 '쭉빵카페' 내 '익명친목게시판'의 마스코트 격인 캐릭터의 사진. 일명 '주름이짤'로 불린다.

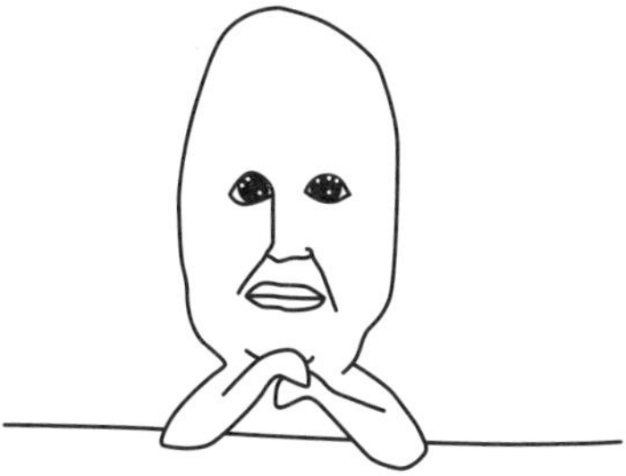

익친짤

인간비글 [명] 희대의 '지랄견' 비글처럼 잠시도 가만히 있지 않고 짓궂은 장난을 치며 다른 사람에게 자분거리는 사람. 그러한 사람의 매력을 가리켜 '비글미'라 한다. ¶ 천하의 인간비글, 울아들램(우리 아들내미)을 소개합니다.

인간사료 [명] 일반적으로 대용량 포장으로 되어 있어 가격이 저렴하고, 건빵이나 과자처럼 비교적 장기간 보관할 수 있는 먹거리를 말한다. 용량 3.2kg짜리 건빵, 2.5kg 누네띠네(삼립식품) 등이 대표적인 예로 가격은 소포장의 절반 이하 혹은 4분의 1 정도다. 개나 고양이의 사료처럼 양에 비해 가격이 저렴한 데다 시각적으로도 그와 유사해 인간사료라는 말이 붙었다. 지갑이 얇은 대학생, 취업 준비생에게 인기 있는 아이템이다.

인강 [명] 인터넷 강의. 인터넷을 통해 동영상 실시간 스트리밍 서비스가 가능해지면서 온라인 수업 열풍이 불었다. 대학 입시 관련 강의부터 각종 고시, 자격증, 대학 강의까지 그 종류는 매우 다양하다. 오프라인 강의와 비교해 수강료가 상대적으로 저렴하고 시간과 장소의 제약을 극복할 수 있는 교수법이다.

인강증후군 [명] '인강'(인터넷 강의)에 너무 익숙한 나머지 학교 수업에서도 선생님의 말을 2배속으로 빨리 듣거나 구간 반복 기능으로 다시 들을 수 있다고 착각하는 증상.

인구론 [관] '인문대 졸업생의 90%는 논(론)다'를 줄인 말. 취업하기 어려운 인문계 졸업생의 현실을 자조하는 표현이다. 실제로 이들의 취업률은 날이 갈수록 낮아지고 있다.

인디병 [명] 비주류 취향에 심취해 매사에 대중과 자신을 분리하는 증상. 누군가가 "어떤 음악 좋아하세요?"라고 물으면 "얘기해도 모르실 거예요, 저만 아는 밴드라서요"라고 대답하는 증세다. 주류는 형편없는 것이고, 인디(indie)만이 가치 있는 것이라고 맹신하는 태도다. '홍대병'이라고도 하는데, 홍대 앞이 인디 문화의 중심지인 것과 관련이 있다.

인망새 판 '인생 망한 새끼'를 줄인 말. ¶ 졸업 다가오니 인망새 된다는 게 뭔지 알겠어.

인삼녀 판 인턴만 세 번 한 여자. 취업 전선에 뛰어든 청년들은 이력서의 빈칸을 채울 수 있다면 무슨 일이든 하게 되는데, 그 방편으로 인턴 활동을 여러 차례 하는 경우도 많다. 한국 사회의 청년 취업난과 관련지어 언론에 가끔 등장하는 용어다.

인생― 접 접두어로 쓰이는 표현으로 '일생 최고의', '일생일대의'라는 뜻. 가장 흔한 말이 '인생사진' 혹은 '인생짤'로 살면서 찍은 사진 중에 가장 멋지게 나온 사진을 말한다. 그 외에도 다양한 단어를 붙일 수 있는데 가령, 인생영화(인생에서 가장 감동적이었던 영화), 인생여행(인생에서 가장 좋았던 여행), 인생숏(스포츠에서 일생일대의 숏), 인생게임, 인생드라마 등이다.

인생사진 명 생애 최고의 사진, 즉 인생을 살면서 찍은 사진 중에 가장 멋지게 나온 사진을 말한다. 간혹 인생의 이상(理想) 같은 것을 나타내는 사진을 가리키는 경우도 있다. '인생짤'이라고도 한다. 페이스북을 비롯해 인스타그램, 핀터레스트 등 사진 중심의 SNS가 큰 인기를 끌면서 불특정 다수에게 노출되는 인생사진의 중요성이 커지는 추세다. 인생사진을 얻는 방법에 왕도는 없으나 일반적으로 '생얼'의 생동감과 자연스러움이 강조된 사진 연출, 얼굴을 작고 갸름해 보이게 하는 촬영 각도 등이 중요하다고 알려져 있다.

인생짤 명 생애 최고의 사진, 즉 인생을 살면서 찍은 사진 중에 가장 멋지게 나온 사진. '인생사진'이라도고 한다. 반대말은 '무덤짤'로 삭제 충동을 유발하는 일생 최대의 굴욕 사진을 가리킨다.

인생템 명 생애 최고의 아이템, 즉 살면서 사용해 본 아이템 중에 가장 좋은 아이템. 주로 화장품 등의 상품을 추천하거나 품평할 때 쓰는 말이다. 가령 "웜톤 인생템", "뷰티 에디터의 인생템" 하는 식이다. 누군가에게는 인생템이지만 다른 이에게는 '똥템' 혹은 '비추템'일 수도 있어 주의해야 한다. ¶ 지성 피부라면 주목! 여름에 꼭 필요한 파운데이션 인생템.

인서울 ⑱ 인(in)+서울. 서울시 안에 소재한 4년제 대학교를 일컫는 말로, 많은 수험생들이 인서울 대학교에 진학하는 것을 목표이자 마지노선으로 삼는다. 이는 비수도권 대학교를 '지잡대'(지방의 잡스러운 대학)라 부르며 루저(loser) 집단으로 규정하는 교육 시장의 분위기와 실제로 그렇게 치부되는 한국 사회의 학벌주의 탓이 크다.

인소 ⑱ 인터넷 소설. 인터넷을 통해 연재하는 소설로, 주로 10대 취향의 로맨스 및 학원물, 판타지 소설, 라이트 노벨류를 가리키는 말이었으나 현재는 장르와 연령의 폭이 매우 넓어졌다. '웹소설'이라고도 불린다.

인쇼몰 ⑱ 인터넷 쇼핑몰. 더 짧게 줄여 '인쇼'라고도 한다.

인실좆 ⑭ '인생은 실전이야, 좆만아'를 줄인 말. 폭행 사건의 피해자가 선처를 바라는 상대를 어떻게 해야 할지 인터넷 게시글을 통해 의견을 묻자 누군가가 댓글에 "'아이씨팔새끼야 인생에 연습이 어디 있어??? 인생이란 건 실전이야 좆만아'라고 그넘 귓가에다가 속삭여 주세

요!!"라고 쓴 것이 유래가 된 표현. 이후 인터넷상에서 개인 정보 유포, 악성 댓글, 사기 등의 악행을 일삼는 사람을 피해자가 법적으로 대응해 형사처분을 받게 하는 상황에서 쓰는 말이 되었다. "인실좆 후기", "오늘 인실좆 실천했습니다" 하는 식으로 쓴다. 인실좆 사례들이 주는 교훈은 오프라인에서든 온라인에서든 타인에게 해를 끼치는 짓은 하지 말아야 한다는 것.

인싸 ⑱ 인사이더(insider). 조직이나 모임 등에 활발히 참여하는 등 분위기를 주도하는 사람. 항상 약속이 있고, 주변에 친구들이 많고 성격이 활달해 누구와도 잘 지내고 여럿이 하는 스포츠를 즐긴다. 최신 정보와 유행에도 민감한 것도 인싸의 특징이다. 이에 반해 아웃사이더(outsider)인 아싸는 사람들과 잘 어울리지 않고, 모임이나 조직 등에서 겉도는 사람을 말한다.

인증샷 ⑱ 인증+샷(shot). 대체로 '자신의 말이 꾸밈없는 진실임을 보증하는 사진'이라는 뜻. 예를 들어 어느 대기업에 합격했다는 사실을 회사가 보낸 합격 통보 문자메시지로 증명한다고 할 때, 캡처한 문자메시지를 인증샷이라 한다. 그 외 자신이 어떤 장소에 있었던 것을 증

명하는 현장 스냅사진도 흔한 인증샷인데, 가령 본인이 투표에 참여했다는 사실을 투표소에서 촬영한 셀카로 증명할 수 있다. 기업 등이 프로모션을 위해 이를 활용하는 사례도 부지기수다. 상품을 구매한 후 SNS에 인증샷을 올리고 해시태그(#)를 붙여 공유하면 추첨을 통해 사은품을 증정하는 식이다.

인태기 [명] ① 인생+권태기. 삶이 지루하고 무의미하게 느껴지며 그럴수록 무기력해지는 시기. ② 인스타그램(Instagram)+권태기. SNS 중 하나인 인스타그램에서의 활동이 시들해지는 시기. 비슷한 말로 블태기(블로그+권태기)가 있다.

인터공원 [명] 인터넷 쇼핑몰 인터파크(Interpark)의 애칭. '공원몰'이라고도 한다.

인터넷소설 [명] 인터넷을 통해 연재하는 소설. 황당무계한 전개와 가벼운 표현이 특징인 10대 대상의 연애물을 지칭하는 것으로 알려졌으나, 현재는 인터넷이라는 매체를 활용해 창작 · 발표되는 소설 전반을 가리키며 장르와 연령의 폭이 매우 넓어졌다. 2013년에는 '네이버 웹소설'과 같은 플랫폼이 만들어져 신인 작가들의 지속적인 유입을 유도하고 있으며, 기성 작가들이 인터넷으로 신작을 발표하는 경우도 생겨났다. '인소'로 줄여 부르기도 하며 '웹소설'이라고도 한다.

일게이 [명] 일베 게시판 이용자. 인터넷 커뮤니티 '일간베스트 저장소', 속칭 '일베' 사용자들이 서로를 가리키는 표현이다. 한편 온라인 게시판에만 머무는 것이 아니라 오프라인으로 나와 행동하는 일게이를 '행게이'라고 한다.

일도이부삼빽 [관] 一逃二否三back (일도이부삼백). 검찰이나 경찰에 적발된 피의자들 사이에서 쓰이는 은어. 범죄행위가 걸리면 일단 도망가는 게 제일 좋고, 두 번째로는 잡히면 무조건 부인하며, 세 번째로는 유력한 배경(back)을 활용하라는 뜻. 이도 저도 안 되면 좋은 변호사를 쓰라는 말을 추가해 '일도이부삼빽사변'이라 하기도 한다.

일드 [명] 일본 드라마. 한국 드라마에서는 자주 볼 수 없는 소재가 많아서 꽤 오래전부터 마니아층이 형성되었다. 소설 혹은 만화를 원작으로 한 작품이 많은 것이 특징.

일러레 [명] 일러스트레이터(illustrator). ¶ 선생: 장래 희망은? 학생:

게임 일러레요.

일못 [명] 일 못하는 사람. 조직에서 '일못'은 비난을 받기 쉽고 정리 해고를 할 때 1순위로 꼽히는 대상이지만, 성공을 향한 경쟁에서 자발적으로 이탈한 자율적인 존재로 보는 시각도 있다. 반대말은 '일잘'(일 잘하는 사람). ¶ 결국 세상을 바꾸는 것은 일못이다.

일밍아웃 [명] 일베+커밍아웃(coming-out). 자신이 여러 사회적 문제를 일으킨 인터넷 커뮤니티 '일간베스트 저장소'(일베)에서 활동한다는 것을 주변 사람들에게 밝히는 행위. 혹은 다른 사람에 의해 그러한 사실이 알려지는 것.

일반 [명] 一般. '이성애자'를 가리키는 성 소수자 사이의 은어. 이성애자를 뜻하는 영어에서 온 헤테로(heterosexual), 스트레이트(straight)와 같은 말이다. 게이(gay), 레즈비언(lesbian), 바이섹슈얼(bisexual), 트랜스젠더(transgender; transsexual) 등 성 소수자를 통칭하는 용어인 '이반'(異般, 二般)에 대응하는 표현.

일베 [명] 인터넷 커뮤니티 '일간베스트 저장소'를 줄인 말. 2010년경 디시인사이드 사용자들이 갈라져 나와 독립한 커뮤니티로, 유머 사이트로 시작했으나 현재는 정치 · 사회적으로 극우 성향을 띠며 지역감정, 여성 혐오 등을 거침없이 드러내는 곳으로 유명하다.

일베충 [명] 일베+충(蟲). 인터넷 커뮤니티 '일간베스트 저장소'(일베)에서 활동하며 여성 및 소수자 혐오, 호남(湖南) 혐오 등의 정서를 공유하는 사람을 벌레에 빗대어 멸시하는 말.

일빠 [명] 일본+빠. 일본 문화에 심취해 그것에 빠져 사는 사람. 일본 연예인이나 음악, 드라마, 애니메이션, 만화 등에 과도하게 몰입하는 유형이다. 맹목적 일본 추종자로 보는 부정적 시각이 상당하다.

일생가? [관] '일상생활 가능하세요?'를 줄인 말. 평범한 사물 혹은 이미지를 보고도 야한 상상을 하는 사람을 책망하는 표현이다. 흔히 "음란마귀가 씌었다"라고도 말한다.

일잘 [명] 일 잘하는 사람. '일못'(일 못하는 사람)의 반대말이다.

일진 [명] 중고등학생들 사이에서 집단을 이뤄 탈선하거나 학생들 위에 군림하는 학생 무리. 교내 최상위 계급이며 학원 폭력의 가해자일 때가 많다. 1997년 학내 폭력 서클의 일원이 다른 학교 학생을 때려 숨지게 한, 소위 일진회 사건 이후 갖가지 유형의 학생 범죄와 탈선의 장본인으로 언급된다. 최근에는 그 의미가 확장되어 학교 안에서 월등하게 잘생기거나 기타 영향력이 큰 학생을 지칭할 때도 일진이라고 한다.

일코 ㊅ 일반인 코스프레. 여기서 '코스프레'는 만화나 게임의 주인공, 스타로 분장하여 흉내 내는 놀이 행위인 코스튬플레이(costume play)를 말한다. 일코는 만화, 애니메이션, 게임과 같은 각종 서브컬처에 열광하는 '오타쿠'나 '후조시'(남성 동성애물을 애호하는 여성 마니아층) 등이 자신의 '신분'을 드러내지 않고 일반인인 척하는 일련의 행위를 총칭한다. 그들의 언어로 말하자면 일코는 머글(오타쿠, 후조시, 아이돌 팬덤 등의 문화에 대해 전혀 알지 못하는 일반인을 일컫는 말)인 것처럼 가장하는 행위다. 이처럼 일코를 하는 이유는 자신의 취향이 알려졌을 때 가해질 수 있는 사회적 낙인이나 따돌림을 우려하기 때문이다. ¶ 일코인 듯 일코 아닌 일코 같은 프사(프로필 사진), 뭐가

있을까?

일코해제 ㊅ '일반인 코스프레'를 '해제'하는 것. 만화, 애니메이션, 게임과 같은 각종 서브컬처에 열광하는 '오타쿠'나 '후조시'(남성 동성애물을 애호하는 여성 마니아층) 등이 자기 관심사를 숨기는 일코(일반인 코스프레) 행위를 중지하는 것을 말한다. 주로 같은 취향의 사람을 만났을 때 흥분하거나 긴장이 풀려서 오타쿠나 후조시 혹은 아이돌 팬의 자의식(말투, 지식, 취향)이 드러나는 경우다. 실수가 아니라 의도적으로 당당하게 일코해제를 하는 경우도 있다. 비슷한 말에는 '덕밍아웃'(덕후+커밍아웃)이 있다.

일크리 ㊅ 일+크리. 갖가지 업무가 동시에 쏟아지는 것. ¶ 다시 찾아온 월요일, 제대로 일크리 터졌음.

일타강사 ㊅ 일등 스타 강사. '1타강사'라고도 쓴다. 학원가에서 통용되는 용어로 수능이나 공무원 시험, 각종 자격증 취득 시험 등 각 분야 및 과목마다 일타강사로 불리는 학원 교사들이 있다. ¶ 일타강사와 수능 만점자가 알려 주는 진짜 공부법!

일태기 ㊅ 일+권태기. 일(업무)에

대해 느끼는 지루함과 무력감을 '권태기'에 빗대 표현한 말.

일틱 형 '일반틱'을 줄인 말로, 성소수자 사이의 은어. 여기서 일반틱은 '일반'(一般)에 형용사를 만드는 영어 접미사 '—tic'(—틱)이 붙은 것으로, 외모와 분위기가 일반(이성애자) 같아 보이는 게이를 말한다.

일해라절해라 관 '이래라 저래라'의 철자를 얼토당토않게 알고 있는 사람이 인터넷상에서 목격되자 당시의 충격을 전하기 위해 일부러 따라 쓰는 표현. #맞춤법파괴

읽씹 관 읽고 씹기. 카카오톡 등의 메신저에서 상대방의 메시지를 수신하고 읽었다는 사실이 드러나는데도 그에 답하지 않는 일. 경우에 따라 상대를 무시한다는 뉘앙스를 전달한다. ¶ 좋아하는 사람이면 절대 읽씹 안 함.

임고생 명 (교원) 임용 고시생.

입구멤버 명 특정 그룹을 좋아하는 계기가 된 멤버. 처음에는 입구멤버가 곧 최애 멤버(가장 좋아하는 멤버)인 경우가 대부분이지만, 시간이 지나면 다른 멤버를 가장 좋아하게 되는 경우도 많다.

입닥처말포이 관 입 닥쳐, 말포이. 소설 〈해리포터〉 시리즈에서 주인공 해리가 사사건건 자신에게 시비를 거는 말포이에게 하는 말. 해리뿐 아니라 주변 인물들 사이에서 해당 발언의 횟수가 무척 많은 것을 지적한 짤방(이미지 파일)이 퍼지면서 널리 유행하게 되었다. 쓸데없이 말이 많거나 비딱한 사람에게 면박을 줄 때 장난스럽게 이 표현을 쓴다. 역시 주요 인물인 론이 이따금 흥분할 때마다 주변 인물들이 하는 대사 "진정해, 론"과 함께 사용되기도 한다.

입덕 명 입(入)+덕후. 특정 분야에 새롭게 발을 들여 오덕후(특정 분야에 열정적으로 관심과 애정을 쏟는 사람)로 나아가는 것. 그 계기는 매우 다양하나 대부분 갑작스럽고 우연하다. 그리하여 '덕통사고'(교통사고를 당하는 것처럼 특정 대상에 우연히 치여 덕후가 되는 것)라는 말이 생겨났다.

입뺀 명 입구 뺀찌. 매장 입구(入口)에서 입장을 거절당하는 것. 혹은 그런 상황. 이때 '뺀찌'(펜치, pincers)는 '거절'을 속되게 이르는 말이다. 술과 함께 춤을 즐기는 클럽에 입장할 때 이른바 가드(guard)라는 직원이 클럽 입구에서 몇 가

입뺀

지 기준을 들어 특정 고객의 입장을 불허하는 것을 말한다. 입뺀의 주요 기준은 연령(예: 젊은 층이 다니는 클럽에 입장하려는 중년), 옷차림(예: 정장 혹은 운동복, 등산복 등) 외에 용모 등이다. 클럽 말고도 고급 식당이나 연회장 등 격식을 따지는 곳에서 이런 식의 규제를 두는 경우가 있다. 입구컷(cut)라고도 한다.

입진보 명 입으로만 진보적인 사고와 이념을 떠들기 좋아할 뿐 실제 생활은 그와 동떨어진 사람을 비꼬는 말.

입털다 동 말하다. 마치 이불을 탈탈 터는 것처럼 말을 재잘거리는 것으로 어느 정도는 비속어의 뉘앙스를 갖는다. 신중하거나 침착하기보다는 함부로 무책임하게 말하는 것, 상대를 유혹하려고 아무 말이나 하는 것 따위를 이를 때가 많다.

입툭튀 관 '입이 툭 튀어나온 것'을 줄인 말. 갑자기 툭 튀어나온 것 또는 그런 사람이라는 뜻의 '갑툭튀'를 변형한 말로, 성형 정보 공유 커뮤니티 등지에서 돌출된 입을 지칭할 때 쓰인다.

잇님 명 이웃님. 같은 블로그 서비

스를 사용하는 사람을 '이웃'이라고 칭하면서 생긴 말인데, '유행을 주도하는'이라는 뜻의 '잇(it)'님으로 오해되는 경향이 있다.

있어빌리티 몡 있어 보인다+어빌리티(ability; 능력). 있어 보이게 하는 능력. SNS를 통해 누구나 자신의 생활을 전시할 수 있게 되면서, 실상과는 무관하게 자신의 일상과 사고(思考)가 우월한 것처럼 연출하는 능력을 말한다. 인터넷 허세 문화의 맥락에서 언급되는 경우가 대부분이다. ¶ (아리랑TV 사장과 그 가족이 얽힌 호화 출장 논란과 관련해) "행복한 가족의 여행 사진 속 감춰진 1인치는 공적 자금 즉, 세금으로 운영되는 회사 돈을 마치 내 돈인 양 사용한 것이 아닌가 하는 즉, 어느 공직자의 있어빌리티. 또 그러한 사실을 누군가에게 자랑하고 싶었던 그 가족의 있어빌리티. 이 있어빌리티들이 빚어낸 씁쓸한 장면이라는 것이지요" — 종편방송 JTBC 〈뉴스룸〉에서 손석희의 앵커브리핑, 2016년 2월 1일

잉야 몡 '잉야잉야'를 줄인 말로 '성관계'를 뜻한다. 주로 만화, 애니메이션, 아이돌 등에 광적인 관심과 애정을 쏟는 '오덕후' 사이에서 생겨난 말. 자신이 좋아하는 장르의 캐릭터들이 서로 성관계를 할 때 이를 지칭한다.

잉여 몡 쓸모없거나 사회적으로 무가치하다고 여겨지는 청년 백수를 가리키는 말. 그러한 사람을 낮잡아 이르거나 자조하는 맥락에서 쓰인다. 그 의미가 확장되어 '그다지 중요해 보이지 않는 일에 시간을 많이 쓰는 사람'을 칭하기도 한다. 본래 잉여(剩餘)는 쓰고 난 후 남은 것, 즉 나머지라는 뜻.

잉여력 몡 일상을 쓸데없이 빈둥거리는 데 할애하는 능력이나 정도. 혹은 쓸모없어 보이지만 남들이 감탄할 만한 무언가를 하고 싶은 욕구, 또는 그러한 일을 수행하는 능력을 말하는데, 이는 주로 가용하는 시간에 비례한다. '정도가 매우 뛰어나 놀랄 만하다'라는 뜻의 비속어 '쩔다'와 결합하여 자주 쓰인다.

잉여짓 몡 보통 사람들이 시간을 죽일 뿐 쓸데없다고 여기는 일에 전력을 다하는 것. 이를 통해 뭇 잉여들에게 추앙받는 쓸고퀄(쓸데없이 고퀄리티)의 무엇이 탄생하곤 한다.

자

차게이 몡 자유 게시판 이용자. 카메라 및 사진 관련 커뮤니티 SLR클럽의 자유 게시판에 상주하는 사용자들이 서로를 칭하는 말. ¶ 자게이들아, 출첵(출석 체크)하자!

자들자들 뷔 김치남('김치녀'의 남성 버전)의 자지가 분에 못 이겨 부들부들 떨리는 모양을 가리키는 의태어. 억울하고 원통한 감정을 나타내는 남성의 모습을 비꼬는 말이다. 인터넷상의 여성 혐오 언어에 대항하여 여혐혐(여성 혐오를 혐오하는 것) 표현을 만들었던 디시인사이드의 메르스갤러리에서 유행한 말 중 하나.

자라니 몡 자전거+고라니. 도로에서 불쑥 튀어나오는 고라니를 자전거에 비유한 말. 자동차 운전자 입장에서 자전거 주행자를 비하하는 맥락에서 사용하는 말이다. 자동차 운전자에게 고라니가 공포의 대상인 것처럼 제멋대로인 자전거 주행자도 고라니와 다를 바 없다는 뜻. ¶ 자라니 중에 최악은 역시 역주행 자라니.

자라족 몡 독립할 나이가 되었음에도 부모에게 기대어 사는 젊은

자라니

이들. 등껍질 속으로 머리를 숨기는 자라처럼 부모라는 단단한 방어막 안에 숨어 버린다는 뜻이다. 이와 비슷하게 경제적 독립을 하지 못하는 젊은 세대를 가리키는 단어로 '캥거루족', '빨대족' 등이 있다.

자막테러 [명] 인터넷으로 유통되는 외국 드라마 · 영화의 자막이 제작자의 장난으로 엉망인 것을 말한다. 자막으로 유머를 시도하는 것에서부터 각종 패러디, 스포일러, 오역 등 그 유형은 가지가지다. 짜증을 불러일으키는 것들이 많으나, 너무 어처구니없이 웃긴 경우 캡처된 장면이 짤방(이미지 파일)으로 인기를 끌곤 한다.

자삭 [명] 자진 삭제. 자신의 게시물이 스스로를 불리하게 만들거나 의도와는 다르게 물의를 일으켰을 때 해당 글을 삭제하는 것을 말한다. 게시물의 문제성을 파악한 커뮤니티 운영진의 권유에 따라 행해지는 경우도 있다. 그러나 자삭을 하더라도 그 게시물을 캡처한 이미지가 떠돌며 놀림감이 되는 것까지 막을 수는 없다.

자살각 [명] 자살할 정도로 절망스러운 상황이라는 것을 장난스럽게 자조하는 말. 이때 '—각'은 접미사

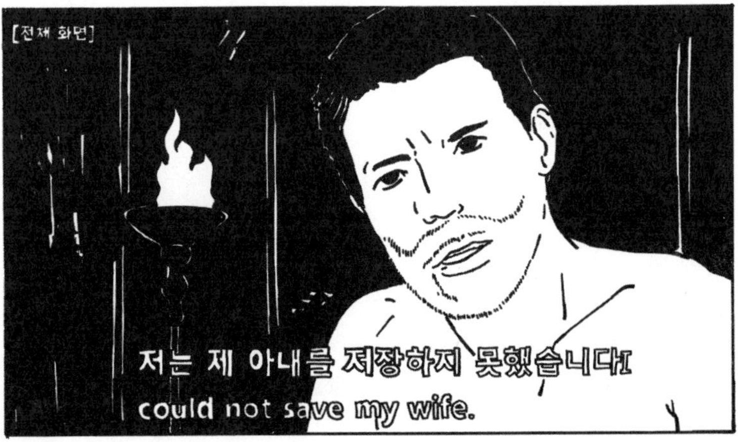

자막테러

로 '무언가가 일어날 것 같은 느낌' 이라는 뜻을 더한다.

자소설 [명] 자소서+소설. 취업을 목적으로 기업에 제출하는 자기소개서에 꾸며낸 내용이 너무 많이 포함되어 있다고 해서 나온 말. 기업이 원하는 인재상에 스스로를 맞추다 보니, 별것도 아닌 경험에 과도하게 의미를 부여하고 없는 능력까지 개발하게 되는 경우가 많다. 이렇게 완성된 자기소개서는 허구의 인물이 주인공인 소설과 다름없다.

자식배틀 [명] 자식+배틀(battle). 부모들끼리 만났을 때 서로 자기 자식을 자랑하면서 시간을 보내는 것. 상대의 말을 듣는 둥 마는 둥 흘려보내며 자기 말만 하는 것 같지만 하나도 빠짐없이 모두 기억하는 것이 자식배틀의 기본적인 구도다. 이를 통해 축적된 데이터로 만들어 낸 이상적인 '자식'들이 바로 '엄친아' 혹은 '엄친딸'이다.

자이리톨국 [명] 핀란드. '핀란드에서는 자기 전에 자일리톨 껌을 씹는다'는 모 제과 업체의 광고에서 유래했다. #나라

자지랄 [명] 자지+오지랖. 여성에게 다짜고짜 설명하고 가르치려 드는 남성의 태도를 비꼬는 말. 문화비평가 리베카 솔닛(Rebecca Solnit)의 저서《Men Explain Things to Me》(남자들은 자꾸 나를 가르치려 든다)를 통해 'mansplain'(맨스플레인)이라는 표현이 화제가 되었는데, 이를 의역한 것 중 하나다. 이 외에도 '오빠스플레인' 등이 제시되었다.

자진납세 [명] 남이 시켜서가 아니라 스스로 세금을 내는 것. 일상에서는 잘못이나 켕기는 일을 저질렀을 때, 남들이 알기 전에 털어놓고 선처를 구하는 것을 이를 때가 많다. ¶ 뇌물죄 압박 추궁에 증거 자진납세.

잘생쁨 [명] 잘생김+예쁨. 예쁘면서도 잘생긴 외모를 가리키는 말. 미모의 소유자이지만 중성적인 느낌이 있는 여성, 혹은 잘생겼지만 예쁘기도 한 남성을 말한다. ¶ 한 얼굴 두 가지 매력, 최고의 잘생쁨들을 소개합니다.

잘쓰압 [관] '잘 쓰이는 압력 밥솥'을 줄인 말. 기혼 여성 커뮤니티에서 생겨났다.

잘알 [관] '~를 잘 아는 사람'을 줄인 말. '~를 알지(도) 못하는 사람'을 줄인 '알못'의 반대말이다. 겜잘알(게임을 잘 아는 사람), 야잘알(야구

를 잘 아는 사람), 축잘알(축구를 잘 아는 사람) 하는 식으로 쓴다.

잡셰어링 명 job-sharing. 풀타임 일자리 하나를 쪼개 두 명의 근로자가 분할하여 일하는 정책. 본래는 노동시간을 단축해 일자리를 나누는 것을 의미하지만, 한국에서는 주로 임금 삭감을 통해 채용 인원을 늘리거나 일자리를 유지하는 방식으로 시행되고 있다.

잤잤 관 '잤네, 잤어'를 줄인 말. 어떤 커플에게서 그들이 이미 성관계를 가졌다는 단서를 발견했을 때 쓰는 말이었는데, 요즘에는 성관계 일반을 가리키는 말로 쓰이는 추세다.

장미단추 관 장거리 미녀, 단거리 추녀. 멀리서 보면 미녀이지만 가까이서 보면 추녀라는 뜻으로, 외모를 비하하는 말이다.

장미물 명 남성 간의 동성애를 소재로 한 만화나 애니메이션, 소설 등의 장르. 비슷한 말로 '야오이', 'BL'(Boys' Love) 등이 있다. 여성 간의 동성애를 소재로 한 작품은 '백합물'이라 부른다.

장미족 명 화려한 스펙을 자랑하지만 오랫동안 취업을 하지 못하고 있는 구직자들을 가리키는 말. 여기서 '장미'는 '장기간 미취업 졸업생'을 줄인 것이다.

장서갈등 명 장인 혹은 장모와 사위가 겪는 갈등. 즉 장인·장모와 사위 사이에 생기는 마찰이다. 전통적인 시어머니와 며느리 간 불화를 뜻하는 '고부(姑婦) 갈등'의 반대 버전 격으로 생긴 말.

장잉 명 장인(匠人)+잉여(剩餘). 오랫동안 심혈을 기울여 아무런 쓸모가 없을지라도 대단하고 비범한 어떤 것을 만들어 내는, 장인과도 같은 '잉여'(그다지 중요해 보이지 않는 일에 시간을 많이 쓰는 사람)를 가리킨다. 그와 같은 자세나 태도를 가리켜 '장잉정신'이라 부른다.

장작 명 이야깃거리. 커뮤니티 게시판 등지에서 특정 이슈로 불이 붙은 논쟁을 지속하기 위해 공급하는 화제를 말한다. 그러한 행위를 가리켜 "장작 땐다"라고 한다.

재능기부 명 자발적으로 일을 해 주는 것. 말 그대로 자신의 재능을 어딘가에 기부하는 것이다. 이때 재능을 기부하는 대가는 없거나 아주 적은 수준이다. 노동력이 돈으로 교환되는 것이 당연한 자본주의 사회에서, 무보수임에도 불구하고 누군가의 능력이 공동체에 이바지하는 데 쓰인다는 점에서 재능기부가 가치 있는 사회참여 활동이라는 데에는 이론이 있을 수 없다. 다만, 일부 사회단체가 '좋은 일에 쓰인다'는 명분으로 무보수를 당연시하는 문화를 은연중에 드러내 구직자, 비정규직을 비롯한 젊은 층의 분노를 사는 경우가 간혹 있다.

잭디 [명] 게이 채팅 애플리케이션 Jack'd를 가리킨다.

잼 [명] '재미'를 줄여 부르는 말. 보통 '존', '꿀', '핵' 등 정도를 강조하는 말과 결합하여 쓰인다. 존잼, 꿀잼, 핵잼은 모두 '매우 재미있다'는 뜻으로 거의 비슷한 말이나 어감이 조금씩 다르다. 단순히 재미가 있다는 의미를 드러내기 위해 '유잼', '예스잼'이라는 표현을 쓰기도 한다.

잼벅지 [명] 잼(jam)+허벅지. 잼을 바른 것처럼 매끈하고 탄력 있는 허벅지를 뜻한다.

쟈철 [명] '지하철'의 준말. ¶ 런던 쟈철 생각난다, 'Mind the gap'(승강장과 열차 사이의 틈을 조심하세요).

저격하다 [동] ① 특정 개인 혹은 무리를 커뮤니티 게시판이나 SNS에서 직간접적으로 비판하거나 비난하는 행위. 대상에 대한 명확한 언급이 없을 때가 많아 종종 오해를 불러일으키곤 한다. ¶ 오늘 게시판에 저격하는 글 올립니다. ② (누군가의) 취향이나 선호를 적중시키다. '매혹하다'와 비슷한 의미로 쓰인다. ¶ 너의 쇼핑 센스가 내 취향을 저격하는구나.

저질스펙 [명] 다른 구직자보다 질이 많이 떨어지는 스펙임을 자조하는 말. 여기서 스펙(spec)이란 학력, 학점, 외국어 시험 점수 등 구직자의 업무 수행 능력을 평가하기 위한 명목상의 지표를 말한다. 지방대 출신에 변변치 못한 학점 및 토익 점수, 외국어 능력 부족인 경우 한국 사회에서는 저질스펙이라 할 만하다. 취업난이 심각할수록 대부분의 구직자는 자신의 스펙이 저질이라 여기는데 저질스펙 취업 성공기, 저질스펙 탈출법 등을 다룬 책이나 강연이 인기를 끄는 데는 이유가 있다. '시궁창스펙'이라고도 하며, 반대말은 '슈퍼스펙'(초호화스펙), '넘사벽스펙'이다. ¶ 자소서(자기소개서) 하나로 저질스펙 극복하는 법.

전남친 [명] 전에 사귀었던 남자 친구. '구남친'이라고 부르기도 한다.

전차스

전설의레전드 관 전설이자 레전드 (legend)이고, 레전드이자 전설에 등극한 어떤 것을 가리킨다. 동일한 의미의 한국어 단어와 영어 단어를 중첩해 '병맛'(이상하지만 거부할 수 없는 매력)을 배가시키는 인터넷 신조어의 일종. '레전설'이라고 부르기도 한다.

전업맘 명 전업주부+엄마. 다른 직업에 종사하지 않고 집안일을 하는 엄마를 가리킨다. '워킹맘' 혹은 '직장맘'과 구별하기 위한 용어.

전여친 명 전에 사귀었던 여자 친구. '구여친'이라고 부르기도 한다.

전자계집 명 가상의 여자 친구. 보컬로이드(Vocaloid; 가상으로 음성을 합성해 구현하는 프로그램) 혹은 컴퓨터상에만 존재하는 2D 여성 캐릭터를 부르는 말. '계집'('여자'를 낮잡아 이르는 말)이라는 단어 때문에 간혹 논란의 대상이 되기도 한다.

전쪽 명 전체 쪽지. 메신저 프로그램이나 온라인 커뮤니티에서 다수의 친구 혹은 회원에게 동시에 같은 내용의 쪽지(메시지)를 보내는 것. 보통 광고나 공지를 목적으로 쓰인다.

전차스 명 전자파 차단 스티커. 휴대전화기 등에 붙이는 용도로 제작되는데, 주로 아이돌 팬덤 안에서 만들어지고 유통된다. 전자파 차단 성능은 거의 없다고 봐도 무방하다. ¶ 누가 전차스를 기능으로 사나, 덕질로 사지.

전천 명 '전천후'(어떠한 기상 조건에도 제 기능을 다할 수 있음)를 줄인 말. 레즈비언 커뮤니티에서 쓰이는 말로 부치(butch; 레즈비언 커플 중 남성 역할을 하는 사람)와 펨(femme; 레즈비언 커플 중 여성 역할을 하는 사람) 역할을 두루 수행할 수 있는 레즈비언을 가리킨다.

절다 동 랩(rap)을 할 때 가사를 잊거나 박자를 놓쳐 가사를 제대로 읊지 못하는 것. 가사를 버벅거리는 것이 다리는 저는 모습과 그 양태가 유사한 데서 연유한 표현이다. 비트에 맞춰 빠른 속도로 랩 가사를 전달하기 위해서는 가사를 완벽하게 외우는 것은 기본이고 정확한 발음, 혀 꼬임 및 호흡 문제 따위를 제대로 통제해야 한다. 따라서 가사를 '저는' 것은 프로페셔널 래퍼에겐 있을 수 없는 일로 여겨진다.

점저 명 점심 겸 저녁. 보통 오후 4~5시에 먹는 식사를 뜻한다. 영어로는 dinch(dinner+lunch; 딘치)라고 부른다.

점핑충 명 점핑+충. 온라인 게임에서 '점핑'을 통해 만들어 낸 캐릭터로 플레이를 하는 사용자를 가리킨다. 점핑이란 오랫동안 게임을 한 고득점 사용자와 신규 사용자 간의 격차를 줄이기 위해 한 번에 높은 레벨에 도달할 수 있는 기회를 주는 이벤트다.

접대묘 명 낯을 가리지 않고 사람을 반갑게 대하는 고양이. 살갑게 먼저 다가와 몸을 비비는 등 애교가 많은 고양이다.

정신승리 명 실제로는 패배했음에도 따져 보면 자신이 승리한 것과 마찬가지라고 최면을 걸면서 스스로의 내면을 쓰다듬는 행위. 중국의 문학가이자 사상가인 루쉰의 유명 작품《아Q정전》의 주인공 아Q에게서 유래한 것으로 추정된다. 이 소설에서 아Q는 일상의 치욕을 '정신 승리법'이란 심리 기제를 통해 승리로 둔갑시킨다.

정전 명 인터넷 커뮤니티 사이트 디시인사이드에서 새 게시물이 올라오지 않는 상황. 혹은 사용자들의 활동이 미미한 갤러리(게시판)를 가리키는 말. 정전 중인 갤러리에 활력을 불러일으킬 만한 화제를 던지는 행위를 '발전'이라 부른다.

정주행 명 연재 혹은 방영을 시작한 지 오래되어 분량이 많이 쌓인 웹툰이나 드라마 따위를 첫 화부터 끝까지 한꺼번에 몰아 보는 것을 뜻한다. 방 안에서 홀로 연휴를 보내는 가장 좋은 방법. 인터넷 게시글이나 댓글을 시간순으로 맨 처음 것부터 읽는 것을 말하기도 한다. 반대로 연재물을 최신 화부터 감상하거나 게시물이나 댓글을 역순으로 읽어 나가는 것을 '역주행'이라 한다. ¶ 지금부터 〈왕좌의 게임〉 정주행을 시작하겠다.

정줄 ⑱ 정신 줄. 한 사람의 제정신을 지탱하는 줄을 가리킨다. 보통 정줄은 연약하기 마련이므로 끊어지지 않게 잘 챙기고 보호해야 한다. ¶ 정줄 놓은 운전자, 기상천외한 민폐 주차.

정줄놓 ⑭ 정신 줄 놓다. 내적 해탈 혹은 외적 충격으로 인해 정신을 붙들고 있던 줄을 놓아 버리는 것을 말한다.

정ㅋ벅ㅋ ⑱ 무언가를 정복했다는 뜻이긴 하지만, 허탈하고 쓸쓸한 뉘앙스를 풍긴다. 인터넷 커뮤니티 디시인사이드에서 한 대학생이 혼자 놀이공원에서 낙타를 탄 사진을 올리며 "정ㅋ벅ㅋ"이라고 표현한 데서 유래했다.

제곧내 ⑭ 제목이 곧 내용. 게시판에서 제목만으로 하고 싶은 이야기를 다 했을 때 본문에 쓰는 말이다. 'ㅈㄱㄴ'라고 초성으로 줄여 쓰기도 한다.

제길슨 ㉧ '제길'을 별 이유 없이 변형한 말. ¶ 부러우면 지는 건데, 에이, 제길슨.

제목학원 ⑱ 제목 짓는 것을 가르친다고 알려진 가상의 학원. 특정한 이미지 속 상황을 기발한 시각으로 해석해 재치 넘치는 제목을 부여한 게시글에 대하여, 마치 제목학원을 수료한 것처럼 절묘한 제목을 붙인다고 해서 이런 말이 나왔다. 평범하고 별 볼 일 없는 사진도 이 과정을 거치면 '웃짤'(웃기는 사진)이 된다. 유사한 말로 인터넷 댓글 작성법을 훈련한다고 알려진 가상의 학원인 '댓글학원'이 있다.

젠젠무 ㉡ 젠젠(ぜんぜん; 전혀)+무(無). '전혀 없다'를 뜻한다. ¶ 현실감 젠젠무, 스스럼 젠젠무(전혀 스스럼없다), 연애 경험 젠젠무.

젭라 ㉦ '제발'의 오타. 한국어 키보드 사용자들이 자주 하는 실수 중 하나를 재미를 위해 일부러 사용한 것이다. #오타체

졌잘싸 ⑭ 졌지만 잘 싸웠다. 스포

츠 등 승패를 가르는 시합에서 비록 지기는 했지만 최선을 다해 후회 없는 경기를 한 경우에 이 표현을 쓴다. 이기고 지는 것 자체보다는 도전 과정을 중시하는 응원 문화가 투영된 말이다.

조건 몡 조건 만남. 인터넷 채팅을 통해 먼저 조건(매매가)을 합의한 뒤 만나서 성관계를 갖는 성매매의 일종. 이때 성 판매 여성 혹은 남성을 가리켜 '조건녀' 혹은 '조건남'이라는 표현을 쓴다.

조공 몡 ① 다른 사람에게 질문에 대한 답변을 얻거나 조언을 구하는 등 어떤 대가를 바라고 그 사람이 좋아할 만한 짤방(이미지 파일)을 바치는 것. '남초'(남자 회원이 주를 이루는 커뮤니티)에서는 노출이 있는 여성의 사진을 첨부하는 것을 의미한다. ② 자신이 좋아하는 연예인 혹은 아이돌에게 선물을 바치는 행위. 혹은 그들이 출연하는 프로그램의 다른 출연자들이나 스태프들에게 도시락 따위의 선물을 돌리는 것.

조낸 悝 '존나'의 다른 말. '정말', '진짜', '매우', '너무' 등의 뜻을 가진다. 활자로 보면 앙증맞아 보이지만 실제로 들으면 그렇지도 않다.

¶ 자꾸 까불면 조낸 맞는다.

조리돌리머 몡 페이스북이나 트위터 등 사회관계망 서비스(SNS)에서 멍청한 말을 한 누군가를 망신 주는 사람. 영어로는 shamer(셰이머)라고 한다. 공개적으로 창피를 주는 사람이다. ¶ 어제는 트친(트위터 친구), 오늘은 조리돌리머.

조리돌림 몡 페이스북이나 트위터 등 사회관계망 서비스(SNS)에서 비난받을 만한 짓을 한 사람을 여러 명이 조롱하는 것. 가령 트위터에서 멍청한 말을 한 사용자를 리트윗(다른 사용자의 글을 자신의 팔로워에게 공유하는 것)으로 널리 알리면서 잇따라 비난하고 욕하는 것을 말한다. 조리돌림의 파급력은 조리돌리머(조리돌림을 하는 사람)의 영향력과 촌철살인의 논평에 좌우된다. 파급력이 크고 회전이 빠른 해당 매체의 특성상 말 한마디 잘못했다가 바보 되는 것은 순식간이다.

존― 웹 '정말', '진짜', '매우', '너무' 등을 의미하는 부사 '존나'에서 유래한 접두사. 뒤에 붙는 말을 강조하는 기능을 한다. 존멋(존나 멋있다), 존잘(존나 잘생겼다), 존귀(존나 귀엽다) 등 다양한 파생어를 만들 수 있다.

존귀 ⓗ 존나 귀엽다. 매우 귀엽다는 뜻. 아주 귀여운 사람 혹은 사물을 가리키는 말이다. 대상을 매우 강조하는 접두사 '핵―'을 붙여 '핵존귀'라고 표현하기도 한다.

존맛 ⓗ 존나 맛있다. 매우 맛있다는 뜻. 맛이 아주 훌륭한 음식을 가리키는 말이다. 단, 이렇게 불리는 음식은 맵거나 짜고 자극적인 경우가 대부분이다.

존멋 ⓗ 존나 멋있다. 매우 멋있다는 뜻. 아주 멋있는 사람 혹은 그러한 사물을 가리키는 말이다.

존못 ⓗ 존나 못생겼다. 매우 못생겼다는 뜻. 아주 못생긴 사람 혹은 사물을 가리키는 말이다. 또는 어떤 행위를 너무 못하는 사람을 칭하는 말로도 쓰인다.

존버 ⓓ 존나 버티다. 원래는 '존나(매우) 버로우'(burrow; 게임 스타크래프트에서 땅을 파고 잠복하는 것)를 줄인 말이었으나, 그 의미가 다소 확장되었다. 존버에 대해 소설가 이외수는 다음과 같은 트윗을 작성한 적이 있다. "아직도 존버가 무슨 뜻이냐고 물으시는 분들이 많군요. 어린이가 물으시면, 어떤 어려움이 닥치더라도 존경받는 그날까지 버티라는 뜻이라고 대답해 드리고, 어른이 물으시면, 어떤 어려움이 닥치더라도 존나게 버티라는 뜻이라고 대답해 드리겠습니다." 주식 등의 분야에서는 자신이 투자한 종목의 주가가 하락하고 있을 경우 섣불리 매도하기보다 인내심을 가지고 기다릴 때 이 표현을 자주 쓴다. "지난번에 존버해서 기사회생한 거 기억나지?" 하는 식이다.

존예 ⓗ 존나 예쁘다. 매우 예쁘다는 뜻. 어떤 사람이나 사물이 굉장히 예쁘다는 말이다.

존예보스 ⓜ 존예(존나 예쁘다)+보스(boss). 매우 예쁜 사람 중에서도 가장 예쁜 사람. 즉, 존예 중 톱(top)이라는 뜻.

존잘 ⓜ ① 존나(매우) 잘 그리는 사람. 만화, 애니메이션, 게임, 아이돌 등의 하위문화에 천착하는 오타쿠나 후조시 커뮤니티에서 마음에 드는 연성물(기존 작품을 모티브로 하여 만들어 낸 만화, 소설 등의 2차 창작물)을 창작하는 사람을 숭앙하는 말. 흔히 높임의 뜻을 더하는 접미사 '―님'을 붙여 '존잘님'이라 부른다. '무언가를 아주 잘하는 사람'의 뜻으로 확장되어 쓰인다. ¶ 존잘님 뵙는데 아무렇게나 갈 수 있

나. ② 존나(매우) 잘생긴 사람. 탁월한 외모의 소유자를 가리킨다.

존잼 몡 존나(매우)+재미(재미있다). 재미가 있다는 뜻의 '유잼'보다 한층 더 '잼'(재미)이 있는 것을 가리키는 말.

존좋템 몡 존나(매우) 좋은 아이템. 품질이 아주 우수한 아이템을 뜻한다. 추천템(추천할 만한 아이템)과 비슷한 의미다. 존좋템은 아니지만 그럭저럭 쓸 만한 아이템은 '무난템'이라 한다.

존트 뷔 '정말', '진짜', '매우', '너무' 등을 뜻하는 말. '존나'(매우)의 유의어로, '존나'에 형용사·부사의 최상급을 만드는 영어 접미사인 —est의 '—t'가 붙은 표현으로 추측된다. ¶ 그 사람 존트 멋있어.

졸― 젭 '졸라'에서 유래한 접두사로, '정말', '진짜', '매우', '너무' 등을 뜻하는 부사 '존나'가 변형된 말. '졸―'은 뒤에 붙는 말을 강조하는 기능을 하며, 졸귀(졸라 귀엽다), 졸못(졸라 못생겼다), 졸빨(졸라 빠르다) 하는 식으로 사용한다.

졸귀 혱 졸라 귀엽다. 매우 귀엽다는 뜻. ¶ 지하철인데, 방금 옆에 졸귀 남자 앉았어.

졸못 혱 졸라 못생겼다. 매우 못생겼다는 뜻. ¶ 졸못인 거 알지만 얼평(얼굴 평가) 좀.

졸빨 혱 졸라 빠르다. 매우 빠르다는 뜻. 온라인 게임에서는 누구보다 빠르게 임무를 완수하거나 아이템을 획득하는 것을 가리키는 말로 쓰인다.

졸사 몡 졸업 사진. ¶ 졸사는 역시 의정부고.

졸예 혱 졸라 예쁘다. 매우 예쁘다는 뜻.

졸예보스 몡 졸예(졸라 예쁘다)+보스(boss). 매우 예쁜 사람 중에서도 가장 예쁜 사람. 즉, 졸예 중 톱(top)이라는 뜻. '존예보스'와 같은 말이나 사용 빈도가 다소 낮다.

졸예생 몡 졸업 예정인 학생.

졸준생 몡 졸업 준비생. '취준생'(취업 준비생)에 더해 대학 졸업마저 준비하거나 유예해야 하는 현실이 반영된 말이다.

졸피 혱 졸라 피곤하다. 몸이 너무

피곤할 때 쓰는 표현. 혹은 어떤 이유로 정신을 너무 피곤하게 만드는 게시물을 가리키는 말. ¶ 미안, 나 오늘 너무 졸피.

졸혼 몡 결혼을 졸업하는 것. 법적 혼인 관계는 유지하지만 각자 독립적인 삶을 추구하는 새로운 유형의 라이프스타일이다. 부부라는 틀 안에서 탈출해 자신의 이상을 추구한다는 점에서 이를 긍정적으로 보는 시각이 우세하다. ¶ 이혼 아닌 졸혼, 어떻게 생각하십니까?

종결자 몡 어떤 분야에서 남들보다 능력이 월등하게 뛰어나 절대적으로 우위에 있는 사람을 가리키는 말. 그 사람 하나면 모든 논란과 혼돈을 종결지을 수 있다는 뜻이다. '미모 종결자', '몸매 종결자', '동안(童顔) 종결자' 하는 식으로 쓴다. ¶ 나타나자마자 우와~ 기럭지 종결자 탄생!

종특 몡 종족의 특징. 어떤 국가나 민족, 특정 계층이 공유하는 특성을 일컫는다. 가령 흑인의 종특을 가리켜 타고난 운동신경과 탄력, 리듬감을 거론하는 식이다. '이탈리아 남자 종특', '한민족 종특', '김치맨 종특'이란 말이 암시하듯 종특과 관련한 것들은 편견을 조장하거나 차별로 이어지기 쉽다.

종파 몡 종강 파티. 대학생들이 종강을 기념하여 술을 마시고 노는 모임이다. 개강 파티로 시작된 한 학기의 마지막 수순.

좆망 몡 아주 심하게 망함. ¶ 지금 각성하지 않으면 2학기는 좆망할 게 뻔하다.

좆문가 몡 전문가인 척하지만 실상은 전혀 그렇지 않은 사람을 비하하는 말. 악플에 자주 등장하는 표현이기도 하다.

좆부심 몡 ① 쓸데없는 자부심. 남들은 별 관심도 없는 것을 애써 자랑하는 것. ② 자신의 성별이 남자라는 것이 벼슬인 줄 아는 정신 상태.

좋동 몡 좋은 동생. 호감을 갖고 만나는 상대인 '썸녀' 혹은 '썸남'에 대응하여 연애 대상이 아닌 연하의 남녀를 칭한다. 비슷한 말로 그저 사람인 친구를 가리키는 '여사친' 혹은 '남사친'이 있다.

좋튀 괜 SNS 페이스북에서 '좋아요' 버튼을 누르고 도망가는 행위. 특히 상대방과 친구 관계가 아닌데도 친구 신청은 하지 않고 '좋아요'

버튼만 누르는 것을 말한다.

좌상바 ⓟ 야구 용어로 '좌완 상대 바보'를 줄인 말. 좌완 투수만 상대했다 하면 바보가 된다는 뜻으로, 좌완 투수에게 유난히 약한 타자를 가리킨다.

좌표 ⓜ 인터넷 사이트의 주소(URL). 특히 특정한 정보를 포함하고 있는 게시물, 사진, 영상의 주소를 가리킨다. 그것을 알려 달라고 남들에게 부탁할 때 '좌표 좀 달라'고 말한다. ¶ 어디서 구입하셨는지, 실례지만 좌표 좀….

죄에소옹 ⓟ '죄송'의 음절 하나하나를 힘주어 발음한 형태로, 비꼬듯이 사과하는 말. 인터넷 공간에서 하는 수 없이 사과해야 할 때 쓰는 경우가 많지만 때로는 사과의 말을 가볍고 귀엽게 하려는 의도에서도 쓴다. ¶ 기분 나쁘셨어요? 아이고 죄에소옹합니다.

죠죠충 ⓜ 인터넷 게시글에서 말 끝마다 '―죠'를 쓰면서 상대를 가르치려는 이를 비하하는 말. 말도 안 되는 주장을 '그건 이런 뜻이죠', '설명하면 이런 말이죠' 하는 식의 표현으로 호도하려는 태도가 습관이 된 사람이다. 비록 '죠죠'거리더

라도 합리적인 의견 개진을 하는 사람의 경우 죠죠충이라 하지 않는다. 특히 여성들이 극혐(극도로 혐오)하는 남성 유형 중 하나.

―주의 ⓟ 인터넷 게시물을 클릭해 그 내용을 보기 전에 무언가에 대해 미리 경고하는 말. 게시글 제목에 'ㅇㅇ주의'라고 써 놓아 읽는 사람들로 하여금 심적 대비를 할 수 있도록 한다. 용례는 상당히 많은데 대표적인 것은 스압주의(게시물의 내용이 매우 길다는 것을 미리 알려 줌), 스포주의(영화 등의 줄거리나 결말이 언급되어 있다는 것을 미리 알려 줌), 빡침주의(매우 화나는 내용이 있다는 것을 미리 알려 줌), 혐오주의(혐오스러운 내용이 있다는 것을 미리 알려 줌), 엄빠주의(야한 내용이 있다는 것을 미리 알려 줌) 등이다.

주작 ⓜ 없는 사실을 꾸며 만드는 것. 스타크래프트 승부 조작 사건에 가담했던 프로 게이머 마재윤이 은퇴 후 인터넷 방송을 하면서 '조작'이란 단어를 금칙어로 정했는데, 그것을 피하기 위해 사용자들이 고안해 낸 단어가 '주작'이다. 이후 이 단어가 널리 퍼지면서 수많은 패러디가 만들어졌다. ¶ 주작이 레전드급~, 인소(인터넷 소설) 너무 많이

보신 듯ㅋㅋ

주장미 ⓟ 주요 장면 미리 보기. 본 방송을 시청하는 것보다 인터넷을 통해 TV 프로그램, 동영상을 즐겨 보는 세태를 반영한다. 스크롤 바를 내려 콘텐츠의 특정 부분을 먼저 볼 수 있다.

줄쓰큰 ⓟ 줄여 쓰면 큰일 남. '한국 남자'를 줄여 '한남' 혹은 '한남충'이라 하는 것이 (남성들로부터) 집중 공격의 대상이 되고 모욕죄로 법적 처분 대상이 된 2016년 중반 이후 등장한 표현이다. "정말 한국 남자(줄쓰큰)다우시네요" 하는 식으로 괄호 안에 넣어 쓰거나 "줄쓰큰 꼬라지 하고는"과 같이 '한국 남자 = 줄쓰큰'으로 치환하여 사용한다. 한국 남성의 부정적 측면을 거론할 때 욕하거나 놀리는 맥락에서 여성들이 사용하는 말이다.

줌마성형 ⓜ 아줌마+성형수술. 대략 40대 이상의 여성이 성형수술을 받는 것을 말한다.

줍 ⓐ 어떤 것을 길이나 인터넷상에서 거저 주웠다는 뜻을 더하는 접미사. 예를 들어 길 고양이를 데려오는 행위를 가리켜 '냥줍'이라고 하는 식이다.

줍줍 ⓟ '줍고 줍다'를 줄인 말. 땅에 떨어진 물건을 줍듯 우연한 기회에 무언가를 얻는 것을 뜻한다. 온라인 게임 등에서 아이템을 획득한다는 의미의 '득템'과 일맥상통한다.

중2병 ⓜ 중2+병(病). 중학교 2학년 무렵의 사춘기 청소년들이 보이는 불만스럽고 혼란한 정서를 폭넓게 이르는 말. 이 병을 앓는 이들은 자신에게는 특별한 무엇이 있다고 확신하며, 업보와 같은 불행과 고독을 괴로워하면서도 즐기고, 비장하고 기괴한 것을 추구하곤 한다. 일본 라디오 프로그램에서 처음 이목을 끌어 유행어가 되었다. 한국에서는 보다 흑화(黑化; 게임의 악마 캐릭터가 흔히 나타내는 사악한 감정)된 심리 상태를 가리키는 말로 쓰인다. 기본적으로는 농담조이며 우스꽝스러운 행동을 놀리는 의미를 갖는다. ¶ 옛날에 하던 블로그, 지금 보니까 중2병 돋아서 손발퇴갤할 지경.

중고딩나라 ⓜ 중고품 상거래 인터넷 커뮤니티인 '중고나라'를 비하하는 말. 카페 내에서 사기 및 구걸 행위를 일삼는 철없는 사람들이 많아 지어진 별명.

중고로운평화나라 ⓜ 중고품 상거

249

래 인터넷 커뮤니티인 '중고나라'의 별칭. 사용자 간 일대일 직거래 방식의 특성상 사기 행각이나 어처구니없는 요청이 빈번하게 벌어지는데, 판매자와 구매자 사이의 그러한 대화를 캡처한 짤(이미지 파일)이 큰 인기를 끌면서 해당 시리즈에 '평화로운 중고나라'라는 애칭이 붙었다. '중고로운 평화나라'는 그것이 변형된 표현으로, 오늘도 어김없이 우당탕 소동이 벌어지는 중고나라를 일컫는다.

중규직 몡 무기 계약직으로 정년은 보장받지만 정규직은 아닌 신분의 직장인을 일컫는 말. 비정규직과 정규직 사이의 어정쩡한 위치에 있다는 뜻이다. 정년이 보장되는 것 외에 임금 등 근로조건은 비정규직과 유사하다.

중도 몡 중앙 도서관. 흔히 대학 내 가장 규모가 큰 도서관을 가리킨다. 국립중앙도서관은 '국중도'라 한다.

즐 몡 본래 어떤 것을 '즐겨라'라는 뜻이었지만, 온라인 게임 등에서 이 말만 남기고 사라지거나 예의를 지키지 않는 행동을 일삼는 사람들이 많아져 '꺼져라'와 같은 반어적인 의미를 포함하게 되었다. 영어로 'KIN'으로 쓰기도 하는데, 이를 90도 돌려 세우면 한국어 '즐'처럼 보이는 것과 관련이 있다. ¶ 발컨 즐이고요, 매너겜 부탁.

즐감 관 즐겁게 감상하라. 주로 남들에게 보여 주고 싶은 동영상이나 자료 등을 공유하며 덧붙이는 말로 쓰인다. ¶ 남산타워에서 본 서울, 즐감!

증사 몡 증명사진. ¶ 모태 미남, 모태 미녀, 연예인 증사 모음.

죄남편 몡 '저희 남편'을 줄인 말. 기혼 여성 커뮤니티에서 주로 쓰인다.

지거국 몡 지역 거점 국립대학교. 각 지역을 대표하는 10개 종합대학교로 서울대학교, 강원대학교, 충북대학교, 충남대학교, 전북대학교, 전남대학교, 경북대학교, 부산대학교, 경상대학교, 제주대학교 등이다. ¶ "어떤 견해도 '지거국'이나 '지잡대'(지방의 잡스러운 대학)생으로 내려 보는 멸시를 안고 살아야 하는 이들의 관점에서 정책의 효용성을 말하지 않았다." — 〈한겨레21〉 919호, 2012년 7월 10일.

지공거사 몡 地空居士. 지하철을 공짜로 타는 사람이라는 뜻. 지하철을 무임으로 승차하는 65세 이상 노인을 이르는 말이다. 표준국어대사전에 의하면 원래 거사(居士)는 벼슬을 하지 않는 선비, 일 없이 놀고 지내는 사람을 뜻하는 말이다.

지공족 [명] 지하철을 공짜로 이용하는 사람들. 장애인, 국가유공자도 있으나 대부분은 65세 이상 노인이다.

지돈 [명] '최고'라는 뜻의 '지존'을 귀엽게 발음한 것. 본래 지존(至尊)은 군주 국가에서 나라를 다스리는 우두머리인 '임금'을 높여 이르는 말이다. ¶ 헤헷, 내가 지돈이다?

지름신 [명] 온라인 쇼핑계를 지배하는 가상의 신. 소비자에게 어떤 상품을 구매하고 싶은 강렬한 욕망을 불러일으키는 존재다. 예쁘거나, 값이 저렴하거나, 또는 판매 수량이 한정되어 있는 특정 물건을 보았을 때 강림한다. ¶ 지름신 내려서 이번 달 월급도 바로 증발했다.

지리다 [형] 오줌을 지릴 정도로 놀랍고 감탄스럽다. 주로 너무 멋있는 사람, 혹은 어떤 능력이 굉장히 뛰어난 사람이 만들어 낸 결과물에 대한 찬사로 쓰인다.

지먹펑 [관] '지금 먹은 거, 펑!'을 줄인 말. 지금 맛있게 먹은 음식 사진을 커뮤니티 게시판, SNS 등에 올리는 행위를 말한다. 해당 음식을 먹고 싶은 사람에게 즉각적인 타격을 준다. 비슷한 말로 '위장이 꼴리는(흥분되는) 사진'을 줄인 말인 '위꼴사'가 있다.

지못미 [관] 지켜 주지 못해 미안해. 누군가가 어렵거나 난처한 상황에 처한 것을 뒤늦게 알았을 때 아쉬움과 미안함을 표현하는 것.

지여인 [명] 지방대학교, 여자, 인문대생. 취업 시장에서 가장 불리한 조건을 가진 부류다. "지여인은 전화기가 부럽다" 하는 식으로 쓴다. 여기서 '전화기'는 취업이 가장 잘 되는 학과인 전기전자과, 화학공학과, 기계공학과 전공자를 뜻한다.

지옥고 [명] '반지하', '옥탑방', '고시원'에서 한 글자씩 따온 말. 서민층이 겪는 힘겨운 주거 환경을 빗댄 말이다. 주로 청년 및 저소득 계층이 당면한 주거 환경을 묘사할 때 언론에서 이 말을 자주 쓴다.

지옥불반도 [명] '지옥불'과 '한반도'의 합성 조어. '지옥 같은 한국'이라는 뜻의 '헬조선'이 처한 현실

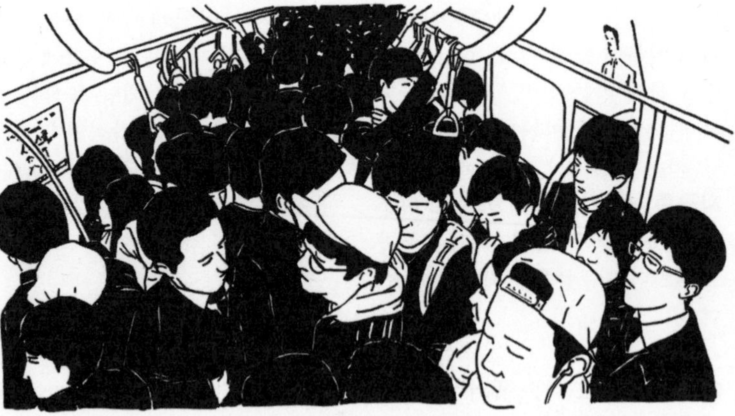

지옥철

을 온라인 게임 월드 오브 워크래프(WOW)의 게임 맵(map)에 빗댄 지도다. 한국의 암담한 현실을 이르는 헬조선이라는 단어가 2015년 언론의 주목을 받으면서 이 지도 또한 큰 화제를 불러일으켰다. 온라인상에서 만들어진 이 지도는 한국에서의 출생-교육-진학-취업-은퇴에 이르는 각 단계를 헬조선의 절망적인 현실로 은유한다. 가령, '출생의 문'(지옥문)을 열고 들어가면 기다리는 것은 '노예 전초지'로, 대다수를 패자로 만드는 경쟁적 주입식 교육을 받아야 한다. 학교를 떠나면 취업을 하거나 '백수의 웅덩이'에 빠져야 하고, 대기업 취업이 어려울 경우 공무원 시험을 보거나 자영업으로 내몰린다. 물론 이 또한 쉽지 않다. 이러한 잔혹한 경쟁과 각자도생의 대단원은 무료한 노인들이 모여 소일하는 공간 '탑골공원'일 뿐이라는 내용이 지도에 함축적으로 담겨 있다.

지옥철 [명] 사람들이 몰려 엄청나게 혼잡한 지하철을 '지옥'에 빗대어 부르는 말. 1980년대 후반 언론이 만든 말로 추정된다. ¶ 서울 지하철 9호선은 지옥철로 유명하죠.

지잡대 [명] '지방의 잡스러운 대학교'라는 뜻으로, 지방 소재 대학들을 싸잡아 낮추어 부르는 말. 소위 인서울(서울시 내에 소재한 대학교를 통칭)과 지거국(지방 거점 국립 대학교)을 제외한 모든 대학이 이에 해당한다.

지젼 [명] '최고'라는 뜻의 '지존'에서 변형된 말로, 그 정도가 매우 과하다는 뜻이다. 본래 지존(至尊)은 군주 국가에서 나라를 다스리는 우두머리인 '임금'을 높여 이르는 말이다. ¶ 이 책 지젼이다.

직구 [명] 직접 구매. 온라인 쇼핑의 한 형태로 중계인을 통하지 않고 해외 인터넷 쇼핑몰에서 직접 구매하는 것을 말한다. 같은 상품이라도 지역마다 시판 가격이 다른 데다, 할인 판매를 잘 노리면 관세와 배송비를 부담하더라도 국내에서보다 상당히 저렴하게 살 수 있어 몇 년 사이 널리 확산되었다. 국내에서 구할 수 없는 상품을 구매하기 위해 직구하는 비율도 상당하다.

직딩 [명] 직장인. 대학생을 '대딩', 고등학생을 '고딩', 중학생을 '중딩', 초등학생을 '초딩'이라 하는 것과 같다. ¶ 올겨울 여성 직딩을 위한 오피스룩 스타일링 대해부!

직링 [명] 직접 링크. 공연 티켓을 예매할 때 예매 단계를 몇 페이지 건너뛰어 접속할 수 있는 링크를 말한다. 동시 접속자가 엄청나게 몰리는 공연 예매에서는 사이트가 느려져 접속 자체가 어려울 때가 흔한데, 이때 직링을 통하면 접속이 상대적으로 쉬워 예매에 성공할 가능성이 커진다. 아이돌 팬 사이에서 쓰이는 말.

직진남 [명] 상대방에게 직설적으로 구애하는 유형의 남자. 에둘러 돌아가지 않고 직진하듯 상대에게 성큼다가가 "사귀자" 하고 말하는 식이다. 2016년 몇몇 로맨틱 코미디 계열의 TV 드라마에 등장한 남성 캐릭터의 유형으로, 혹자는 이것이 청년 실업과 저성장 시대에 덩달아 답답해질 수밖에 없는 연애 현실에서 시청자들의 판타지를 실현해 준다고 설명한다.

직찍 [명] 직접 찍은 사진 혹은 동영상. 일반인이 연예인을 목격하고 직접 찍은 사진을 가리키는 경우가 많지만, 어쨌건 직접 촬영한 모든 것을 지칭한다. 헤아릴 수 없이 많은 사진과 동영상이 넘쳐 나는 인터넷에서 직찍은 일단 희소성 측면에서 관심의 대상이 된다. ¶ 실물과 가장 가깝게 찍혔다는 방탄소년단 정국 직찍 모음.

직캠 [명] 직접 찍은 캠코더 영상. 주로 아이돌을 비롯한 연예인, 댄스

팀 등의 공연 실황을 직접 촬영한 영상을 말한다. 무대 위의 한 개인만을 집요하게 쫓아 프레임 안에 담는 카메라워크가 특징이다. 직캠 촬영을 위해 행사 현장을 전전하는 팬을 가리켜 '직캠러'라고 한다.

진공 [명] 眞公. 임용 고시 출신의 '진짜 공무원'이라는 뜻. 별공(비고시 출신의 별정직 공무원)과 구별하기 위한 말이다. 정권의 향배에 따라 임면이 결정되는 별공과 달리 진공은 한번 임용되면 별 탈이 없는 한 정년이 보장된다.

진리업체 [명] 고객을 상대로 터무니없이 비싼 가격을 받는 등의 사기를 치지 않는, 양심적인 휴대전화 대리점을 일컫는 말.

진상 [명] 꼴불견. 혹은 그런 행동을 하는 사람. 이 말의 정확한 유래에 대해서는 의견이 분분하나, 대체로 공공장소를 비롯한 식당, 상점 등지에서 억지를 부리거나 주변 사람들에게 무례하고 몰상식한 행동을 일삼는 경우에 사용한다. 피할 수 있으면 피하는 게 상책이지만, 고객으로 만날 경우 마냥 그럴 수도 없어 재앙이나 마찬가지다. 흔히 '떨다'와 결합하여 '민폐를 끼치다'의 뜻으로 쓰이기도 한다.

진지병자 [명] 매사에 진지한 사람을 그러한 병증을 가진 것처럼 비꼬아 부르는 말. 융통성이 없고 눈치도 없어 주변 사람들을 괴롭히는 경향이 있다. 그러나 '선비', '씹선비', '설명충', '진지충' 등의 단어가 그렇듯, 정당하고 합리적으로 자기 의사를 표현하는 사람을 매도하는 의미에서 쓰일 때도 있다.

진지충 [명] 매사에 과도하게 진지하여 재미를 떨어뜨리는 사람. '선비', '씹선비', '설명충', '진지병자' 등과 비슷한 말이다.

진차 [부] 진짜. '진짜'보다 조금 더 경쾌한 어감이 있다. ¶ 너 진차 이러기야?

질소과자 [명] 한국 과자류의 과대 포장 경향을 비꼬는 말. 충격 흡수 및 산화 방지 목적으로 과자 봉지에 질소를 주입하여 빵빵해 보일 뿐, 과자는 얼마 들어 있지 않다는 데서 유래했다. 질소를 보호하기 위해 과자를 넣었다거나, 질소를 샀더니 과자가 들어 있었다는 이야기가 유행했다. 2014년 9월에는 몇몇 대학생들이 제과업계의 과대 포장을 비판하며 과자 봉지로 뗏목을 만들어 한강을 건너는 일도 있었다.

짐승돌 [명] 거칠고 무뚝뚝함, 멋진 근육이 특징적인 아이돌. 2008년 데뷔한 6인조 남성 그룹 2PM을 지칭하는 말이기도 하다.

집부 [명] 대학교의 학생회 또는 학과 '집행부'를 줄여 부르는 말.

집사 [명] 고양이를 키우는 사람이 스스로를 칭하는 말. 어디까지나 주인은 고양이이고 자신은 그 옆에서 시중을 드는 존재라는 의미를 담고 있다. '냥집사'라고도 한다.

짜세 [명] '멋', '폼', '최고' 등의 뜻으로 청소년 사이에서 많이 쓰이는 말. '자세'에서 유래한 것으로 보인다. '간지'와 비슷한 말. ¶ 이 옷을 입어도 짜세가 안 나네.

짜응 [명] 일본어에서 자신보다 어리거나 친한 대상에게 붙이는 호칭인 ―ちゃん(한글 맞춤법 규정상으로는 '찬'이라 표기)이 건너와 '―짱'의 형태로 유행했는데, 이를 늘여서 좀 더 귀엽고 친근하게 말하는 것. '짜응', '쨩', '찡' 모두 같은 뜻이다. ¶ 아키나짜응은 쇼와 시대 최고의 아이돌이었제….

짜치다 [형] 볼품이 없거나 만족스럽지 못하다. 어떤 물건이나 사람이 시답지 못할 때, 처지가 궁색할 때 등 여러 상황에서 두루 쓰이는데, 가령 "이렇게 짜친 건 처음 본다", "그 선배 너무 짜친 것 같아", "그런 부탁을 어떻게 해, 짜치게" 하는 식이다. 1980년대 후반부터 광고업계 등 일부 업종에서 흔하게 쓰였다. ¶ 오우, 이건 기념비적으로 짜치구나, 우리 다 죽을까?

짠내나다 [형] 눈물이 날 정도로 짠하거나 슬프고 애처롭다. '안구에 습기 차다'를 뜻하는 '안습'과 비슷한 말.

짤 [명] 인터넷상에 올리는 이미지 파일을 이르는 말. '짤방'에서 유래한 말로, 짤방은 커뮤니티 사이트 디시인사이드에서 게시글에 관련 사진이 포함되지 않으면 글이 삭제되는 규칙 때문에 이를 방지하고자 글과 함께 올리던 사진을 의미한다. 그러나 이제는 그 뜻이 사라지고 이미지 일반을 가리키는 용어로 쓰인다. 여러 다른 단어와 결합해 수많은 용어를 만들 수 있는데, 가령 웃짤(웃긴 이미지), 움짤(움직이는 이미지), 남친짤(남자 친구 사진), 병맛짤(바보 같지만 매력 있는 이미지), 인생짤(인생에서 가장 잘 나온 사진), 무덤짤(굴욕적인 사진), 그 밖에도 카톡짤, 노출짤, 동물짤 등이다.

짤방 [명] 인터넷상의 이미지 파일을 말한다. '잘림 방지'의 줄임말로, 커뮤니티 사이트 디시인사이드에서 게시글에 관련 사진이 포함되지 않으면 글이 삭제되는 규칙 때문에 이를 방지하고자 글과 함께 올리던 사진을 의미한다. 보통 줄여서 '짤'이라고 부른다.

짤줍 [명] 짤+줍기. 인터넷 서핑을 할 때 관심 있는 짤(이미지 파일)을 자신의 컴퓨터에 저장하는 것을 말한다. 게시글을 인터넷에 올릴 때 시선을 사로잡을 수 있는 이미지를 곁들여 올리면 전달 효과를 극대화하는 데 유리하므로 다양한 짤을 평소에 확보해 두는 것이 중요한데, 이런 식으로 짤을 모으는 것을 짤줍이라 한다. "오늘 세 시간 동안 샤이니 짤줍했당", "짤 대방출합니다. 빨리들 짤줍해 가세요", "아무 생각 없이 검색하다가 뜻밖에 짤줍했어" 하는 식으로 쓴다. 한편, 짤을 많이 보유한 사람을 '짤부자', 보유한 짤이 거의 없는 사람을 '짤거지', 직접 짤을 만드는 이를 '짤작가'라 한다.

짤털 [명] 짤+털기. 자신이 소장한 모든 이미지를 한꺼번에 게시하는 행위. '짤털이'라고 부르기도 한다. 특정 분야의 이미지, 가령 자신이 좋아하는 연예인, 드라마의 비하인드 장면, 반려동물 등의 모습이 담긴 사진 전체를 어떤 계기로 컴퓨터를 탈탈 털어 대방출하는 것을 말한다. ¶ 기분 좋은 금요일, 짤털 나갑니다!

짧치 [명] '짧은 치마'를 줄인 말.

짬찌 [명] '짬밥 찌꺼기'를 줄인 말로 군대에서 '막내', '신병'을 일컬을 때 쓰인다. 소위 경력이나 연륜을 뜻하는 '짬밥'을 아직 조금밖에 먹지 못했다는 의미다.

짭 [명] '모조품', '가짜 상품'을 속되게 이르는 말. '진짜 상품'을 줄여 이르는 '찐'과 대비된다. ¶ 이 아디다스 저지, 짭이죠?

짭새 [명] '경찰'을 비하하는 말. 1980년대 초반 이후 널리 퍼진 말로 당시 민주화 운동을 폭력적으로 탄압하던 경찰 공권력에 대한 시민들의 원망과 비난의 감정이 서려 있는 말이다. ¶ "아들: 이 세상에서 가장 무서운 새가 뭐야? 엄마: 짭새." — 영화 〈조폭 마누라〉(2001년) 중에서.

짱깨 [명] '중국인', 혹은 '중국집 배달부'를 얕잡아 부르는 말.

짱꼴라 [명] '중국인'을 낮춰 부르는 말.

짱멋 ⟨형⟩ 짱 멋있다. 여기서 '짱'은 '매우', '가장'의 뜻을 지닌 부사다. ¶ 짱멋 개멋!

짱시룸 ⟨명⟩ '쌍 싫다'를 음슴체로 변형한 말. 여기서 '짱'은 '매우', '가장'의 뜻을 지닌 부사이며, 음슴체란 '―ㅁ', '―음', '―했음' 등으로 문장을 종결하는 문체를 말한다.

짱짱걸⟮맨⟯ ⟨명⟩ 최고로(짱짱) 멋진 사람을 일컫는 말. 보통 상대가 무언가를 사 줄 때 그 사람에게 쓴다.

짹충 ⟨명⟩ 소셜 네트워크 서비스 트위터(Twitter) 사용자를 낮잡아 부르는 말. 원래 twitter는 영어 동사로 (새가) '짹짹거리다', '지저귀다'라

는 뜻이다.

쩌리 ⟨명⟩ 여러 사람들이 모인 자리에서 섞이지 못하고 겉도는 사람. 혹은 존재감 없고 보잘것없는 사람. 부실하고 모자라 알맹이 없는 사람을 비유적으로 이르는 '쭉정이'와 비슷한 말이다. ¶ 쩌리처럼 말없이 구석에 찌그러져 있었다.

쩍벌남 ⟨명⟩ 대중교통을 비롯한 공공장소에서 양다리를 활짝 벌려 젖히고 앉는 남성. 옆 사람에게 물리적인 피해를 주는 것은 물론 보는 것만으로도 불쾌하게 만든다. 개저씨(무례한 한국 아저씨)의 기본기 중 하나로 회자되나, 실상 다리를 벌리는 습관은 허벅지 근육의 상태

쩍벌남

와 관련이 깊다고 한다. 2015년 12월 서울시는 '쩍벌' 방지 대책으로 일부 지하철 객차의 좌석 하단에 발의 위치를 안내하는 스티커를 부착하기도 했다.

쩐다 (형) ① 정도가 매우 뛰어나 놀랄 만하다. ¶ A: 매력 쩌네요. 사귑시다. B: 진상 쩌시네. ② 매우 좋지 않다. ¶ 오늘 미세먼지 완전 쩌네. 이렇게 '쩐다'는 두 가지 상충되는 뜻으로 쓰이는데, 대체로 일반적이지 않은 상황을 묘사하는 말로 사용되는 경향이 있다. '헐'이나 '대박'처럼 감탄사와 같은 역할도 하는데, 이 세 단어가 "헐 대박 쩐다"로 결합할 때도 있다.

쪼개다 (동) 보조개가 나타날 정도로, 혹은 입을 크게 양쪽으로 당겨 소리 없이 웃다.

쪼렙 (명) 특정 분야에 대한 지식이 일천한 것, 또는 능력이 부족한 것을 뜻하는 말. 온라인 게임 등에서 레벨이 낮은 사람을 의미하는 '저렙'을 깜찍한 느낌으로 바꾸어 부르는 말이다.

쪽팔리다 (동) 부끄럽고 창피하다. 이때 '쪽'은 얼굴이라는 뜻으로, '쪽팔리다'는 '자신의 부끄러운 행동을 많은 사람들이 알게 되다'라는 의미다. 1970년대부터 쓰였는데, 처음엔 비속어로 취급되었으나 이제는 남녀노소가 두루 쓰는 말이 되었다.

쫀티 (명) 쫄아 있는 티. 긴장하고 있다는 사실이 드러나는 것. '겁먹다', '기를 펴지 못하다'라는 뜻의 동사 '쫄다'가 변형된 '쫄다'에서 파생된 합성어다. 선배 알기를 어려워하지 않는 후배를 가리켜 "쟤는 쫀티가 없어" 하는 식으로 사용한다. 선후배 간 서열을 중시하는 연예계 은어.

찌통 (명) 가슴이 아픈 증상. "찌통 유발하는 이야기", "찌통주의" 등의 용례가 있다.

찍덕 (명) 사진 찍는 덕후. 주로 값비싼 고성능 카메라와 장비를 마련해 아이돌의 고화질 직쩍(일반인이 연예인 등을 직접 찍은 사진)을 얻는 데서 보람을 느끼는 팬을 일컫는다. 아이돌 팬덤에서 주로 쓰이는 말.

찍먹파 (명) 탕수육 등을 먹을 때 소스를 음식에 찍어서 먹는 사람들. 반대말은 소스를 음식에 부어서 먹는 사람들인 '부먹파'다. 왜인지 모르겠지만 이들은 부먹(부어 먹는 것)이 옳은지 찍먹(찍어 먹는 것)이 옳은지를 두고 심각하게 갈등한다.

찐 [명] 가짜가 아닌 진품을 이르는 말. 모조품을 뜻하는 '짭'의 반대말이다. ¶ 와~ 똑같이 생겼다, 뭐가 찐이지?

찐찌버거 [명] 찐따+찌질이+버러지+거지. 매우 비참한 신세를 이르는 말. '찐따'는 일본어로 절름발이를 뜻하는 ちんば(칭바)에서 유래했다고 추측되는데, 양다리 길이가 다른 소아마비 환자 또는 지뢰에 한쪽 발을 잃은 군인과 같이 '한쪽 다리가 부자유한 사람'을 의미한다. '찌질이'는 '보잘것없고 변변치 못하다'는 의미의 형용사 '지질하다'에서 파생된 말, '버러지'는 '벌레'와 같은 말이다.

찡 [명] 일본어에서 자신보다 어리거나 친한 대상에게 붙이는 호칭인 —ちゃん(한글 맞춤법 규정상으로는 '찬'이라 표기)이 건너와 '—짱'의 형태로 유행했는데, 이를 한 번 더 변형한 표현. '짜응', '쨔응'도 같은 뜻으로 사용된다.

찢청 [명] 찢어진 청바지. 일부러 흠집을 내거나 찢어서 특유의 멋을 낸 청바지로, 무질서나 반항과 같은 비주류 정서를 은유한다. 영어로는 destroyed jean(디스트로이드 진)이라고 한다. 찢청 중에서도 무릎 부분만 찢어진 것을 '무파진'(무릎이 파인 진), 엉덩이 부분이 찢어진 것을 '엉찢청'이라 구별해 부르기도 한다.

차

차단짤 명 특정 연예인의 굴욕적인 사진 혹은 특정 커뮤니티 회원들을 모욕하는 사진. 팬들은 자신이 좋아하는 연예인을 보호하기 위해 그가 못생겨 보이게 나오거나 실수하는 모습이 담긴 사진을 커뮤니티에 공개적으로 공유하지 말자고 암묵적으로 합의하곤 한다. 하지만 제삼자에게 차단짤은 그저 웃짤(웃기는 사진)일 뿐이다.

차도남[녀] 관 차가운 도시의 남자[여자]. 보통 까탈스러운 태도에 세련된 스타일을 갖춘 사람을 지칭한다.

차애 명 次愛. 두 번째로 사랑하는 대상. 첫 번째, 즉 최고로 사랑하는 대상은 '최애'라고 한다.

차애캐 명 차애(次愛)+캐릭터. '두 번째로 사랑하는 캐릭터'라는 뜻으로, 최고로 사랑하는 캐릭터인 '최애캐' 다음으로 좋아하는 캐릭터를 일컫는다. 주로 만화, 애니메이션 등의 특정 서브컬처 마니아들이 작중 인물에 대하여 쓰는 말.

착즙 명 연예인 등의 팬덤 용어로, 좋아하는 대상의 매력을 애써 찾아내는 행동을 가리킨다. 과일 등을 힘껏 눌러 즙을 짜내는 행위인 착즙(搾汁)처럼, 그냥 보면 잘 보이지 않는 장점을 쥐어짜 찾아낸다는 뜻. 그 결과는 대략 "그래도 웃을 땐 좀 멋있어", "얼굴은 평범하지만 뇌가 섹시해" 하는 식으로 나타난다. ¶ A: 저거 좀 봐, 보조개 너무 귀여워, 헉헉! B: (속으로) 오늘도 그놈의 착즙….

찰러리맨 명 차일드(child; 아이)+샐러리맨(salaried man; 직장인). 취업 후 직장 생활을 하고 있지만 마치 아이처럼 물심양면으로 부모에게 의존하는 부류를 이르는 말이다. 성인이 되어 경제활동을 하면서도 부모로부터 물질적·정서적으로 독립하지 못하는 이들이 늘어나면서 생겨난 용어.

찰벅지 명 탄탄하고 굵어 건강미가 있는 허벅지. 비슷한 말로 잼을 바른 것처럼 매끈한 허벅지를 뜻하는 '잼벅지'가 있다.

찰지구나 감 엉덩이를 손으로 후려쳤을 때 느껴지는 쫀쫀함에 감탄하는 말. 웹툰 작가 '엉덩국'이 블로그에 올린 만화 〈성정체성을 깨달은 아이〉의 대사에서 유래했다.

참새아빠 명 강남에 소형 오피스

텔을 얻어 자녀와 아내를 유학 보내고 뒷바라지를 하는 아빠. 자녀 교육을 위해 아이와 아내를 타지로 떠나보낸 '기러기아빠'의 한 유형이다.

참참못 ㉑ '참다 참다 못해'를 줄인 말. 마음속에 쌓기만 했던 어떤 사안에 대한 불만을 더 이상 참지 못하고 터트리는 행위. 분노의 대폭발을 의미한다. 주로 기이한 기술 따위를 펼쳐 보인다는 뜻의 '시전하다'와 결합하여 활용된다. ¶ 참참못 시전한 담임 심정이 이해된다.

참트루 ㉐ 참+트루(true). 사실을 뜻하는 '참'에 '진짜의'라는 의미의 영어 형용사 true의 발음을 결합한 것. 놀랄 만하나 진실로 여겨지는 사안을 가리킨다. 대개 그러한 사안의 사실 여부를 확인할 때 쓰이므로 의문형일 때가 많다. ¶ 원빈이랑 이나영이 부부라니, 참트루?

창렬 ㉐ ① 가격에 비해 부실하거나 과대 포장된 물건을 총칭하는 말. 가수 김창렬이 광고 모델로 나온 편의점 즉석식품이 가격 대비 양과 질이 형편없던 데서 유래했다. ¶ 실망이네, 이거 완전 창렬이잖아. ② 허울만 근사한 것. 뒤에 이어지는 단어에 따라 다양한 표현을 만들 수 있다. ¶ 창렬푸드, 창렬경제, 창렬인생.

처− ㉒ 뒤따르는 상황, 행동을 강조하기 위해 쓰는 접두어. "처드셈", "나는 그만 처잘게", "자꾸 그러면 처맞는다" 하는 식으로 쓴다.

처월드 ㉐ 처(妻)+월드(world). 아내의 본가, 즉 처갓집 세상을 일컫는 말. 장인, 장모, 처남, 처형 등 아내 가족의 커뮤니티를 가리킨다. 반대로 남편의 본가, 즉 시집의 가족 커뮤니티를 '시월드'(媤+world)라고 한다.

천조국 ㉐ 千兆國. 미국의 별칭으로, 미국의 국방 예산이 1,000조 원에 육박한다고 하여 붙은 이름이다. 실제 2018년 미국 국방 예산은 약 7,000억 달러로 800조 원이 채 되지 않지만, 이는 세계 국방비 순위 2~10위 국가들의 예산을 모두 합친 금액보다 많다. '하늘이 내린 왕조'(天朝國)라는 뜻에서 유래한 말이라는 해석도 있다. #나라

철덕 ㉐ 철도+덕후. 기차와 철도 문화에 탐닉하는 마니아를 말한다. 분류하자면 버스덕후, 항공덕후와 함께 교통덕후에 속한다. 관심 분야에 따라 여행(철도 여행), 모형(철도 모형 수집 혹은 제작), 사진(철도 사

철덕

진 촬영), 물품(승차권 등 철도 물품 수집) 등 여러 갈래로 분화되어 분포한다. 영미권에서는 Railfan(레일팬)이라고 부른다. 한편 '덕후'는 일본어 オタク(오타쿠)에서 온 표현으로 어떤 대상이나 분야에 탐닉하는 사람을 뜻한다.

철밥통 몡 해고당할 염려가 없는 일자리. 또는 그런 일자리를 가진 사람. 철로 만들어 깨지지 않는 밥그릇을 일자리에 비유한 말이며, 일반적으로 중도에 해고될 우려가 없는 공무원을 지칭하는 용어로 쓴다. 1980년대 중국에서 한번 들어가면 평생 보장되는 일자리를 鐵飯碗(톄판완; 철반완)이라고 부른 데서 연유한 것으로 알려져 있다. '쇠밥통'이라고도 한다. 반대로 언제든 해고되기 쉬워 고용 불안을 안고 살아가는 일자리, 혹은 그런 일자리를 가진 사람을 가리켜 '유리밥통'이라 한다.

철벽남〔녀〕 몡 자신에게 호감을 보이는 사람의 접근을 철저하게 차단하는 남자〔여자〕. 쇠로 된 것처럼 견고한 벽을 치고 있어 쉽게 다가가기 어렵다는 뜻이다.

철컹철컹 몡 미성년자에게 성적 매력을 느끼는 사람을 놀리는 말. 수

갑이 채워져 철컹거리는 소리로 정신을 차리게 하는 것이다. 아청법(아동·청소년의 성 보호에 관한 법률)에 걸릴 수 있음을 장난스럽게 경고하는 표현이다. 원래는 '크고 단단한 쇠붙이 따위가 자꾸 맞부딪쳐 울리는 소리'를 뜻하는 부사. ¶ A: 걔가 좋아졌는데, 고1이야. B: 철컹철컹, 이 미친놈아. ¶ 열여덟 살이랑 스무 살이 사귀어도 철컹철컹인가요?

청백전 ㉙ 청년 백수 전성시대. 날이 갈수록 높아지는 청년실업률을 반영한 것. 비슷한 말로 '이구백'(20대의 9할이 백수), '이태백'(20대 태반이 백수)이 있다.

청불 ㉙ 청소년 관람 불가. 영상물등급위원회가 부여하는 다섯 가지 등급 즉, 전체 관람가, 12세 이상 관람가, 15세 이상 관람가, 청소년 관람 불가, 제한 상영가(제한 관람가) 중 하나. 여기서 청소년이란 '고등학교에 재학 중인 자를 포함하여 만 18세 미만의 사람'을 가리킨다.

체육돌 ㉤ 〈아이돌 스타 육상 선수권대회〉(아육대), 〈출발 드림팀〉 등 TV 예능 프로그램에서 체육 경기가 벌어질 때 우수한 기량을 보이는 아이돌을 칭하는 말. 그중에서 육상이나 수영을 잘하는 아이돌은 각각 '육상돌', '수영돌'로 불린다.

쳄관 ㉤ 체육관. 기혼 여성 커뮤니티에서 주로 쓰인다.

초글링 ㉤ 초딩+저글링. PC방 등에 초등학생들이 떼 지어 몰려다니는 것을 가리키는 말. 그 모습이 게임 스타크래프트의 작고 재빠른 유닛인 저글링과 유사하다는 데서 생겨난 표현이다. PC방 아르바이트생이 많이 쓰는 말.

초딩만렙 ㉤ 초딩+만렙. 초딩(초등학생)으로서 만렙(최고 수준의 레벨)인 학생. 즉 초등학교 최고학년인 6학년 학생을 가리킨다. ¶ 지금은 초딩만렙, 내년엔 쪼렙 중딩.

초록검색창 ㉤ 포털 사이트 네이버의 애칭. 말 그대로 검색창이 초록색이기 때문에 붙은 이름이다.

초멘네 ㉙ 초면+고멘네(ごめんね; 미안하다). 한국어와 일본어를 결합한 말로 '초면에 죄송합니다'라는 뜻. 주로 SNS에서 다른 사용자에게 처음 말을 붙일 때 쓴다. 보다 정중하게는 '초멘나사이'(초면+ごめんなさい)라고도 한다. 이것으로 시작되는 말을 무시하거나 애

초에 차단해 버리는 사용자도 있어, 인사치레로 적절한지는 의문이다.

초식남 [명] 연애에 관심 없는 남자. 일본에서 이 단어가 만들어졌을 때는 '초식동물처럼 온순한 남자' 정도의 뜻이었으나, 미디어 등을 통해 연애에 욕구가 없는 남성으로 그 뜻이 변모해 굳어졌다. 한국에서도 '연애에 대한 욕구 없음' 혹은 '뚜렷한 자기애'에 방점을 두고 통용된다.

초월번역 [명] 애니메이션이나 영화에서 본래 맥락을 거스르고 자기 뜻대로 옮겨 놓은 번역. 어처구니없다는 뉘앙스가 담겨 있다. 단어나 표현이 상황에 너무나 적절하게 들어맞아 원문보다 더한 감동을 주는 번역을 가리키는 경우도 있다. 이때는 찬사의 의미다.

촘파 [명] 초음파 검사. 기혼 여성 커뮤니티에서 주로 쓰인다.

총공 [명] 총공격. 아이돌 팬 문화에서 쓰이는 말로 자신이 응원하는 아이돌을 지원하기 위해 총력전을 벌이는 것을 뜻한다. 가령 아이돌이 컴백할 때 음원 순위를 높이기 위해 각종 음원 사이트에서 스트리밍과 다운로드를 반복하고 실시간 검색어를 띄우는 한편, SNS에서 해시태그(#)를 퍼뜨리는 등 집단적·조직적으로 보이는 활동이 전형적인 총공이다.

총알 [명] 옷이나 물건을 구입할 때 지폐의 장수를 세는 말. 보통 1만 원권 한 장을 총알 한 개로 친다. ¶ 어라, 총알이 떨어졌네? ATM에서 장전하고 올게.

최애 [명] 最愛. 최고로 사랑하는 대상. '최애 아이템'(최고로 좋아하는 아이템), '최애 맥주'(최고로 좋아하는 맥주)처럼 쓸 수 있다.

최애캐 [명] 최애(最愛)+캐릭터. 최고로 사랑하는 캐릭터라는 뜻. 만화, 애니메이션, 영화, 게임 등의 작중인물 중 자신의 취향과 딱 맞아떨어져 가장 아끼는 캐릭터를 말한다. 마음속 보석처럼 비밀스럽게 품고 있는 경우가 많다. 최애캐 다음으로 좋아하는 캐릭터는 '차애캐'라고 부른다. ¶ 최애캐 말하기 할까?ㅎㅎ

최증캐 [명] 최고로 증오하는 캐릭터. 만화, 애니메이션, 영화, 게임 등의 작중인물 중 특히 싫어하는 최악의 캐릭터를 가리킨다. 최고로 사랑하는 캐릭터를 일컫는 '최애캐'의 반대말.

췩오 [명] 최고. 일부러 맞춤법에 어긋나게 써 뜻을 강조하는 표현이었으나, 습관처럼 굳어져 별 의미 없이 쓰는 경우가 많다.

쵸재깅 [명] 소셜 네트워크 서비스(SNS) Cyworld(싸이월드)를 키보드 한글 자판으로 입력한 것. 싸이월드의 별칭으로 불리기도 했다.

추리닝 [명] 운동할 때 입는 옷. 영어 training(트레이닝)에서 온 말이다. 몸을 움직이기 편하도록 신축성이 있고 통기성이 좋은 소재로 되어 있는데, 한국에서는 운동할 때뿐만 아니라 외출, 취침, 휴식 시에도 두루 입는 다용도 생활복으로 이용된다. 세계에서 가장 유명한 추리닝 중 하나는 영화 〈사망유희〉(死亡遊戲, Game of Death)에서 배우 이소룡이 입었던 노란색 바탕에 검은 줄이 있는 옷으로, 추리닝의 상징이라 할 수 있다.

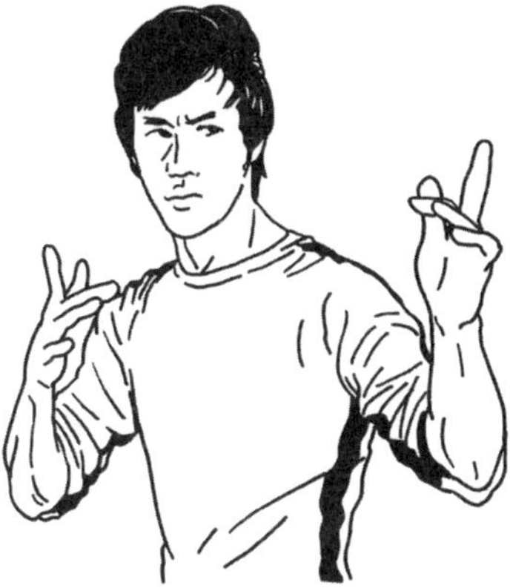

추리닝

추억팔이 [명] 향수를 자극해 관심을 유도하는 행위. 복고 열풍을 타고 각종 지난 시절의 일면을 추억하게 하거나 아름답게 포장한 프로그램이 중장년층의 인기를 끌자, 비슷한 형식이 우후죽순으로 생겨난 세태를 비꼬는 말이다. 음악 프로그램 〈콘서트 7080〉, 드라마 〈응답하라〉 시리즈 등이 보여 주듯, 지난날의 기억은 대체로 이제는 돌아갈 수 없는 순수했던 시간으로 미화되는 속성이 있다. 한편으로는 지금 여기의 현실을 과거의 창으로 투영해 봄으로써 현실을 환기하는 순기능도 있어 그 의도와 양상을 잘 살필 필요가 있다. 추억팔이는 재현 장르의 대표 주자인 영화나 드라마 등에서 두드러지는데, 이때 향수를 자극하는 기제는 그 시절의 공간, 음악, 물건, 복장, 말투 등 기억 저편에 감춰져 있는 시공간에 대한 감각이다.

추합 [명] 추가 합격. 대입이나 취업 등의 모집에서 최초로 합격한 사람의 수가 모집 정원에 미달했을 때 탈락자를 추가로 합격시키는 경우를 가리킨다.

축빠 [명] 축구+빠. 축구팬을 일컬으며 인터넷상에서 일반적으로 야빠(야구팬)와 앙숙이다.

출첵 [명] 출석 체크. 출석 여부를 확인하는 행위를 뜻한다.

출첵스터디 [명] 출첵(출석 체크)+스터디. 일정한 시간에 모이거나 사진 등의 인증을 통해 출석 여부를 확인한 뒤 각자 공부하는 모임. 함께 공부를 하는 분위기와 벌금 등의 제도로 강제성을 부여하여 효율적으로 공부하기 위한 의도라고 한다. ¶ 중도(중앙 도서관) 1층 아침 출첵스터디, 멤버 한 명 충원합니다.

—충 [접] —蟲. 어떤 사람을 벌레에 빗대어 이르는 접미사. 멸시의 의미를 담고 있으며, 간혹 자조의 맥락으로도 쓰인다. 2000년대 초 '뇌(생각) 없는 벌레'라는 뜻의 단어 '무뇌충'이 등장한 이후 특정 집단 혹은 성향의 사람에 '—충'을 붙여 부르면서 낙인찍는 경우가 늘어났는데, 그중 가장 대표적인 것이 극우 성향의 온라인 커뮤니티 일간베스트 저장소 이용자를 일컫는 '일베충'이다. 이 말에는 공동체 질서와 인간에 대한 예의에 아랑곳하지 않는 이 사이트 회원들에 대한 강력한 비난의 의미가 담겨 있다. 이처럼 특정 집단이나 계층을 비하하는 또 다른 예로 무임충(지하철을 상습적으로 무임승차하는 사람), 맘충(이런저런 행태로 주변인에게 민폐를 끼치는 엄마), 좌좀충(좌익 좀비; 좌파 성향의 사람), 우꼴충(우익 꼴통; 우파 성향의 사람), 담임충, 꼰대충 등이 있다. 이와는 약간 다른 결로 특정 성향의 사람을 '—충'이라 부르는 예로는 진지충(쓸데없이 진지한 사람), 페북충(자신의 시시콜콜한 일상을 맹렬하게 SNS에 올리는 사람), 토익충(토익 공부에 몰두하는 사람), 설명충(매사를 설명하고 가르치려 드는 사람), 셀카충 등을 들 수 있는데, 비난의 강도는 다소 약하다. 한편, 비난보다는 유희 혹은 농담으로 볼 수 있는 사례도 상당히 많다. 수시충(수시 전형으로 입학한 학생), 지균충(지역 균형 선발로 입학한 학생), 부먹충(탕수육 등을 먹을 때 소스를 음식에 부어서 먹는 사람), 찍먹충(탕수육 등을 먹을 때 소스를 음식에 찍어서 먹는 사람) 등이 그렇다.

충공깽 [관] '충격과 공포다, 그지(거지) 깽깽이들아!'를 줄인 말. 충격과 공포를 불러일으키는 대상을 공유할 때 쓴다. 미국 애니메이션

〈심슨〉(The Simpsons) 17시즌 8화 중 주인공 호머 심슨의 대사 "Shock and awe, losers!"(충격과 공포다, 패배자들아!)를 재치 있게 의역한 데서 유래했다.

취뽀 ⓟ 취업 뽀개기. 유명 취업 정보 커뮤니티의 이름으로, 취업에 성공하는 것을 의미하기도 한다. 취업 준비생의 최종 목표. ¶ 상반기 취뽀 성공!

취업성형 ⓜ 취업 면접에서 좋은 인상을 주어 합격에 도움이 되도록 콤플렉스가 있는 신체 부위를 성형하는 것. 얼굴(face)도 스펙(spec)이라는 뜻의 '페이스펙'이라는 말도 있듯, 취업이 힘겨운 한국 사회의 현실을 반영하는 말이다.

취존 ⓟ 취향 존중. "취향입니다, 존중해 주시죠"라는 말에서 유래했다. 타인의 취향이 자신의 취향과 다르거나 낯설어 부정적인 인상을 준다고 해도 이를 비난하지 말고 내버려 두라는 의미. 오덕후(만화, 애니메이션, 게임 등 특정 분야에 심취하여 관심과 애정을 열렬히 쏟는 사람) 사이에서 주로 쓰이던 용어였으나 사회 전반으로 확장되어 남의 취향에 간섭하지 말자는 뜻으로 쓰이게 되었다. 비슷한 말로 개

인의 취향을 존중해 달라는 의미의 '개취존'이 있다.

취좆 ⓟ 취향 좆질. 자신의 취향은 세련되고 고급스럽다며 뽐내면서 남의 취향은 무시하고 깔아뭉개는 행위. '취향 존중'을 줄인 말인 '취존'과 반대된다.

취준생 ⓜ 취업 준비생. 취업하기 어려운 시대에 취직에 성공하기 위해 스펙(spec)을 쌓으며 시간을 유예하는 청년을 가리킨다.

취집 ⓜ 취업+시집. 취업 대신 결혼하는 것, 즉 취업하지 않고 결혼하여 전업주부가 되는 것을 가리킨다. 한국에서는 주로 여성에게 해당하는 말로, 취업은 건너뛰고 결혼해서 집안일이나 하며 살고 싶다는 20~30대 여성들의 자조적인 표현으로도 쓰인다. 취업 시장 및 한국 사회에서 여성이 겪는 차별을 이해하지 못하는 일부 남성들은 취집을 일종의 자발적 선택지, 또는 자신은 가질 수 없는 최후의 수단쯤으로 여기는 경향이 있다.

취케팅 ⓜ 취소 표 티케팅. 즉, 예매가 취소된 티켓을 구입하는 것. 아이돌 팬 문화에서 쓰는 말로, 본예매에서 표를 구하지 못했거나 더 좋

은 좌석을 예매하고자 할 경우, 다른 예매자들이 취소한 표가 나오면 이를 재빨리 구매하는 행위다. 취케팅에 임할 때는 인내와 끈기가 요구되는데, 취소 표가 풀리는 시간이 티켓 판매 사이트마다 달라 이를 계속 주시해야 하기 때문이다.

취포생 [명] 취직하기 너무나 어려운 현실을 비관하여 취업을 포기한 사람과 다름없음을 자조하는 말. 취준생(취업을 준비하는 청년) 사이에서 흔히 쓰인다.

취향저격 [관] 자신의 취향에 딱 들어맞는 사람 혹은 사물을 접하게 된 순간의 감동을 표출하는 말. 서브컬처 신(scene)에서 유래했다. 영리한 문화 콘텐츠 생산자는 목표 소비자를 취향저격하는 요소를 제작 단계에서부터 염두에 두곤 한다. ¶ "너는 내 취향저격 내 취향저격 / 말하지 않아도 느낌이 와 / 머리부터 발끝까지 다" — iKON, '취향저격' 가사 중, 〈Welcome Back〉, 2015년 11월.

츤데레 [명] 일본어 ツンデレ(츤데레)와 같은 말로, 상대방을 좋아하지만 겉으로는 쌀쌀맞게 대하는 성격 또는 그러한 사람을 가리킨다. 일본 만화, 애니메이션, 게임 등에 자주 등장하는 여성 캐릭터에서 유래했다. 한국어로 번역하면 '새침데기' 정도라고 할 수 있다. '쿨데레'(겉으로는 차가워 보이고 과묵하지만 본심은 그렇지 않은 성격 또는 그런 사람), '얀데레'(어떤 대상에 광적으로 집착하며 그만큼의 애정을 돌려받으려 극단적인 행동을 하는 성격 또는 그런 사람) 등의 파생어를 낳았다.

츤츤거리다 [동] 상대방이 좋으면서도 내색하지 않기 위해 쌀쌀맞게 대하는 것. 여기서 '츤츤'은 '새침하고 퉁명스러운 모양'을 뜻하는 일본어 부사 つんつん(츤츤)에서 온 표현.

치느님 [명] 치킨+하느님. 치킨을 매

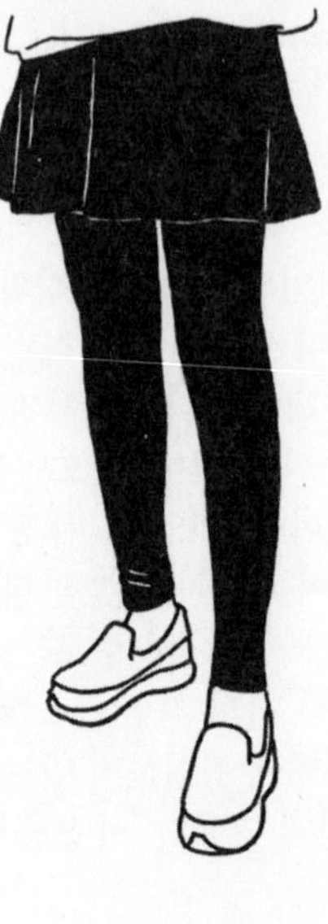

치렝스

우 좋아하는 사람들이 치킨을 높여 부르는 말. 그들은 치느님을 영접하기 위해 치기도문(치킨+주기도문)과 치도신경(치킨+사도신경)을 외운다고 한다.

치렝스 [명] 치마 레깅스. 치마와 레깅스가 일체형으로 되어 있는 하의로, 스타킹보다 두껍고 바지보다 신축성이 좋은 타이츠(tights)에 힙 라인을 가리기 위한 치마가 붙은 의류를 총칭한다. 여성들이 부담 없이 편하게 입는 하의의 대명사. '치깅스'라고도 한다.

치맥 [명] 치킨+맥주. 호프집에서 흔히 먹는 술과 안주의 조합. 치킨의 느끼함을 맥주가 중화해 주어 궁합이 좋다. 특히 국가 대표 축구팀의 경기가 TV에 중계되는 날이면 불티나게 팔리는 메뉴. ¶ "눈 오는 날엔 치맥인데." — SBS 드라마 〈별에서 온 그대〉(2013~2014년) 중에서 주인공 천송이의 대사.

치맥팟 [명] 치맥+파트너. 치킨과 맥주를 함께 먹을 사람을 말한다.

치믈리에 [명] 치킨+소믈리에(sommelier). 치킨의 맛을 감별할 수 있다고 주장하는 치킨 마니아들이 서로를 칭하는 말. 실제로 어느 치킨 체인점에서는 고객에게 치믈리에 자격증을 부여하는 이벤트를

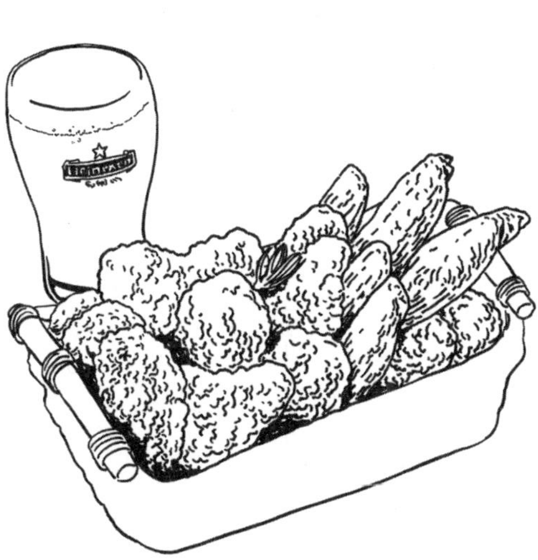

치맥

열기도 했다.

치키니스트 명 치킨을 사랑하는 사람. 피아니스트(pianist; 피아노 연주자), 로맨티시스트(romanticist; 낭만주의자), 아나키스트(anarchist; 무정부주의자) 등에 적용되는 영어 접미사 —ist가 '~을 하는 사람', '~의 전문직 종사자'라는 뜻을 갖는 것을 패러디해 만든 표현이다. '치킨 덕후'로 봐도 무리가 없다. ¶ 저는 치키니스트로서 교촌 허니 콤보를 강력 추천합니다.

친목질 명 인터넷상의 커뮤니티에서 닉네임 뒤에 숨는 대신 적극적으로 자신을 드러내어 다른 사용자들과 교류하는 일. 때때로 오프라인 모임으로 이어지기도 한다. 이에 대해 커뮤니티 게시판을 '그들만의 리그'로 만들어 진입 장벽을 높인다며 불평하는 사람들도 있다. 대개 친목질이라 하면 이런 식으로 비아냥거리는 의미가 담겨 있다.

친추 관 친구 추가. 페이스북과 같은 소셜 네트워크 서비스 혹은 카카오톡 등의 메신저 프로그램에서 다른 사람을 '친구' 관계로 설정하는 일을 뜻한다. ¶ 내 아이디 친추 부탁.

카

카공족 ⓜ 카페에서 공부하는 사람들. 규율이 엄격한 도서관보다 자유롭고 개방적이며, 토론 등 집단학습을 할 수 있어 카공족이 늘어나는 추세다. 카페 입장에서는 장기 체류 고객인 카공족이 단기적으로 회전율을 떨어뜨리지만 브랜드 충성도가 강하고 객단가가 높아, 이들을 적극적으로 유치하는 것이 매출에 도움이 된다는 분석도 있다.

카더라 ⓜ 출처가 정확하지 않은, 누군가에게 들은 정보. '~라고 하더라'는 뜻의 경상도 사투리에서 유래한 말. 소문과 의혹이 뉴스처럼 유통되는 것을 '카더라 통신'이라고 한다. 과거에는 이를 '유언비어(流言蜚語) 통신'이라는 뜻의 '유비통신'으로 칭하기도 했다. ¶ 지금도 정권 비리가 카더라 통신에 의해 확산되는 일이 다반사다.

카레국 ⓜ 인도. 인도가 카레(curry)의 본산인 것에서 유래한 별명. #나라

카베동 ⓜ 壁ドン(카베동). '카베'는 벽(壁), '동'은 단단한 것을 손으로 내려 칠 때 나는 소리를 뜻한다. 즉 카베동은 상대를 벽으로 박력 있게 밀어붙이고 손으로 벽을 치면서 키스, 포옹 등 스킨십을 하는 행위다. 일본에서 유행한 표현으로 흔히 '벽치기'로 번역된다.

카스 ⓜ 스마트폰 메신저 애플리케이션 카카오톡에서 서비스하는 SNS인 카카오스토리를 줄인 말.

카톡감옥 ⓟ 스마트폰 메신저 애플리케이션 카카오톡의 단체 대화방을 빠져나오고 싶어도 그럴 수 없는 상황을 이르는 용어. 가령 누군가의 초대로 대화를 하게 되면 메시지 도착 시 계속해서 알람이 울리는 한편, 이 메시지를 읽으면 대화에 소환되어 자신을 초대한 사람을 차단하지 않는 한 대화방에서 벗어나기 힘든 상황을 빗댄 용어. '카톡지옥', '카톡감금'이라고도 한다.

카툭튀 ⓟ 카메라가 툭 튀어나온 것. 최근 출시되는 얇은 두께의 스마트폰 기종에서 카메라 렌즈 부분이 툭 튀어나오는 문제를 지적하는 표현으로, 디자인의 완성도를 떨어뜨리는 요인으로 언급되는 경우가 많다. ¶ LG G6, 카툭튀 없는 고화질 광각 카메라 장착!

카페맘 ⓜ 아이를 학교나 학원에 보내고 카페에 가는 엄마. 카페에서

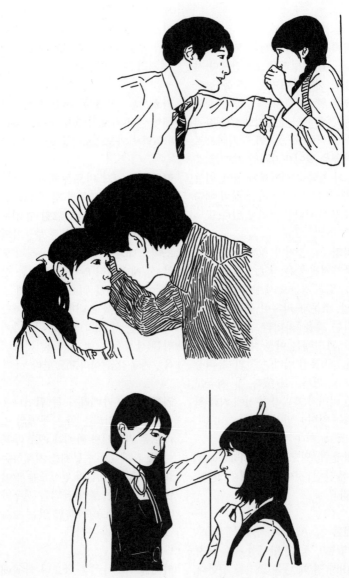

카베동

아이들을 기다리며 다른 카페맘과 사교육 관련 정보를 교환한다고 한다. 입시 경쟁으로 과열된 사교육계에서 주로 쓰이는 말.

칼군무 [명] 여러 명의 댄서가 자로 잰 듯이 움직임을 일치시키는 유형의 춤. 여러 명으로 이루어진 아이돌 그룹의 보편적인 춤 유형이지만 그중에서도 특히 방탄소년단, 인피니트, 틴탑 등이 칼군무로 유명하다. 이러한 아이돌을 '군무돌'이라고 부르기도 한다.

칼치기 [명] 도로에서 빠른 속도로 차량과 차량 사이를 연이어 건너 다니며 추월하는 것을 말한다. 난폭 운전의 대표적인 형태로 굉음을 내며 질주하는 자동차 폭주족의 전형적인 운전 모습이다. 일명 칼운전.

칼퇴 [명] 칼 같은 정시 퇴근. 퇴근 시간이 되자마자 지체 없이 퇴근하는 것을 가리킨다. 모든 직장인들이 바라는 것이나 이를 누릴 수 있는 사람은 많지 않다.

캐 [접] ① 캐릭터. 만화나 영화 등의 작중인물, 온라인 게임에서 플레이하는 캐릭터, 특정 콘셉트를 잡고

칼군무

연기하는 인터넷상의 인격을 총칭한다. 접미사처럼 다른 단어와 결합해 쓰는 것이 대부분인데, 대표적인 것이 사캐('사기캐'의 준말로 현실에서는 상상하기 힘들 정도로 능력이 월등한 캐릭터), 최애캐(최고로 좋아하는 캐릭터), 남캐(남자 캐릭터), 여캐(여자 캐릭터) 등이다. ② 접두사 '개—'를 격음화한 것으로 뒤에 오는 단어의 의미를 강조하는 말. '캐안습', '캐죽음', '캐신나', '캐좋음' 등으로 쓰는데, '개—'보다 가볍고 경쾌한 느낌을 준다.

캐붕 관 캐릭터 붕괴. 만화, 애니메이션, 게임 등에서 캐릭터의 본래 성격이나 외모적 특성 등이 어떤 상황에서 무너지는 일. 혹은 2차창작(기존 작품의 등장인물을 주인공으로 하는 새로운 작품을 만들어 내는 것)을 통해 훼손되는 일.

캠핑 명 주로 FPS(First Person Shooting)류의 게임에서 본진에서 벗어나지 않고 적을 기다리는 행위를 말한다.

캡처 명 capture. PC나 모바일 기기의 화면을 이미지 파일로 저장하는 행위. 비슷한 말로 '스샷'(스크린샷; screenshot), '박제' 등이 있다.

캥거루족 명 자립할 나이가 되었는데도 청년실업, 고용 불안정, 주거비 상승 등의 이유로 부모의 집에 얹혀살 수밖에 없는 젊은 세대를 일컫는 말.

커엽다 형 귀엽다. #야민정음

커퀴 명 커플 바퀴벌레. 연인이나 배우자가 없는 사람이 커플을 힐난할 때 쓰는 말. 아니꼬움과 부러움이 섞여 있는 단어다. 적절치 못한 장소에서 벌어지는 커플들의 애정 행각을 비난할 때도 이 말을 쓴다. ¶ 옆자리 커퀴 때문에 집중하기 어려웠지만 괜찮은 공연이었어.

컴 명 컴퓨터. '컴터'라 부르기도 한다. ¶ A: 집에 컴 있니? B: 왜, 컴터 하게?

컴겜 명 컴퓨터 게임. ¶ 오늘부터 컴겜 완전히 접는다.

컴맹 명 컴퓨터+문맹. 컴퓨터를 다루거나 활용하지 못하는 사람을 일컫는 말. 남녀노소, 직장, 집 가릴 것 없이 컴퓨터가 필수 불가결한 도구가 됨에 따라, 컴퓨터 사용법을 모르는 것 또는 그러한 사람을 문맹(글을 읽거나 쓰지 못하는 것 또는 그러한 사람)에 빗대 컴맹이라 부른다. 비슷한 용어에는 넷맹(인터넷을 잘 활용하지 못하는 사람), 폰맹(스마트폰을 잘 활용하지 못하는 사람) 등이 있다. ¶ 악플은 전혀 신경 안 씁니다. 컴맹이라서.

컴싸 [명] 컴퓨터용 사인펜. 시험 답안지 작성 시 사용하는 검정색 수성 사인펜.

컴앞대기중 [관] 컴퓨터 앞에 앉아서 대기 중. 커뮤니티 게시판에 글을 써 놓고 댓글 등의 반응을 기다리고 있다는 뜻이다. ¶ '앞날에 행운 있길', 이걸 영어로 어떻게 표현하나요? 컴앞대기중.

컴활 [명] 컴퓨터 활용 능력. 대한상공회의소에서 시행하는 국가 기술 자격시험을 말한다. 컴퓨터, 스프레드시트(spreadsheet), 데이터베이스(database) 활용 능력을 평가한다.

케미 [명] 케미스트리(chemistry). 한 쌍의 커플 사이에서 발생하는 미묘한 끌림을 신경전달물질의 화학적 반응에 빗대어 이르는 것. 최근에는 연애 관계를 암시하지 않는 경우에도 많이 쓰이는데 함께 일하는 동료와의 호흡, 또는 집단이나 조직 사이의 관계에 대해서도 이 단어를 쓰기도 한다. ¶ 두 주인공의 케미 폭발, 관객들 올킬. ¶ 왠지 이번 영어 선생님이랑은 케미가 좋을 것 같아. ¶ 인수 합병을 위해 케미가 맞는 회사를 찾고 있습니다.

케미갑 [명] 케미+갑(甲). 두 인물 사이에 흐르는 미묘한 기류 혹은 환상적인 호흡이 보는 이들의 시선을 빼앗는 경우를 말한다. '케미'(한 쌍의 관계 사이에서 발생하는 미묘한 끌림이나 조화)가 잘 맞는다는 뜻이다. ¶ 드라마 속 초절정 케미갑 커플, 진짜 사귀는 거 아님?

케바케 [관] 케이스 바이 케이스(case by case). 경우에 따라 결과가 각양각색이라는 뜻. 반응을 장담할 수 없다는 책임 회피의 표현으로도 많이 쓰인다. 비슷한 말로 사람마다 경우가 다르다는 뜻의 '사바사'(사람 바이 사람), '닝바닝'(닝겐 바이 닝겐) 등이 있다.

케이국 [명] 케이(K)+국(國). '한국'을 일컫는 말로, 한국산 대중음악이라는 뜻의 케이팝(K-Pop)과 같은 형식의 조어다. 주로 SNS상에서 젊은 층 사이에 '우리나라' 혹은 '대한민국'이라는 말 대신 자주 쓰인다.

케이저씨 [명] 케이(K)+아저씨. '한국 아저씨'라는 뜻으로 케이팝(K-

Pop), 케이푸드(K-Food)와 같이 '한국산'임을 나타내는 케이(K)를 접두사처럼 사용한 용어다. 대체로 한국 중년 남성의 부정적인 측면을 강조하는 맥락에서 사용하는 말.

코르셋 명 corset. 여성에 대한 사회적인 억압을 비유적으로 가리키는 말로, 원래는 배와 허리의 맵시를 내기 위해 받쳐 입는 여성 속옷을 뜻한다. 코르셋은 이성애 남성 중심의 구도로 형성된 성차별과 성역할, 고정관념 등으로 인해 여성으로서의 삶이 제한되는 일들을 총칭한다. 2015년 이래로 한국 사회에 심각한 여성 혐오 문제가 큰 화두로 떠오르면서 여성들 사이에서 '코르셋을 벗자'는 구호가 자주 거론됐다. ¶ 수십 년 살면서 스스로 착용한 코르셋도 많더라.

코믹마켓 명 일본에서 매년 2회에 걸쳐 개최되는 세계 최대 규모의 만화, 애니메이션 관련 동인지 판매 행사. 후조시(남성 간의 동성애물을 창작·소비하는 여성), 오타쿠(특정 분야에 심취하여 열광적으로 관심과 애정을 쏟는 사람) 문화의 좀 더 많은 것을 접하고 싶어 하는 이들에게는 천국과 같은 곳.

코스프레 명 만화 또는 애니메이션, 게임 속 캐릭터의 모습으로 분장하는 놀이. 코스튬플레이(cos-

코스프레

tume play)의 일본식 표현이다.

코피스족 [명] 커피(coffee)+오피스(office)+족. 카페에서 업무를 보는 사람을 일컫는 말. ¶ 코피스족은 주목, 일하기 좋은 카페를 소개합니다.

콜당오 [감] '콜, 당연하지, 오키'의 각 첫 글자를 모은 말. 같은 뜻을 가진 어구를 조합해 그 뜻을 강조하는 표현이다. ¶ A: 저녁은 떡볶이 어때? B: 콜당오!

콩다방 [명] 커피 체인점 커피빈(Coffee Bean)의 애칭.

쿠크다스멘탈 [명] 쿠크다스+멘탈(mental). 조금만 건드려도 잘 부서지는 과자인 쿠크다스에 영어 형용사 mental(정신의, 정신적인)을 명사처럼 가져와 붙인 말. 별것 아닌 일에도 쉽게 상처 받는 유형이다. 유리처럼 깨지기 쉬운 정신 상태를 뜻하는 '유리멘탈'과 비슷한 말.

쿨게이 [명] 인터넷상에서 키배(키보드 배틀; '격렬한 논쟁'이라는 뜻)가 벌어지면, 주장을 격하게 내세우는 사람들을 비웃으면서 항상 자신은 중립이라며 거리를 두는 이를 조롱조로 일컫는 말. 동성애자 '게이'를 비하하는 뉘앙스가 포함되어 있다. 쿨게이를 가리켜 '쿨병' 혹은 '솔로몬병'에 걸렸다고 말하기도 한다.

쿨데레 [명] 만화, 애니메이션, 게임에 등장하는 캐릭터의 모에 요소(매력 포인트) 중 하나로, 겉으로는 차가워 보이고 과묵하지만 본심을 드러내면 반전의 매력을 풍기는 성격, 혹은 그런 캐릭터나 사람을 가리킨다. 한마디로 갭모에(겉모습과의 차이에서 오는 매력)를 선사한다.

쿨몽둥이 [명] '쿨병'을 다스리는 몽둥이. 상대의 입장을 신경 쓰지 않고 저 혼자 쿨한 척하는 사람은 가상의 몽둥이로 한 대 맞아야 정신을 차린다는 데서 생겨난 말. 키배(키보드 배틀; '격렬한 논쟁'이라는 뜻)와 같은 상황, 연인과의 갈등, 고민 상담 등의 맥락에서 주로 쓰인다.

쿨병 [명] 자신을 자유로운 영혼의 소유자라 믿으며 모든 일에 거리를 두면서 사람들의 의견이나 태도를 어리석다고 비웃는 증상. 여러 양상이 있는데, 논쟁할 때 명확하게 자기 의견을 밝히지 않으면서 남들을 무시하는 것, 연애할 때 상대방은 아랑곳하지 않고 철저히 자신만의 페이스대로 행동하는 것, 지적 우월감에 취해 매사에 냉담하고 양비론과 정치 혐오에 빠져 있는 것 등이다. '중2병'이나 '인디병'보다 훨씬 재수 없는 병으로 회자된다.

쿨저씨 몡 쿨(cool)+아저씨. 겉으로만 쿨한 척하는 아저씨. 스스로는 열려 있는 사람이라고 자부하지만 결국에는 권위적이고 세속에 찌든 모습을 보여 주는 아저씨.

쿨톤 몡 cool tone. 주로 개인의 타고난 피부색에 대하여, 하얗고 투명한 편이며 혈관색은 푸른색을 띠는 피부. 반대로 '웜톤'(warm tone)은 노란 기가 돌아서 발랄한 느낌을 주며 혈관은 녹색을 띠는 피부다. 자신의 톤이 어디에 속하는지 파악하고 그에 맞춰 화장을 하거나 옷을 입는 것이 이른바 퍼스널 컬러(personal color) 전략이다. ¶ 쿨톤을 위한 착붙(착 붙는) 아이섀도를 알아보자.

쿨톤병 몡 차갑고 밝은 색조의 파운데이션이나 파우더를 고집하는 증상. 자신의 피부가 하얗다고 생각해 본래 피부색보다 몇 톤 밝은 기초화장을 하는 경우를 비꼴 때 쓰는 말이다.

퀴퍼 몡 퀴어 퍼레이드. 성 소수자들이 도심을 활보하는 대규모 행진. 매년 5월 말에서 6월 초 사이 열리는 서울퀴어문화축제(Seoul Queer Culture Festival)의 메인 행사로 공식 명칭은 'Pride Parade'(자긍심 행진)이다. 차별받는 성 소수자 스스로가 자긍심을 뽐내며 도심을 당당하게 행진한다는 의미.

크리 몡 크리티컬 대미지(critical damage)의 '크리티컬'을 다시 줄인 말로, '치명적인 타격'이라는 뜻. 흔히 '위기 상황'의 동의어로 쓰이지만 어떤 수가 적중하는 상황과 같이 긍정적인 의미로 쓰이기도 한다. 주로 '터지다'와 결합하여 쓰인다.

크리남(녀) 몡 치명적인 매력이 있는 남자[여자]. ¶ 5년 전 크리녀로 각광 받으며 혜성같이 등장한 그녀는 지금?

크리작렬 관 어떤 치명적인 상황이 설상가상으로 중첩되었다는 의미. ¶ 이번 달 월세, 학자금, 핸드폰비, 크리작렬!

크리피하다 형 기괴하고 무섭다. '으스스하다', '기이하다'라는 뜻의 영어 형용사 creepy에서 온 말. ¶ 매일 같은 시간에 마주치는 그 남자, 정말 크리피하다.

클라스 몡 class(클래스). 어떤 대상

의 수준을 몇 개의 등급으로 나눠 차별화하는 것. 인물, 집단, 상품, 장소 등 모든 것에 대하여 부여할 수 있다. ¶ 김연아는 클라스가 다르지.

클론화 [명] 복제 인간처럼 비슷하다 못해 똑같아 보이는 옷차림의 사람들이 거리에 넘쳐 나는 현상을 일컫는 말. 특정한 패션 스타일이 유행하면 대학가나 젊은이들이 많은 거리가 비슷한 옷으로 물드는 경향이 있다. 대표적으로 여름이면 찾아오는 모나미룩(흰 셔츠에 검정 슬랙스를 매치하는 남성 패션 스타일)을 꼽을 수 있다.

키배 [명] 키보드(keyboard)+배틀(battle). 인터넷 커뮤니티 게시판 혹은 SNS에서 누군가가 던진 떡밥(이야깃거리)을 주제로 사용자들이 갑론을박하는 것을 말한다.

키보드오너 [명] 인터넷 자동차 커뮤니티에서 활동하는 사람들 중에 온갖 명차의 계보와 제원을 훤히 꿰는 한편 수퍼카 소유자(owner)를 자처하지만, 실상은 자동차 운전면허조차 없는 사람을 비웃는 말.

키보드워리어 [명] 사이버 공간에서 활동하는 논쟁가를 일컫는 말. 이때 키보드는 컴퓨터 자판, 워리어(warrior)는 전사(戰士)라는 뜻이다. 어떤 쟁점에 대해 자신의 의견을 거침없이 개진하여 논쟁을 촉발하고 상대편과 반박·재반박을 거듭하면서 논점이 무엇인지 관전자에게 가감 없이 보여 준다. 초창기에 이 말은 상습적 악플러를 가리키는 부정적인 의미에서 주로 언급되었으나 이런 종류의 논쟁이 여론을 환기하는 순기능이 있고, 이 과정에서 사회적 명성을 얻은 사람들이 생기는 한편 이들 스스로 '키보드 워리어'라 칭하면서, 중립적인 의미를 띠게 되었다.

키알 [명] 청소년 성매매의 일종인 '키스 알바'를 줄여 부르는 말.

키카 [명] 키즈 카페. 한편에 어린아이들을 위한 놀이 공간이 있는 카페를 말한다. 아이가 그곳에서 노는 동안 부모들끼리 마음 놓고 대화를 나눌 수 있어 인기가 많다. 기혼 여성 커뮤니티에서 주로 쓰이는 말.

킨포크족 [명] 미국 오리건주의 도시 포틀랜드에서 발간하는 잡지 〈킨포크〉(KINFOLK)에 담긴 문화를 동경하는 사람들을 일컫는 말. 잡지의 모토는 "빠름에서 느림으로, 홀로에서 함께로, 복잡함에서 단순함으로" 라이프스타일을 전환하는 것이다. 킨포크족 역시 친구들과 여유 있고 소박한 한 끼 식사를 즐기는 삶을 추구한다. 그리고 그 순간을 백색광과 대칭, 얼굴이 드러나지 않는 컷을 특색으로 하는 킨포크 스타일 사진으로 기록하곤 한다.

킹왕짱 [명] 킹(king)+왕(王)+짱(매우, 가장). '최고'라는 뜻. 더할 나위 없이 좋다는 의미를 표현하기 위해 세 단어를 결합한 말이다. '김왕장'으로 바꿔 부르기도 한다.

타

타이거맘 몡 타이거(tiger)+맘
(mom). 호랑이처럼 혹독하게 자녀
를 교육하는 엄마.

타임푸어 몡 time poor. 시간 빈곤
에 빠진 현대인을 지칭하는 말.
특히 한국인의 평균 노동시간은
OECD 국가 중 두 번째로 길고, 수
면 시간은 가장 짧다. 정치인 손학
규가 18대 대선 후보 경선 공약으로
내세웠던 "저녁이 있는 삶"이라는
구호가 한동안 인기를 끌기도 했다.

타조세대 몡 불안정한 노후 생활
등 미래에 닥칠 어려움에서 눈을 돌
리고 회피하는 세대를 맹수가 나타
났을 때 모래에 고개를 파묻는 타조
에 빗대어 표현한 말. 그러나 당장
생활 문제를 헤쳐 나가기도 힘들어
노후 따위에 신경 쓸 여력조차 없는
경우가 대부분이다.

탈갤 몡 인터넷 커뮤니티 사이트
디시인사이드의 특정 갤러리 활동
을 영원히 중단하겠다고 선언하는
것. 금연 선언이 그렇듯 보통 잘 지
켜지지 않는다.

탈김치 몡 탈(脫)+김치녀. 한국 여
성을 '김치녀'라고 부르는 일부 남

성들의 관점으로 볼 때, 김치녀의
습속에서 벗어난 상태를 가리키는
말. 따라서 그들은 모든 여성이 탈
김치하여 '개념녀'로 거듭나기를
원한다. 김치녀와 개념녀로 이분되
는 여성 혐오 프레임을 강화하고 단
속하는 기제라고 할 수 있다.

탈덕 몡 만화, 애니메이션, 게임,
아이돌 등 서브컬처의 특정 장르에
깊은 관심을 갖고 애정을 쏟아붓는
행위인 덕질을 자의로든 타의로든
그만두는 것. 덕후(각종 서브컬처
의 마니아)로서의 인생을 포기하겠
다는 약속이지만 지켜지지 않는 경
우가 많다. ¶ 휴덕은 있어도 탈덕
은 없다.

탈옥 몡 아이폰, 아이패드 등 애플
사에서 출시된 모바일 기기의 운영
체제인 iOS의 각종 설정을 임의로
해제하는 행위. 기기 자체가 제한하
고 있는 기능을 이용하기 위해 개조
하는 것.

탈조선 몡 탈(脫)+조선. ① 이민
이나 유학 등 물리적으로 한국에서
탈출하는 것을 뜻한다. 헬조선(한국
사회를 지옥에 빗댄 말)에서의 삶
에 한계를 느끼는 사람들이 꿈꾸는
것. ② 권위주의, 가부장주의, 유교
주의, 엄숙주의로 대표되는 어떤 한

국적인 성질에서 벗어난 상태.

탑 몡 top(톱). 남성 사이의 성행위에서 남성 역할을 가리키는 은어. 영어 top은 '위'라는 뜻인데, 남녀 간 성행위 시의 일반적인 위치를 은유해 이런 말이 생겼다. 반대말은 바텀(bottom; 보텀)이다.

탑시드 몡 top-seed(톱시드). 아이돌 '홈마' 중 트위터 등에서 팔로워가 가장 많은 사람. '홈페이지 마스터'의 줄인 말인 홈마는 아이돌 멤버의 모습을 촬영해 자신의 팬 페이지에 올리는 사람으로, 그중에서도 탑시드는 월등한 사진 퀄리티로 홈마들 위에 우뚝 선 존재다. 팬들 사이에 영향력이 매우 커서 팬 중의 지존(최고)이라고 할 만한데, 고퀄리티 사진을 찍는 것 외에도 아이돌의 각종 제작 발표회나 생일 등을 맞아 서포트(support)를 하거나 사진전, 영상회를 개최하기도 한다. 대규모 팬덤을 보유한 아이돌의 경우 홈마만 수백 명에 달하는데 그중 탑시드가 된다는 것은 재능 이외에도 엄청난 노력과 끈기가 필요한 일이다. 원래 '톱시드'는 테니스, 탁구 등의 토너먼트 게임에서 대진표를 짤 때 처음부터 강자끼리 맞붙지 않도록 첫 번째로 대진이 조정된 선수를 가리키는 말이다.

탕진잼 몡 '탕진'과 '재미'를 합친 말. 흥청망청 탕진하는 데서 오는 환희와 즐거움을 뜻한다. 대개는 사소한 물품이나 먹거리 등에 마구 돈을 뿌리면서 기분 전환을 도모하는 것을 가리킨다. 따라서 낭비나 사치와는 조금 거리가 있으며, 일상의 짜증과 스트레스 때문에 순간적으로 지출하는 비용인 '시발비용'이라는 용어와 대구를 이룰 때가 많다. "열 받을 땐 시발비용으로 탕진잼 누리세요" 하는 식이다. ¶ "티끌 모아 티끌, 탕진잼 다 지불해 / 내버려 둬, 과소비해 버려도 / 내일 아침 내가 미친놈처럼 / 내 적금을 깨버려도 / 우~ 내일은 없어, 내 미랜 벌써 저당 잡혔어" — 방탄소년단, '고민보다 Go' 가사 중, 〈Love Yourself 承 'Her'〉, 2017년 9월.

태쁘 몡 '김태희 예쁘다'를 줄인 말. 탤런트 김태희의 애칭.

택배크로스 몡 축구 용어로 우리 편 선수가 골을 넣기 쉽게 절묘하게 찔러 주는 크로스패스를 말한다. 마치 택배처럼 공을 배달하다시피 정확하고 빠르게 골대 근처의 우리 편 선수에게 전달하는 것. 가장 이상적인 어시스트 형태로, 골을 넣은 것이나 다름없다는 평가가 주어진다. ¶ 오버래핑에 이은 택배크로스,

정말 대단하네요!

택튀 (관) 택시비를 내지 않고 튀는 것. 벨튀(벨 누르고 튀는 것), 욕튀(욕하고 튀는 것) 등과 함께 주로 저연령층에서 유행하는 불량한 장난이다.

택포 (관) 택배비 포함. 인터넷상에서 중고 물품 거래 시 배송비가 금액에 포함되어 있다는 뜻이다. 비슷한 말로 '운송비 포함'을 줄인 '운포'가 있다.

탱커 (명) 파티원(그룹 구성원) 간의 협력이 중요한 온라인 게임에서 몬스터의 공격을 받아 내는 역할을 담당하는 캐릭터를 일컫는 말. 일명 '몸빵'이라고 불린다.

털다 (동) ① 상대에게 굴욕적인 패배를 안기다, 또는 혼쭐내다. 주로 피동형으로 쓰여 '털려', '털리니', '털리는', '털린', '털릴', '털렸다'처럼 활용한다. 비슷한 말로는 '관광하다', '바르다' 등이 있다. ② 특정 온라인 커뮤니티의 게시판을 점령하다.

털리다 (동) 압도적으로 패배하다. '털다'의 피동형. ¶ A: 왜 시무룩함? B: 멘탈 완전히 개털려서….

텅장 (명) 텅 빈 통장. 잔액이 바닥난 은행 통장을 말한다. 허탈하고 공허한 어감이 말뜻과 잘 들어맞는다. ¶ 말로만 텅장 텅장 했는데 진짜 잔액이 8원ㅜㅜㅜㅜㅜㅜ

테남 (명) 서울시 강남구에서 강남역부터 삼성역까지 이어진 테헤란로의 남쪽. 역삼동, 대치동, 도곡동, 개포동 등이 여기에 해당한다. 압구정동, 신사동, 청담동 등이 분포한 '테북'과 비교해 자수성가한 전문직 종사자의 비중이 높다. 반면 테북은 대를 잇는 부자들이 주로 사는 지역으로, 같은 강남이지만 지역의 성격이 다름을 나타내는 학원계 은어다. 가령 중산층이지만 물려줄 것이 별로 없는 테남 학부모는 열성적으로 자녀 교육에 매달리는데, 대대로 가진 것이 많은 테북 부모들은 상대적으로 자녀의 명문대 진학에 연연하지 않는다는 것.

테북 (명) 서울시 강남구에서 강남역부터 삼성역까지 이어진 테헤란로의 북쪽. 압구정동, 신사동, 청담동 등이 여기에 해당한다. 역삼동, 대치동, 도곡동, 개포동 등이 분포한 '테남'과 비교해 대를 잇는 부자들이 산다. 고급 빌라와 아파트가 혼재한 테북에서는 고액 과외를 선호하고, 대단위 아파트 밀집 지역인 테남에서는 학원이 성행한다고 한다. 이 외에도 두 지역은 소비 행태 등 라이프스타일도 상당히 다르다.

템빨 (명) '아이템'(item)에 '효과'의 뜻을 더하는 접미사 '—발'의 변형인 '—빨'이 결합한 말. 온라인 게임에서 개인의 능력보다 뛰어난 아이템(주로 유료 아이템)을 보유해 남들보다 앞설 경우 쓴다. 현실 세계에서도 그대로 적용해 쓰기도 한다. 가령, 값비싼 운동화를 신고 평소보다 나은 기량을 보여 주는 경우에도 '템빨'이라 말할 수 있다.

토스 (명) 영어 능력 인증 시험 중 하나인 토익 스피킹(TOEIC Speaking)을 줄인 말. 영어 말하기 능력을 평가하는 시험이다. 요즘 시대에 스펙(spec)을 구성하는 기본 단위 중 하나다.

토페인 (명) 토익 페인. 영어 능력 인증 시험 중 하나인 토익(TOEIC) 점수를 올리기 위해 페인처럼 공부하는 사람을 가리킨다. 토익 고득점은 취업 준비생이 갖춰야 할 필수 덕목이 되었다.

톤체성 (명) 톤(tone)+정체성. 자신에게 맞는 색조를 깨닫는 것. 피부, 머리카락 등 신체가 가진 색과 조화를 이뤄 보다 생기가 도는 분위기를 연출할 수 있도록 자신만의 색조, 이른바 퍼스널 컬러(personal color)를 찾아야 한다는 개념이 퍼지면서 생긴 말이다.

톤팡질팡 (부) 톤(tone)+갈팡질팡. 옷이나 화장품 등을 고를 때 자신에게 맞는 색조를 찾지 못해 헤매는 모양을 이르는 말. 유사한 표현으로 '톤리둥절'(톤+어리둥절), '톤망진창'(톤+엉망진창)이 있다. 뷰티계(界) 신조어.

퇴갤 (명) 커뮤니티 사이트 디시인사이드에서 그날의 갤러리 활동을 마무리하는 것. 내일 다시 돌아오겠다는 인사일 뿐이다. 갤러리 활동을 영원히 그만두는 것은 '탈갤'이라 한다.

퇴근본능 (관) 야구 용어로 경기 후반부에 여러 이유로 진행 속도가 빨라지는 것을 비유한 말. 빨리 경기를 끝내고 퇴근해 집에 가고 싶은 것이 인간의 본능이라는 뜻. 스트라이크존이 갑자기 넓어지는 것, 초구를 공략해 신속하게 아웃되는 것, 주루 플레이를 과감하게 하는 것 등이 퇴근본능에서 나오는 현상이라는 주장인데, 과학적으로 밝혀진 바는 물론 없다. ¶ 저게 어떻게 아웃이죠? 3루심 퇴근본능 너무하네요.

튀맥 [명] 튀김+맥주. '치맥'(치킨+맥주)과 유사한 고칼로리의 술안주 조합.

트롤링 [명] trolling. 온라인 커뮤니티 게시판에 고의적으로 불쾌한 게시물을 올려 다른 사람들을 불쾌하게 하거나 진행 중인 논의를 흐려 혼란을 일으키는 행위. 어그로(aggro; 관심을 유도하려고 일부러 남을 공격하는 말과 행동)를 끌거나, 악의적인 떡밥(이야깃거리)을 던지거나, 스포(스포일러, spoiler; 극의 결말이나 중요한 단서 등을 미리 알리는 행위)를 하는 것이 이에 해당한다.

트루 [명] 진짜. '진짜의'라는 뜻의 영어 형용사 true의 발음을 한글로 적어 강조하는 말. 상대방의 말이 진실인지 재차 확인할 때 "트루?"라고 묻는다. 여기에 사실을 의미하는 '참'을 굳이 또 더해 '참트루'라는 말을 쓰기도 한다. ¶ 이거 레알 진심 트루?

트윗충 [명] 트위터(Twitter)+충(蟲). 소셜 네트워크 서비스인 트위터 사용자를 벌레에 빗대어 비하하는 말. 페이스북 사용자를 '페북충' 혹은 '따봉충'이라고 부르는 것과 비슷하다.

트인낭 [관] 트위터(Twitter)는 인생의 낭비. 영국 프로 축구팀 맨체스터 유나이티드 FC의 전설적인 감독 알렉스 퍼거슨(Alex Ferguson)의 명언에서 유래했다. 2011년 한 인터뷰에서 그는 트위터를 두고 "인생의 낭비"(It is a waste of time)라고 언급한 바 있다. 헛소리하기에 최적의 플랫폼이고 파급력이 빠른 SNS의 특성상 많은 사람들이 주목하는 스포츠 스타에게는 하나도 이로울 것 없다는 맥락이다.

트잉여 [명] 트위터(Twitter)+잉여. 소셜 네트워크 서비스인 트위터에 항상 접속해 있는 사람을 가리키는 말. 여기서 '잉여'란 '그다지 중요해 보이지 않는 일에 시간을 많이 쓰는 사람'을 뜻한다. 트잉여를 줄여서 '트잉'이라 부르기도 한다. '트위터 사용자'와 동의어.

트친 [명] 소셜 네트워크 서비스 트위터(Twitter)상의 친구. 대체로 단순히 서로를 팔로우(follow)하고 있는 사이를 일컫지만, 좀 더 친밀한 관계에 이르러야 트친으로 인정하는 등 이용자 각자의 기준에 따라 다르다.

팀코

트페미 [명] 트위터(Twitter)+페미니스트(feminist). 소셜 네트워크 서비스 트위터에서 활동하는 페미니스트라는 뜻. 트위터에서 대두되는 다양한 젠더 관련 이슈에 대해 페미니즘 진영에서 나타나는 일부 부정적(으로 보이는) 속성을 덧씌워 멸칭에 가까운 의미로 통용될 때가 많다. 대체로 트페미는 다음과 같은 부류를 지칭한다. 트위터에서 글만 끼적이거나 리트윗만 할 뿐 현실 공간에서 책임감 있게 활동하지 않는 사람, 익명성에 기대어 다른 입장을 가진 사람을 매도하고 조리돌림(여러 명이 조롱하는 것)하는 사람, 타인의 잘못을 부풀려 사회적으로 매장하려는 사람 등이다. 트페미는 배경과 입장이 다양한 페미니즘 지지자들을 싸잡을 가능성이 높은 말인데, 이런 호칭이 나타난 데는 한국에서 페미니즘 관련 이슈가 주로 트위터를 통해 제기되고 여론화되는 사정과 관련이 깊다.

틀딱충 [명] 꼰대스러운 행동을 일삼는 노인 부류를 비하하는 표현. '틀딱'이란 틀니를 딱딱거리는 모양에서 연유한 말이다. 전체 노인을 싸잡아 이른다기보다는 사회규범에 비추어 상식적이지 못하고 아집이 강해 합리적 대화를 할 수 없는 무개념 노인을 지칭한다.

티부 몡 티 나는 부치(butch). '부치'는 레즈비언 커플 중 남성 역할을 하는 여성을 지칭하는 말이다. 짧은 머리, 뿔테 안경, 체크무늬 셔츠 등으로 대표되는 전형적인 스타일의 외견 덕분에 누가 봐도 부치인 레즈비언을 일컫는다. '걸커'(걸어다니는 커밍아웃) 혹은 '걸아'(걸어다니는 아웃팅)라고 부르기도 한다.

팀코 몡 팀 코스프레. 여기서 '코스프레'는 만화나 게임의 주인공, 스타로 분장하여 흉내 내는 놀이 행위로, 팀 코스프레는 단체 코스프레의 일종으로 특정 작품에 등장하는 캐릭터 모두를 그대로 재현하는 것을 뜻한다. 반대로 홀로 하는 코스프레를 가리켜 '솔코'(솔로 코스프레)라고 한다. ¶ 팀코 모집 중, 좋은 인연 만들어요!

팀킬 몡 team-kill. 같은 편을 죽인다는 뜻으로, 게임이나 스포츠, 팀 프로젝트 등에서 같은 편에게 해가 되는 플레이를 선보이는 것을 말한다. 대부분 실수에서 비롯되지만 이기기 위한 전략의 일환으로 행할 때도 있다.

파

파괴한다 판 중2병(중2 무렵의 사춘기 청소년들이 보이는 불만스럽고 혼란한 정서)에 걸린 어느 학생이 자신의 블로그에 게재한 시(詩)에서 유래한 말. '파괴'를 잘못 입력한 말이지만 특유의 사악한 분위기가 많은 이의 웃음을 자아내 유행어로 널리 쓰였다. ¶ 오늘 밤 나는 내 모든 한계를 파.괴.한.다.

파다 동 어떤 것에 대해 깊이 탐구하다, 또는 파고들다. 특정 분야의 마니아를 일컫는 덕후가 자기 관심사에 천착하는 행위를 통칭한다. 인터넷 검색에서부터 시작해서 학습, 연구, 비평, 구매, 생산, '2차창작'에 이르는 모든 것을 포함한다. '덕질하다'와 같은 말. ¶ 너 아직도 도라에몽 파고 있니?

파덜어택 명 영어 father(파더; 아버지)와 attack(어택; 공격)을 합친 말. 주로 게임 도중 아버지가 들이닥쳐서 혼나는 것을 말한다. '빠덜어택'이라고도 한다. 아버지 대신 어머니가 나타나는 상황에서는 '마덜어택'이라고 한다.

파데 명 기초화장품의 일종인 '파운데이션'을 줄인 말. ¶ 수부지(수분 부족 지성)용 여름 파데, 뭐가 좋을까?

파스타국 명 이탈리아. 파스타 요리의 본산인 것에서 유래한 별명. '피자국'이라고도 불린다. #나라

파오후쿰척쿰척 부 파오후+쿰척쿰척. 살이 많이 찐 사람이 숨 쉬는 소리와 음식 먹는 소리를 합쳐 비하하는 표현.

파원 명 '파티원'을 줄인 말. 온라인 게임에서 그룹을 맺어 사냥하거나 퀘스트(quest; 수행해야 하는 임무)를 해결하면 여러모로 유리한데, 그러한 그룹을 파티(party)라 하고 그룹에 속한 사람들을 파티원 또는 파원이라 부른다.

파티 명 온라인 게임에서 힘을 합해 사냥을 하거나 퀘스트(quest; 수행해야 하는 임무)를 해결하려는 목적으로 모인 그룹. '단체'를 뜻하는 영어 party에서 온 말.

파파괴 판 파도 파도 괴담(怪談). 어떤 인물이나 조직 등에 대해 알면 알수록 추하고 역겨운 이야기만 나온다는 뜻. '파도 파도 미담'(美談)을 줄인 '파파미'와 상반되는 의미를 가진 말이다. 정치인 등 공인을

품평할 때 나오는 표현.

파파미 ㉙ 파도 파도 미담(美談). 어떤 인물이나 조직 등에 대해 알면 알수록 아름답고 감동적인 이야기만 나온다는 뜻. 누군가를 품평할 때 그가 살아온 이력을 통틀어 흠잡을 데가 없고 오히려 알려지지 않은 미담이 많을 때 이 말을 쓴다. 반대말은 '파도 파도 괴담'(怪談)을 줄인 '파파괴'.

팔이피플 ㉤ 인스타그램, 트위터, 페이스북 등 사회관계망 서비스(SNS)에서 팔로워(follower)들에게 물건을 파는 사람. 가령, 유용하고도 신뢰할만한 정보를 자주 올려 많은 팔로워를 확보하게 된 사람은 일정한 영향력을 갖게 되는데, 이런 점을 활용하여 SNS를 통해 관련 상품 따위를 팔로워에게 소개하고 판매하는 사람이다. 소셜 미디어에서 영향력을 가진 이른바 '인플루언서'(influencer)가 대부분을 차지한다. 다분히 부정적인 어감을 갖는 용어로, 유명세를 미끼로 터무니없는 이익을 취하는 한편, 거래 방식도 불투명한 경우가 많기 때문이다.

팔고물 ㉨ 신음하는 소리. 일부 후조시(남성 동성애물을 창작·소비하는 여성)들이 쓰는 말. 신음 소리를 뜻하는 일본어 あん(안)을 번역기에 돌렸을 때 음이 같다는 이유로 '팥', '팥고물'(あん)이라는 결과가 나오는 현상에서 유래했다. 만화, 애니메이션, 영화 등의 정사 장면에서 쓸 수 있는 말. ¶ 팥고물! 팥고물!

패드립 ㉤ 패륜+드립. 인간의 도리에 어긋나는 심한 드립(농담 혹은 패러디)을 말한다. ¶ 패드립 날리면 강퇴입니다.

패완몸 ㉙ 패션의 완성은 몸매. 아무리 예쁜 옷을 걸친다 해도 몸매가 예쁘지 않으면 헛수고라는 의미다. 반대로 흰 티에 청바지를 대충 입어도 멋있어 보이는 것은 몸매 덕분이라는 뜻도 된다.

패완얼 ㉙ 패션의 완성은 얼굴. 얼굴이 아름다운 사람은 어떤 옷을 입어도 멋지다는 뜻이다. 상식으로는 도저히 이해할 수 없는 난해한 옷을 입었음에도 멋이 넘쳐흐르는 연예인 사진에 대한 감탄사로 많이 쓰인다. ¶ 원빈으로 느껴 보는 패완얼.jpg

패피 ㉤ 패션 피플(fashion people). 패션모델, 디자이너, 패션 사진가, 패션 잡지 종사자 등 패션 산업에 속한 사람들을 가리킨다. 그 외에 유행 아이템이나 디자이너 브랜드로 치장한 사람들을 말하기도 한다. 서울패션위크 등의 행사에 주로 출몰한다.

팩트폭행 (관) 사실(fact)만으로 상대를 꼼짝 못 하게 제압하는 행동. 상대와 논쟁할 때 애매하거나 주관적인 주장을 펴는 대신 객관적 사실이나 합리적인 추론으로 몰아붙여 전혀 반박할 수 없는 상태로 만드는 것을 말한다. 줄여서 '팩폭'이라고도 한다.

팬미 (명) 팬미팅(fan meeting). 아이돌 팬덤 문화에서 쓰는 표현.

팬싸 (명) 팬 사인회. 아이돌 팬덤 문화에서 쓰는 표현.

팬아저 (관) 팬이 아니라도 저장하는 짤. 팬은 아니지만 보고 있으면 자신도 모르게 저장하게 되는 연예인 사진이나 동영상을 말한다. 이유는 주로 그(그녀)가 존잘(정말 잘생겼다)이거나 존예(정말 예쁘다), 혹은 존귀(정말 귀엽다)이기 때문이다.

팬질 (명) 특정 연예인 혹은 아이돌, 만화, 애니메이션 등을 매우 아껴 그와 관련한 자료를 수집하고 깊이 좋아하는 행위. 덕질(자기 관심사를 깊이 탐구하는 일)과 다를 바 없다.

팬픽 (명) 팬 픽션(fan fiction). 팬이 지어낸 소설로, 자신이 좋아하는 작품의 세계관을 차용하거나 아이돌 스타 혹은 꽃미남 배우가 주인공으로 등장한다. ¶ 내가 쓴 샤이니 팬픽 읽어 봐 줄래?

팸 (명) 패밀리(family)를 줄인 말. 주로 10~20대 사이에서 같은 취미나 성향을 가진 사람들이 모여 유사 가족을 이루는 것.

팸레 (명) 패밀리 레스토랑(family restaurant).

펌 (명) 주로 온라인상에서 다른 곳에 올려졌던 게시물이나 자료를 자신이 활동하는 게시판에 옮겨 오는 (퍼 오는) 행위를 통칭하는 말. 한편 저작권자의 허락 없이 함부로 남의 자료를 옮기는 행위를 불펌(불법+펌)이라고 한다.

페도 (명) 페도필리아(pedophilia). 소아성애증 즉, 어린아이에게 성적 욕망을 느끼는 것. 흔히 인터넷상에서는 그러한 성향을 가진 사람을 경멸하는 뜻으로 '페도충'이라 한다.

페메 (명) 사회관계망 서비스 페이

스북(Facebook)의 메시지 송수신 서비스인 '페이스북 메시지'를 줄인 말.

페미나치 (명) feminazi. 페미니스트(feminist)+나치(Nazi). 페미니스트를 독일의 나치에 빗댄 말. 주로 인터넷상의 논쟁에서 비타협적인 여성주의 입장을 가진 사람을 비난하는 맥락에서 쓰인다.

페미사이드 (명) femicide. 여성이라는 이유로 남성이 여성을 살해하는 것. '여성 살해'라고도 한다. 페미사이드는 한국에서는 2016년 5월 이른바 '강남역 살인 사건'이 벌어졌을 때 처음 거론됐다. 평소 여성들에게 받아 온 피해에 대한 대응이라는 범인의 진술에도 불구하고 사건을 '묻지마 살인'으로 조명하는 언론과 검찰의 수사 방향에 대해 지탄하며, 이는 명백히 여성을 타깃으로 한 여성 혐오 범죄라는 주장이 거세게 일었다.

페북충 (명) 페이스북(Facebook)+충(蟲). 사회관계망 서비스 페이스북 이용자를 비꼬는 말. '좋아요'만 누르거나 바란다며 '따봉충'이라고 표현하기도 한다.

페이스펙 (명) 페이스(face)+스펙(spec). 얼굴 생김새도 스펙이라는 뜻으로, 취업을 위해서는 호감 가는 외모까지 필요하다는 말이다. 실제로 면접에서 좋은 인상을 줄 수 있도록 콤플렉스가 있는 신체 부위를 성형하는 '취업성형'이 취업 준비생 사이에서 인기를 끌고 있다.

페친 (명) '페이스북 친구'를 줄인 말. 페이스북에서 친구 신청과 수락으로 맺어진 친구 사이.

펨 (명) femme. 레즈비언 커플 중 여성 역할을 하는 여성을 지칭하는 말. 외모와 행동이 소위 여성적(feminine)인 레즈비언일 때 펨으로 간주한다. 일명 '한글자'. 펨의 반대말은 부치(butch)로 남성 역할을 하는 레즈비언을 뜻한다. 그러나 모든 레즈비언 커플이 이처럼 전통적 여성성과 남성성의 잣대로 나뉘지는 않으며, 둘의 구분이 불분명한 커플도 많다.

펭귄아빠 (명) 외국에 유학 보낸 자녀와 아내가 보고 싶어도 갈 수 없어서 발발 동동 구르는 서민층 아빠. 반대로 가족을 만나러 언제든 비행기로 날아갈 수 있는 경제적 여유를 가진 아빠를 가리켜 '독수리아빠'라고 한다.

편도락

편도락 [명] 편의점 도시락. 관련 시장이 커지면서 주목받고 있는 메뉴이다.

편도족 [명] 편의점 도시락을 자주 이용하는 사람들. 가격이 저렴한 데다 식사할 때 다른 사람의 눈치를 볼 필요가 없어 선호되는 편의점 도시락의 주 소비층이다.

편돌〔순〕이 [명] 편의점에서 아르바이트하는 남성[여성]을 이르는 말. 과거 공장노동자를 '공돌[순]이'라고 불렀던 것과 같은 용례다. ¶ 6개월 차 편돌이가 알려 주는 주말 야간 알바 팁.

편퇴족 [명] 퇴근 후 편의점에 들러 쇼핑하는 사람들. 하루 일과를 편의점에서 마감하는 부류로 주로 커피, 음료수, 맥주 등의 식음료와 도시락 등 간편식 따위를 구매한다. 편의점이 동네 구석구석까지 빠짐없이 들어서고, 현금 입출금부터 공과금 수납, 택배 수령 등 서비스의 종류가 다양해지면서 시민들의 생활 거점이 된 현실을 반영하는 말이다. ¶ 편퇴족을 위한 편의점 음식 꿀조합 레시피!

평타 [명] ① 어떤 기준에서 평균치라는 뜻. 특정 대상을 평가할 때 주로 쓰는 말. '평타취' 혹은 'ㅍㅌㅊ' 형태로도 자주 쓰인다. 평균 이상은 '상타취', 이하는 '하타취'라고 부른다. '—타취'의 경우 일간베스트 저장소(일베) 용어로 널리 알려졌으나 일베 개설 이전 디시인사이드 등의 남초 커뮤니티에서 쓰인 이력이 있다. ② 온라인 게임에서 클릭으로만 이루어지는 기본 공격을 일컫는 말.

폐쇄몰 [명] 회원 전용 휴대전화 판매 사이트. 인터넷 카페 등에 초대받은 회원들만을 대상으로 제품을 판매하는 곳으로, 비공개 쇼핑몰이라는 뜻이다. 반대로 누구나 접속할 수 있는 공개 판매 사이트는 공카(공개 카페)라고 한다. 본래 폐쇄몰은 기업이 일반 소비자가 아니라 자사 또는 고객사의 직원들에게 저렴한 가격으로 자사 상품을 공급하는 쇼핑몰을 가리킨다.

포카 [명] 포토 카드. 아이돌의 모습을 담은 카드로 기획사에서 공식적으로 제작할 때도 있으나 대부분은 팬들 사이에 자체적으로 만들어지고 유통된다. ¶ 레드벨벳 조이 포카, 다른 멤버로 교환 원합니다.

포카

포텐 명 '잠재력'을 뜻하는 영어 potential(포텐셜)의 발음을 줄인 말. 어떤 사람의 잠재력이 폭발하여 대단한 것을 성취했을 때 "포텐이 터졌다"라고 말한다. ¶ 최근 미모 포텐 터진 레벨 웬디 짤 모음.

폭망 명 아주 심하게 망함. '폭삭 망하다' 또는 '폭풍 망하다'에서 유래했다거나 폭(爆)과 망(亡)을 합친 말이라는 등 다양하게 해석되는데, 그 의미는 모두 비슷하다. ¶ 내 20대 완전 폭망.

폭삼 명 야구 용어로 '폭풍 삼진'을 줄인 말. 폭풍처럼 빠르게 잡거나 또는 잡힌 삼진을 뜻한다. 비슷한 용어로 '룩삼'(루킹 삼진; looking strikeout)이 있는데, 이는 투 스트라이크 이후 투수가 던진 공이 스트라이크존을 통과하는데도 타자가 스윙하지 못하고 공만 쳐다보다가 당하는 삼진이다. ¶ 다르빗슈가 4회까지 아홉 개 삼진을 잡았어. 이런 걸 폭삼이라고 해. 근데 그중에 네 개가 룩삼이야. 할 말이 없지.

폭유 명 거대한 유방을 가리키는 '거유'보다 더 큰 가슴을 뜻한다. 일본 서브컬처 마니아 사이에서 주로 쓰이는 말.

폭풍눈물 명 너무 슬프거나 감동적이어서 주체할 수 없을 만큼 쏟아지는 눈물. 감상평 등을 말할 때 쓴다.

폰번 명 핸드폰(휴대전화) 번호. ¶ 너 폰번 머야?ㅎ

폰파라치 명 핸드폰(휴대전화)+파파라치(paparazzi). 휴대전화 판매업계에서 불법 보조금이 성행하는 것을 방지하기 위해 한국정보통신진흥협회가 시행하는 제도로, 정식 명칭은 '이동전화 불공정행위 신고포상제'다. 신고자는 불법 보조금 액수에 따라 일정 금액의 포상금을 받을 수 있다.

폰팔이 명 구매자에게 제대로 된 정보를 제공하지 않고 비싼 값에 휴대전화를 판매하거나 자신에게 유리한 쪽으로 계약을 유도하는 휴대전화 판매업자를 낮춰 부르는 말. 이때 당하는 쪽을 가리켜 '호갱'(웃돈을 주고 물건을 구입하는 어수룩한 고객)이라 한다.

폴더인사 명 폴더형 핸드폰처럼 90도에 가깝게 고개를 숙여 하는 인사. 깍듯하고 예의 바른 인상을 준다. 특히 연예계 아이돌의 인사법으로 알려져 있으며, 시사회 및 제작

폴더인사

발표회 등 기자회견에서도 자주 볼 수 있다. 정중하게 배꼽에 두 손을 올리고 고개를 숙이는 인사법인 '배꼽인사'와 비슷하다.

표인봉 똉 '페이백'(payback)을 뜻하는 이동통신업계 은어. 판매업자가 "표인봉 몇 개까지 알아보고 오셨어요?"라고 묻는 것은 페이백을 얼마까지 받을 수 있는지 조사하고 왔느냐는 뜻. 이동통신업계에서 페이백은 휴대전화를 정가로 판매한 후 고객에게 돌려주는 금액을 말하는데, 현행법에서 금지하고 있기 때문에 페이백의 초성 'ㅍㅇㅂ'을 은밀하게 표인봉이라 칭한다.

풀메 똉 풀 메이크업. 스킨, 에센스, 로션, 크림 등으로 기초화장을 한 뒤 피부, 눈, 입술 등 가능한 색조 화장을 모두 하는 것. ¶ A: 그때 너 화장 안 했어도 엄청 이뻤는데. B: 오빠, 나 풀메였어.

품절남[녀] 똉 연애를 시작했거나 결혼을 한 남성[여성]. 품절(品切)은 물건이 다 팔린 상태를 뜻하는데, 따라서 품절남[녀]은 파트너가 정해졌으므로 다시 연애나 결혼을 할 수 없다고 여겨 생긴 말이다. 품절남[녀]이 파트너와 결별하거나 이혼하는 경우 '반품남'[녀]이라고 부른다. 연예인의 연애 또는 결혼 기사에 많이 쓰이는 말. ¶ 노총각 타이틀 벗고 드디어 품절남 대열 합류.

풍차국 똉 네덜란드. 전통적으로 풍차가 유명한 데서 유래한 별명. # 나라

프로― 쳅 접두사로 쓰여 '직업적인', '전문적인'의 뜻을 더해 그 정도를 강조하는 말. 프로(pro)는 프로페셔널(professional)을 줄인 말로 어떤 일을 전문으로 하거나 그런 지식이나 기술을 가진 사람을 가리킨다. 흔히 '~하는 사람'이라는 뜻의 '―러'(―er)와 결합하여 쓰인다. 그중 대표적인 예가 프로막말러(상

습적으로 막말을 해 대는 사람), 프로불편러(시종일관 불편함을 호소하는 사람), 프로예민러(유독 매사에 예민하게 반응하는 사람), 프로지각러(상습적으로 지각하는 사람) 등이다. 이런 용례로 다양한 표현을 만들 수 있다.

프로둔감러 [명] 프로(pro)+둔감+러(—er; ~하는 사람). 일련의 현상이나 사건에 대하여 비정상적으로 둔감한 유형의 사람을 이르는 말. 여기서 '프로—'는 일종의 강조형 접두사로, 프로둔감러는 둔감러(둔감한 사람)보다 정도가 심한 둔감러를 말한다. 매사 불편함을 호소하는 '프로불편러'와 대비되는 유형이다.

프로불편러 [명] 프로(pro)+불편+러(—er; ~하는 사람). 일련의 현상이나 사건에 대하여 시종일관 불편함을 호소하는 유형의 사람을 이르는 말. 여기서 '프로—'는 일종의 강조형 접두사로, 프로불편러는 불편러(불편함을 호소하는 사람)보다 정도가 심한 불편러를 말한다. 즉 상습적이고 습관적인 불편러다. 흔히 지나칠 수 있는 것에 대해서도 민감하게 반응하거나 매사에 부정적인 태도를 취하는 사람들을 희화화하는 말이지만, 한편에서는 이들을 사회를 변화시키는 긍정적 에너지로 바라보기도 한다.

프로직관러 [명] 프로(pro)+직관(직접 관람)+러(—er; ~하는 사람). 스포츠 경기를 지속적으로 현장에 가서 관람하는 사람을 가리키는 말. 직접 관람하는 것이 직업일 정도인 사람이라는 뜻이다.

프리라이더 [명] free rider. 무임승차자. 대학에서 조원들과의 협업이 요구되는 조 모임, 조별 과제 등에 적극적으로 참여하지 않는 사람을 비난조로 일컫는 말. 아무런 역할도 하지 않고 점수를 거저 챙긴다는 뜻이다. 그러나 아르바이트나 취업 준비 등 생계에 쫓겨 본인의 의지와는 상관없이 프리라이더가 되는 경우도 허다하다.

프리마켓 [명] 판매자(seller; 셀러)를 자유롭게 모집해 참가비를 받고 자신이 직접 만들거나 가져온 물건을 팔도록 하는 장터. 영어의 flea market(플리마켓; 벼룩시장)이 한국에서는 free market으로 인식되면서 퍼진 말.

프사 [명] 프로필 사진. 메신저 애플리케이션이나 SNS 등에서 자신을 나타내는 아바타이다. 이를 통해 성별, 나이, 직업, 성격 등이 드러날 수 있어 어떤 사진을 '프사'로 쓸지 고민하는 것이 자연스러운 세태로 받아들여진다. 수시로 사진을 바꿀 수 있어 처한 상황에 따라 자신의 감정을 표현하는 수단으로도 적절하다. 프사라는 말에 다른 단어를 결합해 여러 종류의 용어를 만들 수 있는데, 대표적인 것이 커플프사(커플의 모습이 담긴 프로필 사진), 군복프사(군복을 입고 찍은 프로필 사진), 애니프사(애니메이션 캐릭터를 이용한 프로필 사진), 동물프사(동물을 찍은 프로필 사진) 등이다. 그 외 게시되는 플랫폼에 따라 카톡프사(카카오톡 프로필 사진), 페북프사(페이스북 프로필 사진), 트위터프사(트위터 프로필 사진)로 부르기도 한다.

프사기꾼 [명] 프사(프로필 사진)+사기꾼. 실물보다 훨씬 멋있어 보이는 사진을 SNS 등에서 자신의 프로필 사진으로 사용하는 사람을 뜻한다. 포토샵의 후보정 기능을 이용하거나 예외적으로 잘 나온 사진을 프사로 올려 타인의 관심을 받으려는 사람을 이르는 용어. ¶ 프사만큼만 생기라고요? 네, 제가 자타 공인 프사기꾼입니다.

플스 [명] 일본 소니(Sony)사의 게임기인 '플레이스테이션'(Play Station)을 줄인 말.

플짤 [명] 플래시 짤. 여기서 '짤'은 '이미지 파일'이라는 뜻이며 플짤은 주로 어도비 플래시 플레이어(Adobe Flash Player)로 재생되는, 파일 확장자가 '.flv'인 움직이는 이미지 파일을 가리킨다. 움직이는 짤을 뜻하는 '움짤'은 파일 확장자가 '.gif'다.

플픽 [명] 프로필 사진. '프로필 픽처'(profile picture; 프로파일 픽처)를 줄인 말이다. '프사'(프로필 사진)와 동의어.

피꺼솟 [관] 피가 꺼꾸로(거꾸로) 솟아오르다. 화가 머리끝까지 치솟는 기분을 가리킨다. ¶ 방금 키보드에 콜라 쏟음 피꺼솟!

피돌이 [명] ① 군부대 내 매점인 PX의 관리병을 부르는 말. 근무가 편한 보직으로 알려져 있어 약간 깎아내리는 뉘앙스를 가진다. ② 혼다(Honda)에서 출시하는 인기 스쿠터 기종인 PCX의 애칭.

피맥 [명] 피자+맥주. 치킨과 맥주의 합성어인 '치맥' 이후에 생겨난 유행으로 맥주를 피자 안주와 함께 즐기는 것. 토핑에 따라 맛이 달라

피맥

지는 피자, 여기에 크라프트 맥주(craft beer)의 등장으로 다양한 맥주를 마실 수 있게 되면서 취향에 따른 피자와 맥주의 조합이 주목받으며 피맥이라는 말이 퍼졌다.

피방 [명] 피시(PC)방. 빠른 회선의 인터넷망과 여러 대의 PC를 구비해 놓아 온라인 게임 및 인터넷을 할 수 있도록 한 곳. 시간당 요금 또는 정액 요금을 내고 이용할 수 있다. ¶ 공포의 피방 초딩들.

피안성 [명] '피부과, 안과, 성형외과'의 각 첫 글자를 딴 말. 수익성이 좋아 의과대학에서 인기를 끌고 있는 학과로, 성적이 좋아야 해당 전공을 거머쥘 수 있다고 한다.

피자국 [명] 이탈리아. 피자의 본산인 데서 유래한 별명. '파스타국'이라고도 불린다. #나라

피케팅 [명] 피 튀기는 티케팅. 인기 아이돌 공연의 티켓을 예매하기 위해선 엄청난 노력을 기울여야 하는 것은 기본이고 천운이 따라 줘야 하는데, 이런 험난한 과정을 비유한 말.

피튀 [관] 피시방에서 이용 요금을 내지 않고 튀는 것. 음식을 먹은 뒤 계산하지 않고 도망가는 행위 등을 가리키는 '먹튀'와 비슷한 말.

필러 [명] filler. 얼굴 등에 주입해 팽팽해지게 하거나 인위적인 굴곡을 만드는 인공 물질로, 그 의미가 확

장되어 이를 사용하는 성형 기술도 필러로 통칭하고 있다.

필터링 ㉰ filtering. 어떤 기준에 근거하거나 주관적인 잣대를 토대로 하여 정보 이용자가 자신이 원하지 않는 정보를 걸러내는 일. 예를 들어 대기업 신입 사원 모집 시 서류 전형에서 지원자의 스펙(spec)만을 기준으로 당락을 결정짓는 것을 '스펙 필터링'이라고 한다. 특정 커뮤니티에서 '금지어'를 지정하는 것도 일종의 필터링이라 할 수 있다.

핑프 ㉰ 핑거 프린세스(finger princess) 또는 핑거 프린스(finger prince). 간단한 정보도 스스로 찾아보거나 조사하지 않고 온라인 또는 주변 사람들에게 물어 지식을 얻으려는 사람을 비꼬는 용어. ¶ 핑프 사절.

하

하드캐리 몡 hard carry(하드 캐리). 게임이나 운동경기 등 여러 사람이 참여하는 그룹 활동에서 기량이 뛰어난 한 사람이 상대편 전체를 상대할 정도로 큰 역할을 하는 경우를 이르는 말. 질 것 같은 경기도 그 사람이 주도해 승리로 이끌 수 있는데, 이를 "하드캐리한다"라고 표현한다. ¶ 〈그것이 알고 싶다〉는 보도계(界)를 하드캐리한다.

하메 몡 하우스메이트(house-mate). 가족이 아니면서 한 집에 사는 사람, 즉 집을 나눠 함께 사는 동거인을 말한다. 전월세 가격을 혼자 감당하기 어렵기 때문에 조건이 맞는 사람과 공동으로 부담하는 경우가 많아졌다. 보통 가까운 친구를 찾거나 인터넷 커뮤니티를 통해 하메를 구하곤 한다. ¶ 역삼동 투룸, 여성 하메 구해요.

하악하악 묌 흥분된 기분을 과장되게 표현하는 인터넷 용어였으나 소설가 이외수가 수필집 제목으로 차용한 이후 사용 빈도가 크게 감소했다. '항가항가'라 쓰기도 하는데, 이는 하악하악을 빠르게 입력할 때 자주 발생하는 오타이다.

하의실종 괸 상의에 가려 보이지 않을 정도로 매우 짧은 하의 차림.

하이터치회 몡 하이터치(high touch; 인간적인 접촉)+회(會). 일본에서 유래한 아이돌 팬 문화로, 팬과 연예인이 눈을 맞추고 악수를 하거나 하이파이브를 하는 등 신체 접촉을 통해 교감하고 우애를 나누는 행사를 말한다. 행사장 가운데에

하의실종

하이터치회

연예인이 서 있으면 팬들이 지나가면서 그와 하이파이브를 하거나 잠깐 동안 두 손을 부여잡는 식으로 진행된다.

학고 몡 학사 경고. 대학에서 일정 수준 이하로 학점이 나왔을 때 받는 고지.

학식 몡 학교 식당의 식사. 즉 학생 식당 혹은 대학교 구내식당의 식사로, 일반 음식점보다 가격이 저렴하나 식단의 질은 학교마다 천차만별이다. 메뉴가 한 가지로 정해진 중고등학교의 급식과 달리, 학식은 메뉴가 다양하고 교직원 및 일반인에게도 식사를 제공한다.

학식충 몡 학식+충(蟲). 학식(학교 식당의 식사)을 먹는 학생을 벌레에 빗대 비하하여 부르는 말이나, 대개는 대학생 일반을 지칭한다. '급식충'이 중고등학생을 비하하는 말인 것과 구별된다.

학식팬 몡 학식+팬(fan). 아이돌 팬 중 학식(학교 식당의 식사)을 먹는 대학생 팬을 말한다. 급식팬(10대 팬)이나 회식팬(직장인 팬)과 달리 시간에 여유가 있어 능동적인 팬질(깊이 좋아하는 행위)을 할 수 있다.

학잠 몡 학교 잠바(점퍼). 대학교 로고가 등과 팔 부분에 새겨진 야구 점퍼로, 흔히 과별로 맞추기 때문에

'과잠'이라고도 불린다. ¶ 요즘 여대 학잠은 디자인도 예뻐.

한강가다 ㉑ '자살하러 가다'를 비유적으로 이르는 말. 한강 다리가 서울의 유명한 자살 장소인 것에 빗대 농담식으로 하는 말이다. ¶ 아우 개망신, 한강갈까?

한남 ㉐ 한국 남성. 한국 남성을 비하하는 뜻을 담는데, 그들 전체라기보다는 한국이라는 사회 혹은 체제의 부정적인 속성을 내면화한 남성을 비하하는 맥락에서 사용한다. 가령 가부장제 및 남존여비 사상에 찌들어 사람을 함부로 대하거나 여성을 대상화할 뿐만 아니라 이 나라의 첨예한 사회문제에 대해 별 자각이 없는 남성이다. '된장녀', '김치녀' 같은 여성 혐오 표현에 대항해 나온 표현. ¶ "언제까지 한남으로 살면서 나라를 망칠 것인가." — 여성학자 정희진의 〈경향신문〉 칼럼 중, 2017년 2월 29일.

한남충 ㉐ 한남(한국 남성)+충(蟲). 일부 한국 남성을 벌레에 빗대 비하하는 말. 대체로 여성 혐오자에 대한 혐오의 뜻을 담아 사용하는 표현이다.

한만두 ㉑ 한 이닝에 만루 홈런 두개. 야구팬들의 용어로 한 이닝에 만루 홈런 두 개를 허용하거나 쳤을 때 이 말을 쓴다. LA 다저스 박찬호 선수가 1999년 4월 23일 세인트루이스 카디널스와의 경기에서 페르난도 타티스 선수에게 한 이닝에 만루 홈런 두 개라는 전대미문의 기록을 허용하자 퍼진 표현. 박찬호로서는 불명예스럽고 굴욕적인 사건이었다. 한국 프로야구에서는 2018년 3월 31일 KT가 두산 베어스를 상대로 8회 말 공격 때 두 개의 만루 홈런을 쏘아 올린 것이 최초의 한만두 기록이다.

한본어 ㉐ 한국어와 일본어를 섞어서 말하는 것. 혹은 일본어 번역투 문장을 일컫는 말. 가령 "호라! 모젠젠 멀쩡하자나?"(봐! 이제 완전히 멀쩡하잖아?) 같은 것이다. 영화나 드라마 자막의 번역 오류를 가리킬 때, 오타쿠(일본 만화, 애니메이션, 게임 등을 열렬히 좋아하는 사람)의 정체성을 드러낼 때 쓴다. 보통 말끝에 일본어 종결어미를 발음한 —데스(—です)를 붙이곤 한다. "오 시발ㄹ 깜짝 놀랐다데스", "닝겐노 유리와 튼튼데스네"(인간의 유리는 튼튼하네) 하는 식이다. ¶ 니가 나에 대해 나니오 와캇떼룬다?(니가 나에 대해 뭘 알아?)

할마 [명] 할머니+엄마. 자식을 대신해 손주를 돌보는 할머니를 가리킨다. 맞벌이 가정의 아이를 조부모가 대신 기르는 경우가 많아진 데서 유래했다. '할맘'이라고도 한다.

할많하않 [관] 할 말은 많지만 하지 않겠다. 매우 못마땅하지만 그걸 다 말로 하지는 않겠다는 뜻.

할빠 [명] 할아버지+아빠. 자식을 대신해 손주를 돌보는 할아버지를 가리킨다.

핥다 [동] 아이돌이나 만화, 애니메이션, 게임의 등장인물을 그 자체로 아끼고 사랑하는 행위. 혹은 그러한 대상을 남들에게 자랑하고 치켜세우는 행위. 빠(열성 팬) 혹은 덕후(마니아)로서의 본분을 다하는 것. 어떤 대상을 찬양하고 무조건적으로 옹호한다는 뜻의 '빨다'와 비슷한 의미로 쓰인다. ¶ 제가 요즘 핥고 있는 배구 만화인데 〈하이큐!!〉라고 아세요?

합성짤 [명] 인터넷상에서 유행하는 '짤'(이미지 파일)을 잘라다 임의로 다른 사진과 합성해 만든 이미지. 대부분의 경우 웃짤(웃긴 이미지)을 만들고자 대상을 기발하게 패러디하다가 탄생한다. 장잉(장인+잉여)에 의해 쓸고퀄(쓸데없이 고퀄리티)의 합성짤이 만들어지곤 한다.

할빠

핫플 [명] ① 핫 플레이스(hot place). 사람들이 많이 모이는 인기 있는 장소를 뜻한다. ② 인터넷 커뮤니티 '여성시대'에서 댓글이 1,000개 이상 달린 인기 게시글을 부르는 표현.

항가항가 [부] 흥분된 기분을 과장되게 표현하는 말. 같은 뜻을 가진 '하악하악'의 오타에서 출발했으나, 신음 소리의 변태적인 느낌이 줄어 오히려 더 널리 쓰이게 되었다.

항마력 몡 마력에 대항하는 능력. 여기서 '마력'이란 보는 사람들을 견딜 수 없게 하는 것들이 뿜는 기운을 통칭하는데, 매우 유치하거나 민망하거나 창피하거나 징그럽거나 잔혹한 상황에서 주로 발생한다. 항마력이 높을수록 혐오스럽거나 유치한 것을 아무렇지도 않게 볼 수 있고 그로부터 받는 영향도 적다. 어느 정도 항마력을 갖춰야 현대사회에서 건강한 정신으로 살아갈 수 있다.

해빙기 몡 빙하가 녹듯 지금 가능한 보조금이 늘어나 휴대전화 판매 시장이 활성화되고 있는 시기라는 뜻. 반대로 '빙하기'는 보조금 혜택을 받기 어려운 시기를 가리킨다. 휴대전화 구매 정보 커뮤니티에서 주로 쓰인다.

해시태그 몡 hashtag. SNS에서 특정 단어나 문장 앞에 #(hash)를 붙여 만드는 일종의 키워드이자 꼬리표. 게시물에 이것을 표기함으로써 해당 키워드와 관련한 이야기를 하고 있다는 것을 알린다. 예를 들면 평창 동계올림픽 관련 게시물 말미에 '#평창동계올림픽'이라는 해시태그를 포함시키는 것이다. 해시태그를 클릭하면 같은 해시태그가 달린 글이 한꺼번에 펼쳐진다. 따라서 어떤 이슈를 둘러싸고 다양한 사람의 의견을 참조할 때 편리하고, 특정 주장에 대한 다수의 목소리를 모을 때 효과적이다.

─해쏼 어 ─했다. 오타를 일부러 차용한 표현. 의미 없는 일 혹은 실수를 했다는 느낌을 강조하는 효과가 있다. #오타체 ¶ 이걸 틀리다니 황당해쏼.

핵─ 젭 '정도가 매우 세고 강렬한'의 뜻을 더하는 접두사. 뒤따라오는 단어를 강조한다. 핵잼(정말 재미있음), 핵노잼(정말 재미없음)을 비롯한 여러 용례가 있으며 필요한 경우 대충 만들어 쓸 수도 있다. 핵웃김(정말 웃김), 핵슬픔(정말 슬픔), 핵분노(정말 분노함) 등.

핵꿀잼 몡 핵+꿀잼. 매우 재미있다는 뜻. 어떤 것이 꿀처럼 달콤한 재미가 있다는 뜻의 '꿀잼'을 강조하고 과장하는 표현이다.

핵노답 몡 핵+노답. 답이 없다는 뜻의 '노답'을 강조하는 말 ¶ 너나 네 남친이나 핵노답, 맘대로 해.

핵노잼 명 핵+노잼. 재미없다는 뜻의 '노잼'을 강조하는 말. 재미가 그 어디에도 존재하질 않아 너무 지루하고 따분하다는 의미다. ¶ 이 영화 핵노잼이라 환불하고 싶은 심정.

핵이득 명 핵+이득. 뜻밖의 엄청난 이득을 가져다줄 어떤 것을 가리키는 말. 혹은 기대치를 초과하는 이익을 봤을 때 쓰는 말. '개이득'과 동의어로, 일상에서 의외의 행운을 만날 때 흔히 사용하며 인터넷 쇼핑몰 등의 홍보 멘트로도 인기다. ¶ 그냥 들어갔는데 맛집이었어, 핵이득 ~ ¶ 피자 한 판에 8,400원, 이런 게 바로 핵이득!

핵존잘 명 핵+존잘. 존잘(매우 잘생긴 사람 혹은 무언가를 잘하는 사람) 중의 존잘을 가리킨다.

행부 명 '형부'의 애칭. 기혼 여성 커뮤니티에서 주로 쓰인다.

행쇼 관 행복하십쇼. 상대방의 경사에 부치는 가벼운 인사. 2012년 MBC 예능 프로그램 〈무한도전〉의 상황극에서 지드래곤(권지용)이 한 말이다. 이후 대중적으로 크게 유행했다.

허니잼 명 허니(honey; 꿀)+재미. 어떤 것이 꿀을 발라 놓은 것처럼 달콤한 재미가 있다는 뜻. '꿀잼'이라고도 한다.

허접 명 능력 또는 정도가 졸렬하고 별 볼 일이 없는 사람을 일컫는 말. 허름하고 잡스럽다는 뜻의 형용사 '허접하다'의 어근을 명사화한 것으로, 겸손을 표하고 싶을 때 스스로를 낮춰 부르는 말로도 자주 쓰인다. 온라인 게임에서는 낮은 레벨 사용자를 가리키는 '쪼렙'과 같은 뜻으로 사용된다.

헐 감 놀라움, 혼란스러움, 당혹스러움, 부끄러움, 실망스러움, 기쁨, 슬픔 등의 여러 가지 감정을 한 글자로 압축하여 표현하는 감탄사. 어조와 음길이를 조절하여 다양한 뉘앙스를 만들어 낼 수 있다. 가령 '헐!'은 순간적인 탄식, '헐~'은 냉소가 깔린 실망을 나타낸다. '헐랭', '헐퀴' 모두 같은 뜻이다. ¶ 헐, 이걸 처음부터 다시 하라고?

헤비유저 명 heavy user. 게임, 프로그램, 게시판 활동 등에 많은 시간을 투자하는 사용자. 구매 빈도가 높은 고객을 가리키는 마케팅 용어에서 온 말이다. 반면, 가벼운 정도로 이용하는 사람을 가리켜 '라이트유저'(light user)라 한다.

헤테로 몡 헤테로섹슈얼(hetero-sexual). 이성애자를 뜻한다. 한편 동성애자를 호모섹슈얼(homo-sexual), 양성애자를 바이섹슈얼(bisexual)이라 하며 각각 '호모', '바이'로 줄여 부르기도 한다. 헤테로는 '일반'(一般), '스트레이트'(straight) 등과 비슷하게 쓰일 수 있다.

헬게이트 몡 hell gate(지옥문). 보통 "헬게이트가 열렸다"라는 표현을 많이 쓰는데, 이는 너무 고통스러워 견디기 힘든 상황이 펼쳐졌다는 뜻이다. ¶ 매일 아침 오픈하는 신도림역 헬게이트.

헬조선 몡 헬(hell; 지옥)과 조선(한국)의 합성어로 '지옥 같은 대한민국'을 비유하는 말. 2015년 메르스(MERS) 사태와 가뭄을 맞아, 트위터(Twitter)에서 역병과 가뭄이 창궐하는 것이 19세기 조선과 유사하다는 언급이 계기가 되어 이 표현이 널리 퍼졌다. 반복적으로 발생하는 대형 사고와 이를 책임지지 않는 정부, 사회의 구조적 모순을 해결하기는커녕 오히려 당파적 이익에 골몰해 갈등을 증폭시키는 정치권, 죽도록 노력해도 빈곤을 벗어날 수 없는 세태 등을 담고 있다. 다시 말해, 헬조선은 개인의 노력과 무관하게 탈출구를 찾을 수 없는 한국 사회의 암담한 현실을 이르는 말이자 20~40대의 눈에 비친 대한민국의 자화상이다. 비슷한 말로는 '망한민국', '지옥불반도' 등이 있는데, 뉘앙스는 조금씩 다르지만 이 나라에 대한 환멸과 분노의 감정이 서려 있다는 점은 똑같다.

헬팟 몡 헬(hell)+파티(party). 온라인 게임에서 주로 쓰이는 말로, 운영을 너무 못하거나 호흡이 맞지 않아서 함께 게임하기 힘든 '파티원'을 가리킨다. 파티원이란 게임 안에서 연합해 행동하는 그룹의 일원을 말한다.

현망진창 관 현실 생활 엉망진창. 대체로 덕후(마니아) 생활, 그중에서도 주로 연예인 팬질(깊이 좋아하는 행위)을 하는 상황에서 이 말을 사용한다. 좋아하는 연예인의 일거수일투족에 집중하다 보면 일상 생활이 엉망이 된다는 뜻. ¶ 공방(공개방송) 뛰느라 현망진창이지만 넘나 햄볶(너무나 행복).

현백 몡 백화점 체인점인 '현대백화점'을 줄인 말. 경쟁사는 롯백(롯데백화점)과 신백(신세계백화점).

현시창 관 꿈은 높은데 현실은 시

궁창이야. 2002년 영화 〈8마일〉(8 Mile)에서 주인공 비 래빗(에미넴 분)의 대사 "Like when you gotta stop living up here and start living down here?"를 의역한 자막에서 유래했으며, 많은 이들의 공감을 사 유행했다. 21세기 한국을 살아가는 청춘의 꿈과 좌절을 기록한 책의 제목이기도 하다(임지선 지음, 알마, 2012년).

현아 ㉠ '현금 완납'을 뜻하는 이동통신업계의 은어. 고객이 휴대전화를 구입할 때 단말기 가격의 일부를 현금으로 보태 주는 것을 말한다.

현웃 ㉡ 현실 웃음. 커뮤니티 게시판, SNS, 메신저 등 온라인에서 대화를 하다가 소리 내어 웃음을 터트리는 것을 말한다. 그만큼 심하게 웃기다는 뜻으로, 실제로 웃고 있는지는 크게 중요하지 않다. ¶ 이거 보다가 도서관에서 현웃 터짐.

현자타임 ㉡ ① 현실 자각 타임. 아이돌 등 특정 분야의 팬들 사이에서는 열성적으로 '팬질'(깊이 좋아하는 행위)을 하다가 어느 순간 식어 버리면서 현실감각이 돌아오는 때를 가리킨다. 한편, 어떤 일을 저질렀다는 것을 자각하고 회한에 잠기는 시간을 뜻하기도 한다. 엎지른 물을 초점 없는 눈으로 바라보고 있는 상태와 비슷하다. 더 줄여서 '현타'라고 한다. ¶ 내가 이렇게 좋아해도 정작 걔는 나를 모르잖아. 현타 온다…. ② 섹스 또는 자위행위를 통해 욕구를 충족한 뒤 성감 및 성욕이 급격하게 떨어지는 것, 혹은 이것이 지속되는 무념무상의 시간. 남성 중심의 온라인 커뮤니티에서 흔히 쓰이는 말이다.

현질 ㉡ 온라인 게임의 유료 아이템을 구매하는 행위. 혹은 다른 사용자와 게임 아이템을 현금으로 거래하는 행위를 말한다. ¶ 현질에 수십만 원 썼는데 게임을 없애 버리냐?

현타 ㉡ ① 현실 자각 타임. 아이돌 등 특정 분야의 팬들 사이에서는 열성적으로 '팬질'(깊이 좋아하는 행위)을 하다가 어느 순간 식어 버리면서 현실감각이 돌아오는 때를 가리킨다. '내가 지금 뭔 짓을 하는 거지?'라는 생각이 드는 시간. 거사를 치른 직후 삶의 의욕이 급격하게 떨어지는 때를 말하기도 한다. ② 현실 타격. 인터넷상에서 받은 충격이 모니터를 넘어 피부로 전해지는 것을 뜻한다. 황당하거나 끔찍한, 또는 이해할 수 없는 이야기를 통해 경험하곤 한다.

현피 몡 '현실'과 'PK'(player killer 또는 player killing)의 각 첫 글자를 딴 합성 조어로 인터넷에서 발단된 다툼이 현실에서 치고받는 싸움으로 이어지는 것. PK는 상대를 공격하거나 제거한다는 의미로 쓰이는 온라인 게임 용어다. "현피 간다"라 하면 인터넷에서 싸우다가 직접 만나 싸우러 간다는 뜻이고, "현피 뜰까? 주소 적어"라 하면 상대에게 직접 만나서 싸우자고 으르는 말이다. 인터넷 게시판에서의 언쟁, 온라인 게임에서의 반말이나 욕설 등 갖가지 이유로 시비가 붙어 실제 폭행 사건으로 비화하는 사례가 비일비재하다. ¶ 현피 뜨러 갔더니 웬 훈남이….

혐짤 몡 혐오+짤. 혐오스러운 이미지 파일. 주로 너무 더럽거나 끔찍하여 불쾌감을 불러일으키는 사진 등을 뜻한다. 이를 포함하고 있는 게시물에는 '혐짤주의'라는 사전 경고 문구를 달아 주는 것이 예의로 여겨진다. ¶ 혐짤이지만 사진 첨부…, 이거 피부염일까?

혜자 몡 ① 양질의 어떤 것을 가리키는 대명사. 배우 김혜자가 광고 모델인 편의점 도시락 브랜드의 양과 질이 뛰어난 데서 비롯된 표현이다. 이후 김혜자는 '마더 혜레사'라는 별명까지 얻었다. 비싸기만 하고 형편없는 것을 가리키는 '창렬'과 대비되는 말로 쓰인다. ② 특정 단어 앞에 붙어 값싸고 질 좋은, 즉 가성비(가격 대비 성능 비율)가 훌륭하다는 뜻을 나타내는 말. '혜자푸드', '혜자피자' 등과 같이 쓰인다.

혜자스럽다 혱 품질이 뛰어나다. 배우 김혜자가 광고 모델인 편의점 도시락의 품질이 특히 훌륭한 데서 유래한 표현. 음식에만 해당되는 말은 아니다. ¶ 혜자스러운 피자, 혜자스러운 자동차.

호갱 몡 호구(虎口)+고객. 시장의 정황이나 상품에 대한 지식이 부족해서 불리한 조건으로 거래하거나, 판매자의 의도에 의해 바가지를 쓰게 되는 구매자. '호구'란 어수룩하여 이용하기 좋은 사람을 비유적으로 이르는 말이다. 호갱은 가격 변동이 심한 휴대전화나 전자 기기 부문에서 자주 발생하며, 공격적으로 호객 행위를 펼치는 판매자일수록 호갱을 노리고 있을 공산이 크다. 특히 휴대전화는 이동통신사가 제공하는 복잡한 통신 요금 구조와 맞물려 '눈 뜨고 호갱 되는' 현상이 다반사로 벌어지는 분야다. ¶ A: 사람들이 단말기 완전 자급제를 원하는 이유는? B: 호갱 될까 봐.

호광킹 ㉑ 호감 가는 광고 킹. 깔끔한 외모와 성실한 이미지를 갖춰 광고주가 가장 선호하는 모델을 가리킨다. 한동안 광고 모델계를 장악했던 연예인 이승기에게 팬들이 붙여준 별명.

호모나게이뭐야 ㉑ 호모나 게이 뭐야. '어머나, 이게 뭐야'를 변형한 표현. 예상치 못한 상황에서 두 명의 남자 사이에 문득 에로틱한 분위기가 형성됐을 때, 혹은 그와 관련한 묘사를 맞닥뜨렸을 때 깜짝 놀라면서도 굉장히 만족스러운 마음을 담아내는 감탄사. 동성애자를 지칭하는 단어인 '호모', '게이'가 포함되어 있어 웃음을 준다.

호모인턴스 ㉑ 취업이 되지 않아 인턴만 반복할 수밖에 없는 인류라는 뜻. 토익 점수, 학점 등 이른바 스펙(spec)만으로도 취업할 수 있었던 세대를 일컫는 '오스트랄로스펙쿠스'와 대응하는 말이다.

호불호 ㉤ 好不好. 좋고 싫음을 가리는 것. 인터넷 커뮤니티에서 어떤 대상을 지목하고 그에 대한 사람들의 취향, 정확히는 그것이 호(好)인지 불호(不好)인지를 물을 때 쓰는 말. "호불호가 갈린다"라고 하면 어떤 대상에 대해 좋아하는 사람과 싫어하는 사람이 나뉜다는 뜻이다. 그것이 기기일 때는 성능이나 가격 등 계량화할 수 있는 것보다 외양, 색감, 디자인 등 심미적인 요소에 의해 호불호가 갈리는 경우가 대부분이다.

호옹이 ㉴ '으아아아'라는 글자를 반시계 방향으로 90도 돌리면 '호옹이'로 보이는 데서 생겨난 말로, 비명을 지르고 싶은 기분을 뜻한다. 만화가 김성모의 〈럭키짱〉에서 주인공 강건마에게 폭행당한 이의 비명에서 유래했다.

혼곡 ㉤ 혼자 노래하는 것. 일명 코인 노래방에서 동전을 넣고 혼자서 노래를 부르는 것을 말한다. 일반 노래방보다 가격이 저렴하고 남의 눈치를 볼 필요가 없는 장점이 있다.

혼공 ㉤ ① 혼자 공부하는 것. 일반적으로는 입시와 관련해 재종학원(재수 종합 학원)에 다니는 대신 자신만의 방법으로 혼자서 수능 시험을 준비하는 것을 일컫는다. 스스로 학습 관리를 해야 한다는 부담이 있지만 자신에게 딱 맞는 방법으로 시험을 준비할 수 있다는 것이 장점. ② 혼자 공연을 보는 것. 원하는 날짜나 시간을 선택할 수 있고, 공연의 감동을 자신만의 호흡으로 음미할 수 있다.

혼디족 [명] 혼자 디저트를 즐기는 사람들. 디저트 문화의 발달과 더불어, 혼밥(혼자 밥 먹는 것), 혼술(혼자 술 마시는 것), 혼커(혼자 커피 마시는 것)와 같이 무언가를 홀로 즐기는 흐름 속에서 나타난 표현.

혼바비언 [명] '혼자 밥 먹는 사람'의 애칭. '혼밥'에 '~하는 사람'이라는 의미의 영어 접미사 '—ian'이 결합한 것으로 추측된다.

혼밥 [명] 혼자 밥 먹는 것. 혼자 밥 먹는 사람들을 통칭해 '혼밥족'이라고도 한다. 과거에는 누군가가 혼자서 식사하는 것을 측은하게 보는 시각이 우세했으나, 개인주의가 심화되고 자기만의 시간을 소중히 여기는 문화가 확산되면서 일상의 세태로 거부감 없이 받아들여지고 있다. 어느 중년의 무역업자가 도시의 맛집을 홀로 찾아다니며 탐미적인 음식 기행을 한다는 내용의 일본 만화 〈고독한 미식가〉(구스미 마사유키 · 다니구치 지로 저)는 혼밥과 '혼술'(혼자 술 마시는 것)의 미학을 보여 준 작품으로 유명하다.

혼술 [명] 혼자 술 마시는 것. 처량하거나 애처로운 행위가 아니라 자

혼밥

신만의 시간을 오롯이 즐기려는 행위로 인식되면서 확산되고 있지만 여전히 궁상맞게 보는 시각도 있다. 혼술을 즐기는 사람을 '혼술러'라 한다.

혼영 [명] 혼자 영화 보는 것. ¶ 혼영이 역시 집중이 잘돼. 근데 눈물이ㅠㅠ

혼커족 [명] 혼자 커피를 마시는 사람들. 혼자 밥 먹는 사람들을 뜻하는 '혼밥족'에 이어 등장한 표현으로, 1인 가구의 증가 및 대인 관계 풍속도의 변화에 따라 나타난 사회 현상이다.

혼파망 [명] 혼돈+파괴+망가. 극도로 혼란스러운 상황을 묘사하는 표현. 원래 이 말은 블리자드 엔터테인먼트의 전략 시뮬레이션 게임 워크래프트에서 킬제덴이라는 인물이 외치는 대사로, 그중 '망가'는 사실 '망각'이지만 성우가 '각'을 너무 길게 발음하는 바람에 '가'로 들려 이같이 굳어졌다.

혼행 [명] '혼자 여행'을 줄인 말.

홈마 [명] 홈페이지 마스터. 연예인 팬덤 용어로 스타의 모습을 사진이나 동영상으로 촬영해 자신의 홈페이지에 올리는 사람이다. 아이돌 홈마의 경우 스타의 모습을 멀리서 촬영해야 하는 경우가 많아 고배율 망원렌즈를 장착한 고성능 카메라를 가지고 다니는 경우가 대부분이다. 전문가 수준의 실력을 가졌거나 스타와 친한 홈마들은 사진을 통해 팬들 사이에서 영향력을 얻는 한편, 사진 판매나 전시를 통해 수익까지 창출하는 경우도 있다. 아이돌 홈마 중 트위터 등에서 팔로워가 가장 많은 이를 특별히 탑시드(top-seed)라고 구별해 부르기도 한다. 보통 개인 홈페이지나 SNS에서 닉네임으로 활동한다.

홍대병 [명] 홍대 앞 특유의 인디 문화에 심취해 일반 사람들은 이해하지 못하는 독특한 취향을 가지고 있다고 믿는 증상. 흔히 '나만 아는' 음악이나 공간을 탐닉하는 사람이 겪는다. 이를테면 "얘기해도 모르실 거예요, 저만 아는 뮤지션이거든요"라고 말하는 식이다. 그것을 일반인도 모두 알고 있다는 사실을 알게 될 경우에는 공황 상태에 빠지곤 한다.

홍양 [명] 생리(월경). 임신을 기원하는 기혼 여성 커뮤니티 회원들 사이에서 생리를 한 것을 실망스럽게 일컫는 표현. ¶ 오늘 홍양이 찾아왔

네요ㅠㅠ

홍차국 명 영국. 홍차 문화가 유명한 것에서 유래한 별명. #나라

화떡 관 화장 떡칠. 화장을 몹시 두껍게 한 모습을 이른다.

화력지원 명 인터넷 커뮤니티 등지에서 논쟁이 벌어졌을 때 특정 입장을 지지하는 글을 올리는 행위.

화류필 명 화류계+필(feel). 어떤 유흥업소 여성을 품평할 때 전형적으로 업소 종사자처럼 보인다며 쓰는 말. 짙은 화장에 성형한 듯한 눈과 코, 화려한 의상, 억센 화법 등이 주요 특징이다. 유흥업소 여성처럼 보이지 않는 경우를 칭하는 '민간필'과 대조적인 유형이다.

화석 명 아주 오래된 것 또는 그러한 존재. 가령, 졸업할 때가 한참 지났는데도 여전히 학교에 다니는 고참 선배, 오랫동안 활동하여 커뮤니티의 역사를 꿰는 회원 등을 화석이라 부른다. 지질시대 암석 안에 퇴적된 동식물의 유해나 흔적을 화석(化石)이라 부르는 것을 비유한 말이다.

확대범 명 반려동물에게 밥을 많이 먹여 몸을 불게 했다는 뜻으로, 동물과 함께 사는 사람이 자신을 칭할 때 쓰는 말. ¶ 제가 이 고양이 확대범이오.

회계머니 명 지배적 담론을 일컫는 용어인 헤게모니(hegemonie)를 뜻한다. 누군가 잘못 쓴 것이 재미있어 일부러 틀리게 쓰는 말. ¶ 강대국들의 회계머니 싸움.

회식팬 명 아이돌 팬 중 직장인 팬을 말한다. 급식팬(10대 팬)이나 학식팬(20대 대학생 팬)과 달리 금전적인 여유가 있는 이들이다. ¶ 왜 하필 평일 낮인가요…, 회식팬은 웁니다ㅠㅠ

회의주의자 명 불필요한 회의(會議)를 반복해 시간만 빼앗는 직장 상사를 비꼬는 말. 모든 것을 회의적으로 보아 의심하는 사람인 '회의(懷疑)주의자'와 동음이의어.

회이크 명 회+케이크. 장난스러운 거짓. '가짜의', '모조품'을 의미하는 영어 단어 fake(페이크)에서 파생한 말. 언뜻 케이크처럼 보이는 생선회에 초를 꽂은 짤(이미지 파일)이 인터넷에 퍼지면서 함께 알려진 말이다.

회츄 몡 회색 츄리닝(추리닝). 집에서 간편하게 입는 대표적인 의복. 무릎 부분이 늘어져 항상 튀어나와 있다.

휜갑 몡 회원 가입. 기혼 여성 커뮤니티에서 주로 쓰이는 표현이다.

후로게이 몡 ① 인터넷상에서 여성인 척하면서 남성 네티즌들을 속이는 사람. 게이를 비하하는 뉘앙스가 포함되어 있다. '인터넷 여장 남자'를 뜻하는 일본어 オカマ(네카마)에서 유래한 '넷카마'와 유사한 뜻. ② '프로 게이머'의 애칭.

후방주의 몡 컴퓨터를 할 때 뒤편에서 누군가가 모니터를 볼 수도 있으니 주의하라는 말. '엄빠주의'와 유사한 뜻으로 쓰이나 상대를 제한하지 않는다. 누가 보면 창피할 만한 글 혹은 노출이 많은 사진이 포함된 게시물을 올릴 때 제목에 표시하는 경고 문구로 자주 쓰인다.

후빨러 몡 후장을 빠는 사람. 특정 인물이나 브랜드, 작품 등을 맹목적으로 옹호하고 숭배하다시피 하는 이를 가리킨다. 자신과 다른 태도를 가진 사람들과 언쟁할 때 보이는 지나친 공격성이 비난을 부르곤 한다. ¶ 박정희 후빨러들은 박정희가 정말 반신반인인 줄 알고 있어.

후새드 혱 슬프다. 본래는 'who said'라고 써야 할 것을 'who sad'라고 잘못 쓴 데서 유래했다. 커뮤니티 사이트 디시인사이드의 와우 갤러리에 어떤 사용자가 올린 동영상 속 글귀에서 전파된 말. 해당 글귀는 "Who sad.. strong is nothing.."이라는 비문으로, 아마도 'Who said… strength is nothing…'(누가 말했는가… 강함은 아무것도 아니라고…)라 말하고 싶었던 것으로 추측된다. "Who sad.."를 '후 슬프다'로 장난스럽게 해석하는 사람들이 등장하면서 후새드라는 말이 생겨났다.

후조시 몡 일본어 腐女子(ふじょし)를 발음한 것. '후죠시'라고도 쓴다. '썩은 여자'라는 뜻의 자조적 표현으로, 남성 간 동성애물을 애호하는 여성 마니아층을 가리킨다. 만화, 애니메이션, 드라마 등의 콘텐츠를 소비하면서, 남성 캐릭터들을 커플로 짝지어 새로운 글 또는 그림으로 연성(원본의 일부를 차용해 새로운 작품을 만들어 내는 것)을 하기도 한다.

훈남[녀] 몡 외모나 스타일 등이 준수하고 마음씨도 넉넉한 남자[여자]

를 일컫는 말. 상대적으로 인성에 초점을 맞춘 표현으로, 보고 있으면 마음이 훈훈해지는 사람이라는 뜻 이다.

훈내 몡 훈훈한 내음. 보고 있으면 마음이 훈훈해지는 사람, 즉 훈남 또는 훈녀가 풍기는 향기로운 기운 이다. ¶ 잘생겼지, 예의 바르지, 훈 내가 모니터 뚫고 전해질 기세.

휴덕 몡 만화, 애니메이션, 게임, 아 이돌 등에 각별한 애정을 쏟는 덕후 활동을 잠시 쉬는 것. 스스로의 결 심이 아니라 주위 환경 탓인 경우가 대부분이다. 더 나은 덕후가 되기 위한 휴식이라고 주장하는 사람도 있다. ¶ 취직해서 돌아올게요, 잠 시 휴덕 중.

흉자 몡 흉내 자지. 페미니즘 성향 의 여성들이 사용하는 단어로, 자 신이 여성임에도 불구하고 젠더 관 련 이슈에서 남성 입장을 옹호하고 여성을 비하하는 사람을 뜻한다. 다 시 말해 자지(남자) 흉내를 내는 여 자다. 부정적 어감을 띠도록 만들어 진 표현이며, 실제로 비꼬거나 욕할 때 이 말을 쓴다. 비슷한 의미의 '명 자'(명예 자지)보다 비난의 수위가 높다.

흑과거 몡 흑(黑)+과거(過去). 절 대로 남에게 드러내고 싶지 않은 과 거. 떠올리기조차 싫은 '어두운 과 거'로 '흑역사'와 같은 말이다.

흑역사 몡 흑(黑)+역사(歷史). 기 억에서 영원히 지워 버리고 싶은 과 거의 잔재를 일컫는 말. 떠올리기조 차 싫은 '어두운 역사'라는 뜻이다. 실연, 낙방, 해고 등 인생의 중대 사 건 외에도 크고 작은 망신, 예기치 않은 실수 등의 해프닝, 중학교 졸 업 사진, 모두가 잠든 새벽에 끄적 였던 일기(특히 싸이월드 미니홈피 의 다이어리) 따위의 소소한 기록 마저 흑역사가 될 수 있다. 지금 이 순간에도 누군가는 훗날 자신의 흑 역사가 될 무엇을 공들여 만들어 내 고 있다.

흑형 몡 흑인 남성. 인터넷상의 남초(남성 회원이 주를 이루는 것) 커뮤니티에서 탄력 있는 몸매와 뛰 어난 운동신경의 일부 흑인들을 우 러러 '형'이라 부른 데서 나온 표현 이다.

흑화 몡 黑化. 부드럽고 선한 사람 이 어떤 일을 계기로 사악한 어둠에 물들어 버리는 것을 말한다. 게임의 등장인물이 악마의 힘에 자신을 빼 앗기게 되는 것을 가리키는 말이었는데, 중2병(중학교 2학년 무렵의 사춘기 청소년들이 보이는 불만스럽고 혼란한 정서) 환자들의 입에 오르내리기 시작하면서 그들의 스테레오 타입과도 같은 표현이 되었다. ¶ 크큭… 흑화… 흐.콰.한.다.

흔남(녀) [명] 흔한 남자[여자]. 외모나 스타일 등이 준수하고 마음씨도 넉넉해 누구에게나 인기가 좋은 훈남[녀]과 달리, 너무나 평범해서 존재감이 없는 사람을 말한다. ¶ 흔남이 훈남 되려면 뭐부터 바꿔야 할까요?

흔적기관 [명] 여성 혐오자 남성의 생식기를 놀리는 말. 퇴화하여 흔적만 남은 것처럼 찾기 어렵다는 뜻이다. 남성이 일상적으로 여성에게 가하는 성적 대상화 및 언어폭력, 특히 여성의 신체 부위를 평가하는 말들을 반사하는 단어로 디시인사이드 메르스갤러리 사용자들에 의해 만들어졌다. 원래 흔적기관이란 사람의 꼬리뼈 등과 같이 '생물의 기관 가운데 이전에는 생활에서 쓸모가 있었으나 현재는 쓸모없이 흔적만 남아 있는 부분'을 가리킨다.

흙수저 [명] '흙으로 만든 수저'를 뜻하는 용어로 한국 사회의 서민층을 가리킨다. 부모에게 아무것도 물려받을 게 없고, 소득이 적고 빚이 많아 앞으로도 안정적인 경제력을 갖출 가능성이 없는 사람이다. 일명 수저계급론에 따르면 유산 상속의 정도, 즉 부모의 재산 규모에 따라 금수저, 은수저, 동수저, 흙수저로 나뉘는데 흙수저는 금수저나 은수저와 달리 치열한 경쟁에 내몰려 생존을 위해 투쟁해야 한다. 결혼·출산·육아를 포기해야 하는 3포세대를 넘어 삶을 구성하는 데 기본적이라고 할 수 있는 조건들을 모두 포기해야 하는 n포세대 대부분이 흙수저에 속한다고 볼 수 있다.

흙턴 [명] 경력으로 변변히 내세울 수 없는 단순노동, 허드렛일 등의 업무를 하는 인턴. 학벌이나 집안 등의 배경이 없는 이른바 흙수저에게 돌아가는 자리다. 금수저들이 차지하는 금턴(학벌과 인맥, 경제력, 권력 등 든든한 배경이 있어야 들어갈 수 있는 양질의 인턴 자리)과 반대되는 의미로 쓰이는 말.

흠좀무 [관] '흠, 그게 사실이라면 좀 무섭군요'를 줄인 말. ¶ A: 매너왕 박 과장님, 아들한테도 깍듯하게 존댓말이라던데. B: 흠좀무….

흥칫뿡 [감] 흥+칫+뿡. 자신이 토라졌음을 상대방에게 표현할 때 쓰는 말. 문자 대화에서 약간 화가 났지만 이를 귀엽게 치장하고 싶을 때 쓰는 의성어.

희귀짤 몡 희귀한 짤. 잘 알려지지 않아 쉽게 구할 수 없는 짤(이미지 파일)을 뜻한다. '희귀한'이라는 뜻의 영어 형용사 rare(레어)를 활용해 '레어짤'이라고도 한다.

희망고문 관 상대방에게 희망을 품게 만들어 결과적으로 더 큰 고통을 주는 것. 다양한 양상이 있는데, 애초에는 남녀 관계에서 상대방을 단호하게 거절하지 못하고 여지를 남김으로써 그가 계속 주변에 머물게 하는 따위의 행동을 뜻하는 표현이었다. 최근에는 사회경제적 의미를 더해 가령 인턴사원을 운용할 때 정식 고용 계획이 없음에도 고용 가능성을 흘려 더욱 헌신하도록 유도하는 것, 또는 생존 가능성이 희박한데도 대체 의학을 통해 완쾌할 수 있다고 치료를 권유하는 것 등도 포함한다. 2015년 어느 중견 기업이 신입 사원을 채용하면서 예정에 없던 추가 면접 전형을 계속 끼워 넣는 한편, 창업주와 그 부인의 회고록을 읽고 감상문을 쓰게 하는 등의 갑질(힘을 가진 사람 혹은 집단이 약자에게 권력을 휘두르는 행동)을 하면서 합격자 발표를 수차례 연기하다가 전원 탈락시킨 일이 벌어지자, 한 청년 단체가 "지원자들에 대한 배려도, 공정함도 없는 면접 과정에 대해 사과해야 한다"라면서 이 기업에 '희망고문상'을 수여했다. 이처럼 희망고문은 어느 한쪽의 행동이 그 의도가 어떻든 결과적으로 피해자에게 갑질로 작용하는 과정이 필연적으로 따라붙는다.

히밤 감 '시발'에서 유래한 욕설. 귀여운 느낌이 있다.

히키코모리 몡 일본어 引きこもり(히키코모리)를 발음 나는 대로 쓴 말. 직역하면 '틀어박힘', '틀어박혀 있는 것' 정도의 의미로, 방 안에서만 생활하면서 아무도 만나지 않는 은둔형 외톨이를 일컫는다. 대인관계와 사회생활에 어려움을 느끼고 외부와 단절한 채 자기만의 세계에서 살아가는 사람이다. 1990년대 일본에서는 커다란 사회적 문제로 대두되었는데, 한국에서는 친구가 별로 없거나 독신 생활을 하는 사람까지 히키코모리로 분류하며 느슨하게 부르는 경향이 있다.

힐러 몡 healer. 주로 게임에서 치유 능력이 있는 캐릭터를 가리키는 말. 또는 현실 세계에서 그와 비슷한 능력이 있는 사람을 지칭하는

히키코모리

말로 쓰이기도 한다. 하나의 예로, 2016년 2월 테러방지법(국민보호와 공공안전을 위한 테러방지법에 대한 수정안)의 표결을 막고자 열린 국회 무제한 토론(filibuster; 필리버스터)에서 오랜 시간 발언하느라 지친 야당 의원들을 격려하는 등 토론을 원활하게 진행한 국회 부의장 이석현에게 '힐러 리'라는 별명이 붙은 것을 들 수 있다.

힐링 명 healing. 지친 몸과 마음을 위로하고 치유하는 행위. 혹은 그러한 것을 골자로 삼는 자기 계발 담론을 가리킨다. 2010년대 초반 계속되는 경제 불황과 청년실업 악화의 여파로 사회 분위기가 침체되어 있을 무렵, 말하자면 '위로'의 기제와 맞물려 큰 인기를 끌었다. 현실에서 부딪히는 어려움을 정신적인 태도의 개선으로 극복할 수 있다고 보고, 그러한 방식을 권하는 것이 주된 개념이었다. 이와 같은 해석으로 관객의 고민을 즉석에서 해결해 주는 연사들의 특별 강연이 전국 단위로 일어나 많은 사람을 모으기도 했다. 그러나 이러한 접근은 사회구조적인 부조리와 원인이 비교적 명확한 문제를 정치적·구조적으로 해결하려 하기보다 개인의 문제, 마음의 문제로 축소하여 순간의 괴로움만 덮을 뿐이라는 비판을 받는다. 소위 '힐링 열풍'이 잠잠해진 뒤에도 이 단어는 여전히 휴식과 휴양의 의미로 입에 오르내리지만, 조롱하는 조로 쓰일 때도 많다.

힘쇼 ^관 '힘내쇼'를 줄인 말.

힙부심 ^명 힙합(hiphop)+자부심. 힙합이 음악 중에 최고의 장르라는 마음이 지나쳐 다른 장르의 음악을 무시하고 깔보는 것. 힙합에 대한 넘치는 사랑을 온몸으로 표현하는 행위를 가리켜 "힙부심 부린다"라고 한다. 힙부심은 '언더부심'(언더그라운드+자부심)을 품고 있기도 한데, 이는 주류에서 활동하는 가수들을 폄하해 인정해 주지 않는 것을 말한다. 음악의 장르는 다르지만 이와 비슷한 말로, 록(rock) 음악에 대한 자부심이 과한 것을 가리키는 '락부심'이 있다.

힙찔이 ^명 힙합+찌질이. 힙부심(힙합에 대한 과한 자부심)과 힙허세(힙합 근본주의자의 허세)로 무장한 힙합 덕후(마니아) 완전체를 비하하는 용어. 여기서 '찌질이'는 '보잘것없고 변변치 못하다'는 의미의 형용사 '지질하다'에서 파생된 말이다. 힙찔이들은 얕은 지식을 바탕으로 자기 취향이 아닌 음악을 듣는 사람들, 혹은 주류 음반 시장에 진출한 언더그라운드 출신 래퍼들을 비난하는 데 열을 올린다.

힙허세 ^명 힙합+허세. '힙합 근본주의자'로부터 이루어지는, 두 눈 뜨고 보기 민망한 허세를 말한다. 주로 힙합이라는 장르의 우월함을 찬양하거나, 힙합으로 벌어들인 돈을 뽐내거나, 힙합에 대한 자신의 진정성을 강조하는 가사를 쓰는 식이다.

초성어

ㄱㄱ (동) 고고(go, go). 무언가를 진행하자는 것. 온라인 게임이나 메신저의 단체 채팅방 등 신속한 의사 전달이 필요한 곳에서 처음 쓰이기 시작했다. 어떤 것을 빨리 시작하라고 재촉하는 느낌이 강하다. 제안이나 권유의 목적으로도 자주 사용한다. ¶ 다들 심심하면 웹 게임 ㄱㄱ

ㄱㄱㅆ (동) 고고씽. 무언가를 진행하자는 의미의 '고고'에 빠르게 움직이는 모양 혹은 소리를 뜻하는 '씽'이 붙은 것. 보다 경쾌한 느낌을 준다. ¶ 이따 수업 끝나고 노래방 ㄱㄱ씽~

ㄱㄴㄲ (감) 그니까. 상대방의 의견에 동의하는 말.

ㄱㄴㅇ? (동) ① 가나연? 지금 무언가를 시작할 것인지 묻는 말. ② 가능염? 특정 시기까지 목표 달성이 가능한지 확인하려는 물음. ¶ 막차 탑승 ㄱㄴㅇ?

ㄱㄷ (동) 기둘. '기다려'를 줄인 말로, 주로 오프라인상에서 급한 일이 있어 온라인상의 무언가를 빠르게 시작할 수 없을 때 양해를 구하는 뜻으로 쓰인다. ¶ ㄱㄷ 나 화장실 좀.

ㄱㄹ? (동) 굴려? 주로 주사위를 굴리며 진행하는 온라인 게임에서 사용하는 말.

ㄱㅅ (명) 감사. 연령, 상황, 장소에 한정되지 않고 광범위하게 쓰이는 표현. 'ㄱㅅㄱㅅ'과 같이 해당 표현을 반복함으로써 강조의 뜻을 전하기도 한다. 입력했을 때 겹받침처럼 붙는 모양이 보기에 좋지 않다는 이유에서 'ㄱㅈ'라는 대체 표현이 출몰하기도 했다. ¶ 고급 정보 공유 ㄱㅅ

ㄱㅅㄹㅈ (관) 개소리죠. 상대의 말이 허튼소리에 불과하다는 뜻. 뒤에 ㅅㅍ(시팔)을 붙여 'ㄱㅅㄹㅈㅅㅍ'로도 자주 쓰인다.

ㄱㅇㄷ (명) 개이득. 뜻밖의 이득을 가져다줄 어떤 것을 가리키는 말. 혹은 기대치를 초과하는 이익을 봤을 때 쓰는 말. ¶ 1+1 행사 중이라니 지금 사면 ㄱㅇㄷ

ㄱㅊ (형) 괜춘. '괜찮다'를 변형한 말로, 어떠한 대상이나 상황이 별로 나쁘지 않고 보통 이상이라는 뜻. ¶ 2박 3일 경비 이 정도면 ㄱㅊ?

ㄱㅌ (명) 강퇴. 커뮤니티 게시판, 채팅방, 게임방 등에서 문제를 일으키는 사람을 관리자가 강제로 퇴장시

키는 행위. 마음에 들지 않는 특정 사용자를 협박하거나 제재하려는 의도로 이를 남발하는 관리자도 있다. ¶ 와, 나 ㄱㅌ에 열흘 차단 먹음.

ㄱㅎ (명) 극혐. 극도로 혐오스럽다는 뜻. 육두문자를 사용하지 않으면서 효과적으로 상대를 비난할 수 있어 인터넷상에서 인기를 끌고 있으나 그 기준은 언제나 주관적이다. 근래 이 표현의 사용이 잦아지면서 극혐으로 불릴 수 있는 행위 혹은 사람의 범위가 매우 넓어지는 경향을 보인다.

ㄲㄲ (부) ① 낄낄. 입 속에서 새어 나오는 웃음소리. ② 끌끌. 마음에 마땅찮아 혀를 차는 소리. (동) 고고 (go, go)를 귀엽게 말하는 것.

ㄲㅂ (형) 까비. 아깝다는 뜻. ¶ 아~ 은메달 ㄲㅂ.

ㄲㅈ (동) 꺼져. 신속하게 눈앞에서 사라져 달라는 뜻.

ㄴㄱ (명) 누구. 누구인지 묻는 것. (관) '내 마음속에 저장'을 뜻하는 손짓을 활자화한 것. 아이돌 그룹 워너원의 멤버 박지훈이 2017년 Mnet 〈프로듀스 101 시즌 2〉에 출연해 "내 마음속에 저장"이라는 말과 함께 사진을 찍어 저장하는 듯한 손짓을 취한 것이 이후 대중적으로 큰 인기를 끌었다.

ㄴㄱㅅ (관) ① 님 고소. 당신을 고소하겠다는 말로, 상대방의 언행으로 인해 그만큼 불쾌한 기분이라는 뜻을 내비친다. ② 님 감사. 상대방에게 고마움을 전하는 표현.

ㄴㄱㅅㅇ? (관) 누구세요?

ㄴㄴ (형) 노노(no, no). 아니라는 뜻.

ㄴㄷ (명) 노답. '노(no)+답'으로, 답이 나오지 않는 답답한 상황 또는 그러한 사람을 가리키는 말.

ㄴㅇㅅ (명) 노(no)+인성. 즉 인성(人性)이 나쁘다는 뜻.

ㄴㅇㅅㅂㄴ (관) 너 왜 시비냐. 시비 걸지 말고 조용히 사라지라는 뜻.

ㄴㅈ (명) ① (주로 채팅에서) 남자. ② 노잼. '노(no)+재미', 즉 재미가 없다는 뜻.

ㄷㄱ (명) 대기. 주로 FPS(First Person Shooting)류의 온라인 게임에서 잠시 기다리라는 뜻으로 쓰인다.

ㄷㄷ ⓤ 덜덜. 경이롭거나 두려워서 몸을 몹시 떠는 모양. ⓝ '뒤, 뒤'라는 뜻으로 주로 FPS류의 온라인 게임에서 뒤편을 주시하라는 말로 쓰인다. 급박한 정도에 따라 "ㄷㄷㄷㄷㄷㄷ"과 같이 여러 번 반복하여 쓸 수 있다.

ㄷㄹ ⓥ 들림. 소리가 들린다는 뜻.

ㄷㅈ ⓟ 닥전. 닥치고 전자. 즉, 양자택일의 상황에서 뭐라 말하거나 생각할 필요도 없이 전자를 선택하겠다는 선언. ¶ A: 공무원(7급) vs 대기업, 하나만 고른다면? B: ㄷㅈ.

ㄷㅈㄹ? ⓟ 뒤질래? 표준어 '뒈지다'(죽다)에서 변형된 말로, 상대를 협박하는 것.

ㄷㅊ ⓥ 닥쳐. 입을 다물고 조용히 있으라는 뜻. ⓟ 뒤치. 주로 FPS류의 온라인 게임에서 적이 후방에서 공격하는 것, 즉 뒤에서 치는 것을 말한다.

ㄷㅎ ⓟ 닥후. 닥치고 후자. 양자택일의 상황에서 뭐라 말하거나 생각할 필요도 없이 후자를 선택하겠다는 선언.

ㄸㄸㅇ ⓝ 딸딸이. 남성의 자위행위를 일컫는 말.

ㄸㄹㄹ ⓤ 또르르. 눈물이 흐르는 소리, 또는 그 모양. ¶ 신나게 질렀더니 통장이 텅장… ㄸㄹㄹ

ㄸㄹㅇ ⓝ 또라이. 약간 돈 것 같은 사람.

ㄸㅋ ⓟ 땡큐(Thank you). 'ㄱㅅ'(감사)과 같은 말이다.

ㄹㄱ ⓟ 리겜(replay game). 게임을 다시 하자는 뜻.

ㄹㄷ ⓝ 레디(ready). 주로 온라인 게임에서 진행을 위해 레디 버튼을 눌러 준비하라는 뜻으로 사용된다.

ㄹㄹ ⓟ 리리. 리플레이(replay)에서 온 말로, 게임을 다시 하자는 뜻.

ㄹㅂ ⓟ 리방. 주로 온라인 게임에서 게임을 진행할 방을 새로 만들자는 뜻이다.

ㄹㅇ ⓝ ⓤ 레알. 레알(진짜, 진짜의)의 초성을 딴 말이다. '진짜', '진짜로'의 뜻으로 널리 쓰인다.

ㄹㅇㅌㄹ ⓝ 레알트루. '진짜'라는 뜻을 매우 강하게 표현하는 말. '레

알'(진짜, 진짜로)에 영어 형용사 true(진짜의)를 명사화한 '트루'(진짜)를 결합해 그 의미를 더욱 강조한 것이다.

ㄹㅇㅍㅌ 몡 레알팩트. 진짜 사실이라는 뜻. '레알'(진짜, 진짜로)에 '팩트'(fact; 사실)를 결합한 말이다.

ㅁㄴㅂㅌ 관 매너 부탁. 상대방에게 예의를 갖춰 달라고 부탁하는 말.

ㅁㄹ 동 모름. 모르겠다는 뜻이다.

ㅁㅈ 동 마자. '맞아'에서 변형된 것으로, 상대방의 말이 옳다는 뜻.

ㅁㅊ 동 미친.

ㅂ2 감 바+2, 즉 '바이'(bye). '안녕'이라는 뜻. 헤어질 때 하는 인사.

ㅂㄱㅂㄱ 감 방가방가. 반갑다는 뜻의 인사말. 몡 붕가붕가. 성행위를 뜻하는 말.

ㅂㄱㅅㄷ 관 보고 싶다.

ㅂㄷㅂㄷ 부 부들부들. 노여움에 겨워 온몸이 떨리는 모양.

ㅂㄹㅂㄹ 부 빨리빨리. 주로 상대에게 무언가를 재촉할 때 쓰는 말.

ㅂㅂ 감 바이바이(bye-bye). 헤어질 때 하는 인사.

ㅂㅂㅂㄱ 관 반박 불가. 어떤 의견이나 상황에 대해 그것을 반박하는 근거를 댈 수 없다는 표현. 즉, 인정한다는 뜻이다. ¶ 님이 쓴 말 다 맞음 ㅂㅂㅂㄱ

ㅂㅅ 몡 병신. 상대방을 모욕하여 이르는 말.

ㅂㅇ 감 바이(bye). '안녕'이라는 뜻. 헤어질 때 하는 인사.

ㅂㅋ 동 비켜. 주로 게임에서 앞을 가로막지 말고 비키라는 뜻으로 쓰인다.

ㅂㅌ 몡 변태.

ㅃ2 감 빠이(바이, bye). '안녕'이라는 뜻. 헤어질 때 하는 인사.

ㅃㄹ 부 빨리. 주로 상대에게 무언가를 재촉할 때 쓰는 말.

ㅅㄱ 몡 ① 수고. 상대방을 격려하는 말. ② 슴가. '가슴'이라는 뜻. 여성의 가슴을 지칭할 때 음절의 순서

를 거꾸로 한 것.

ㅅㄲ 몡 새끼. 어떤 사람을 욕하여 이르는 말.

ㅅㄹ 혱 시러. '싫어'에서 변형된 말로, 무언가가 싫다는 뜻.

ㅅㄹㅎ 동 사랑해.

ㅅㅂ 괌 시발. 뜻에 맞지 않고 불만스러울 때 욕으로 하는 말. 소리 나는 대로 '시옷비읍'이라고 말하기도 한다.

ㅅㅂㄴ 몡 ① 시발놈. 어떤 사람을 욕하여 이르는 말. ② 서방님.

ㅅㅂㄹㅁ 괌 시바라마. 어떤 사람을 욕하여 이르는 표현인 '시발놈아'를 다소 약하게 발음한 말.

ㅅㅅ 몡 섹스. 괌 샤샷. 게임에서 활약을 보여 준 사람을 칭찬할 때 쓰는 말.

ㅅㅌㅊ 몡 상타취. 어떤 기준에서 평균 이상이라는 뜻. 자신 혹은 타인의 상태를 남들에게 물을 때 쓰기도 한다. 일간베스트 저장소(일베)에서 유행한 말. ¶ 내 스펙인데 이정도면 ㅅㅌㅊ?

ㅅㅎㅇㅈㅅㅅㄴ 괌 선할인 전산 수납. 휴대전화를 구매할 때 일정 금액 이상의 요금제를 유지하는 등의 조건으로 기기 구입 가격 중 일부를 먼저 할인해 주고, 일정 기간이 지난 후에 나머지 할인 금액은 전산을 통해 구매자에게 돌려주는 행위.

ㅇㄱㄹㅇ 괌 이거 레알. 이것은 정말 사실이라는 뜻. '진짜', '진짜로'라는 뜻의 '레알'은 영어 'real'(진짜의)을 끊어 읽는 동시에, 스페인의 명문 프로 축구 구단인 '레알 마드리드'(Real Madrid)의 발음 및 '최고'라는 상징적 의미를 가져와 생겨난 표현으로 알려져 있다. ㅇㄱㄹㅇ은 어떤 주장에 격한 공감을 호소하거나 자기 의견의 진실성을 강조할 때 쓰는 말이다. ¶ A: 한국에서는 신입이 회의 시간에 말 잘해도 욕먹고 가만히 있어도 욕먹는다. B: ㅇㄱㄹㅇ

ㅇㄱㄹㅇㅂㅂㅂㄱ 괌 이거 레알, 반박 불가. '이거 레알'을 강조하는 표현이다. 이것은 정말 사실이며 반박할 수 없다는 뜻.

ㅇㄱㅇㅈ 괌 이거 인정. 또는 '이건 인정'. 어떤 의견이나 상황에 대해 공감을 표현하는 말.

ㅇㄱㅈㄴ 괌 이걸 지네. 게임 또는

현실의 대결 구도에서 마땅히 이길 것으로 믿었던 상황에서 갑작스럽게 역전되어 패배를 겪었을 때 쓰는 말. 허무함에 휩싸여 한숨처럼 내뱉게 되는 탄식.

ㅇㄴ ㈜ 아놔. 답답하거나 어이없는 상황에 쓰는 "아, 나 이거 참" 따위의 표현이 변형된 말. 싸움이 시작될 것을 알리는 말이기도 하다.

ㅇㄷ ㈁ 어디. 상대방의 위치를 묻는 표현.

ㅇㅁ ㈁ ① 알몸. ② 안마. ㈖ 안물. '안 물어봤음'이라는 뜻. 묻지도 않은 이야기를 상세하게도 늘어놓는 상대에게 쓸 수 있는 말.

ㅇㅁㅂ ㈖ 이뭐병. '이건 뭐 병신도 아니고'를 줄인 말. 한심스러운 언행을 일삼는 사람을 비꼬는 표현이다. ㈁ 이명박. 제17대 대한민국 대통령.

ㅇㅂㅊ ㈁ 일베충. 인터넷 커뮤니티 일간베스트 저장소 사용자를 벌레에 빗대 일컫는 말. ¶ ㅇㅂㅊ이 나한테 고백했어ㅋ ㅋㄲㅠㅠ ㈖ 여병추. '여기 병신 하나 추가요'를 줄인 말. 어떤 사람의 글이나 행동이 한심하고 어리석다며 비하하는 표현이다.

ㅇ벗다 ㈕ '없다'의 오타. 한글 입력 과정에서 실제로 자주 발생하는 오타이지만, 문맥에서 다른 의미가 연상된다는 이유로 더 많이 쓰이는 표현이다. 일례로 '재수없다'의 경우 '재숭벗다'가 된다.

ㅇㅅㅁ ㈁ 의심미. '의미심장한 미소'를 줄인 말. 무언가 겉으로 드러내지 않고 속뜻을 품은, 음흉한 미소를 일컫는다.

ㅇㅇ ㈜ 응응. 상대방의 물음에 긍정적으로 대답하거나 부름에 응할 때 쓰는 말. 귀찮아하는 듯한 뉘앙스 때문에 상대방을 마음 상하게 하는 경우가 더러 있다. 한편 말끄트머리에 붙여 자신의 말에 대한 다짐의 의미로 쓰기도 한다. 이 경우 혼잣말을 하면서 고개를 끄덕이는 듯한 느낌을 준다. ¶ A: 있잖아, 너한테 꼭 할 말이 있는데…. B: ㅇㅇ A: 아냐. 공부해.

ㅇㅇㅈ ㈖ 어, 인정. 어떤 사람 혹은 그의 의견을 받아들이고 인정한다는 뜻.

ㅇㅈ ㈁ 인정. 어떤 사람 혹은 그의 의견을 받아들이고 인정한다는 뜻.

마지못해 툭 던지는 느낌이 강하다.
¶ A: ㅇㅈ? B: ㅇㅈ

ㅇㅈㄹ 〈관〉 이지랄. '이 지랄 한다' 혹은 '이렇게 지랄해 본다'의 뜻으로 쓴다. 전자는 상대방의 지랄을 지적하며 지랄하지 말라는 뜻이고, 후자는 앞서 자신이 뱉었던 말이 농담이었음을 뜻하는 말이다. ¶ 아무래도 난 천재 같아… ㅇㅈㄹ.

ㅇㅉ 〈동〉 어쩔. '어쩌라고'를 줄인 말. 상대방의 쓸데없는 참견에 대한 따분함을 드러낼 때 쓰는 말. 혹은 자신의 말을 논리적으로 반박해도 소용없다는 태도를 드러낼 때 쓰는 말.

ㅇㅋ 〈감〉 오키. 상대방의 말에 동의하는 표현인 'okay'(오케이)를 줄여 이르는 말.

ㅇㅎ 〈감〉 아하. 몰랐던 걸 알게 되었을 때 내뱉는 감탄사. 당연한 사실을 자신이 발견한 것처럼 이야기하는 사람을 비아냥거릴 때 쓰이기도 한다.

ㅈㄱ 〈명〉 조건. 돈을 받고 데이트 혹은 성관계를 하는 성매매의 일종인 '조건 만남'을 가리키는 말. 주로 채팅을 통해 조건(매매가)을 합의한 뒤 만나서 화대를 주고받는 식이다.

ㅈㄱㄴ 〈명〉 조건남 혹은 조건녀. 돈을 받고 데이트 혹은 성관계를 하는 성매매의 일종인 '조건 만남'을 하려는 구매자 또는 판매자.

ㅈㄱㅁㅇ 〈관〉 ① 잠깐만요. ② 저격 미안.

ㅈㄱㅈ 〈명〉 종결자. 어떤 분야에서 남들보다 능력이 월등하게 뛰어나 절대적으로 우위에 있는 사람을 가리키는 말. 그 사람 하나면 모든 논란과 혼돈을 종결지을 수 있다는 뜻이다.

ㅈㄲ 〈관〉 좆까. 좆을 까라는 말인데, 굳이 뜻을 풀이하자면 '웃기지 마' 정도라고 할 수 있다.

ㅈㄴ 〈부〉 존나. '정말', '진짜', '매우,' '엄청', '너무', 굉장히 등의 뜻. ¶ 와, 여기 비속어 ㅈㄴ 많네.

ㅈㄹ 〈부〉 졸라. '존나'를 조금 순하게 말하는 것. '정말', '진짜', '매우', '엄청', '너무', 굉장히 등의 뜻이다.

ㅈㅂ 〈명〉 ① 좆밥. ② 중복. 〈부〉 제발. 뜻이 여러 가지여서 문맥을 잘 파악하여 의미를 유추해야 한다.

ㅈㅅ 〈명〉 죄송. 미안하다며 자신의

실수를 사과하는 표현. ¶ 파일 다시 올립니다 ㅈㅅ

ㅈㅅㅅㄴ 몡 전산 수납. 휴대전화 대리점에서 단말기를 정가에 판매해 먼저 개통한 후, 할부 원금을 조정해 주는 일. 단통법(단말기 유통구조 개선법)의 규제를 피하기 위한 편법의 일종이다.

ㅈㅈ 몡 ① GG(good game)의 발음을 한글 자음화한 것. 상대와 대결하는 구도의 게임에서 자신의 패배를 인정할 때 쓰는 표현. 게이머에게 이것만큼 비참한 말도 없다. 반대로 상대방에게서 이 말이 나오는 걸 보는 것만큼 통쾌한 경우도 없다. ② 자지. 남자의 생식기를 말한다.

ㅉㅉ 뭐 갑 쯧쯧. 연민을 느끼거나 마음에 못마땅하여 혀를 차는 소리.

ㅊㅊ 몡 축축. 축하한다는 뜻. '축하축하'를 줄인 '축축'에서 다시 초성을 딴 말.

ㅊㅋ 몡 추카. 축하한다는 뜻. '축하축하'를 소리 나는 대로 쓴 '추카추카'를 '추카'로 줄인 뒤 초성을 딴 말.

ㅋ 뭐 크. 피식 웃는 소리. 인터넷상의 글쓰기에서 문장 말미에 다소 습관적으로 붙이는 자음이기도 하다. 때때로 비웃는 듯한 어감을 주므로 사용에 주의해야 한다.

ㅋㄲㅈㅁ 관 콩 까지 마. 별명이 '콩진호'인 만년 2위 프로 게이머 홍진호를 비난하지 말라는 뜻. 이에 대해 콩은 까야 제맛이라고 주장하는 사람들도 있다.

ㅋㄷㅋㄷ 뭐 키득키득. 귀엽게 웃는 소리.

ㅋㅋ 뭐 '케케', '키키', '크크' 등 발음하는 방법이 여러 가지다. 가장 일반적인 웃음소리. 특별히 우습지 않은 상황에서도 상대방에게 편한 인상을 주기 위해 말 뒤에 붙이기도 한다. 'ㅋ'의 개수가 웃음의 강도를 반영하는데, 가령 'ㅋㅋ'이 대충 가볍게 웃는 것이라면 'ㅋㅋㅋㅋㅋㅋㅋㅋㅋㅋㅋㅋ'은 매우 크게 웃음을 터뜨리는 것으로 봐도 무방하다.

ㅌㅌ 관 튀어, 튀어. 주로 온라인 게임에서 죽음의 위협을 느껴 도망가자고 다급하게 말할 때 쓰인다.

ㅍ 뭐 펑. 인터넷 게시판에 사진이나 음악 등을 포함한 게시물을 올렸

다가 일정 기한이 지나면 지워 버리는 일. 게시글 제목에 이 글자를 남기고 내용 없는 페이지만 남겨둔다. 'ㅍㅍ', '펑펑', '뿅'이라고도 한다.

ㅍㄱ 〈명〉 포경. 포경 수술.

ㅍㅌ 〈명〉 평타. 평균 수준이라는 뜻의 '평타'에서 초성을 딴 말. 일간베스트 저장소(일베)에서 유행했다.

ㅍㅌㅊ 〈명〉 평타취. 평균 수준이라는 뜻의 '평타취'에서 초성을 딴 말. 가령 "ㅍㅌㅊ?"는 '보통은 되나?' 하는 의미이며, "나는 항상 ㅍㅌㅊ였다"라고 하면 '나는 항상 보통이었다'라는 뜻이다. 일간베스트 저장소(일베)에서 유행한 말.

ㅍㅌㅋ 〈명〉 폰테크. 보조금을 챙겨 좋은 조건에 구입한 스마트폰을 일정 시간이 지난 후 되팔아 이득을 챙기는 행위.

ㅍㅍ 〈동〉 팜팜(팖, 팖). 판매한다는 뜻. 주로 게임에서 아이템을 거래할 때 쓰는 말이다.

ㅍㅍㅅㅅ 〈명〉 ① 폭풍 섹스. 폭풍처럼 갑작스럽고 거칠게 섹스하는 것. ② 폭풍 설사. 폭풍과도 같이 몰아치는 설사. ③ 블로그 등에서 인기 있는 글을 모아 올리는 소셜 뉴스 큐레이션 사이트(ppss.kr)의 이름.

ㅎ 〈부〉 흐. 웃는 소리, 또는 그 모양. '하하', '히히', '헤헤' 등으로 해석될 수 있다. 인터넷상의 글쓰기에서 문장 말미에 다소 습관적으로 붙이는 자음이기도 하다.

ㅎㄱ 〈부〉 허걱. 놀라거나 당황스러워서 숨을 순간적으로 멈추거나 들이마시는 소리, 또는 그 모양.

ㅎㄷㄷ 〈부〉 후덜덜. 무언가가 두렵거나 혹은 두려울 정도로 대단해서 몸이 떨리는 모양. ¶ 신제품이라 가격이 ㅎㄷㄷ

ㅎㄹ 〈감〉 헐. '헐'에서 중성 'ㅓ'를 탈락시킨 표현으로, 놀라움, 혼란스러움, 당혹스러움, 부끄러움, 실망스러움, 기쁨, 슬픔 등의 여러 가지 감정을 표현하는 감탄사다.

ㅎㅇ 〈감〉 하이(hi). 만날 때 정답게 하는 인사말.

ㅎㅇㄹ 〈감〉 하이루. '하이'(hi)를 좀 더 귀엽게 말하는 것. 만날 때 정답게 하는 인사말.

ㅎㅇㅎㅇ 〈부〉 하악하악. 어떤 것을

보고 흥분했을 때 숨을 자꾸 몰아쉬
는 소리, 또는 그 모양.

ㅎㅌㅊ 몡 하타취. 어떤 기준에서
평균 이하라는 뜻.

ㅎㅎ 뿌 하하. 혹은 흐흐. 웃는 소리,
또는 그 모양. 웃고 있다는 것을 표
현하기 위해 쓴다.

숫자

1 몡 하나. '하나도 없다'를 '1도 없다'로 표현하는데, 이때는 '일'로 발음한다. ¶ 요즘 의욕이 1도 없는데, 우울증인가요? ¶ 어차피 내려올 거 왜들 그렇게 등산을 하는지, 이해가 1도 안 된다.

10갤 몡 10개월. 젊은 엄마들이 관련 인터넷 커뮤니티에서 쓰는 말이다. ¶ 다섯 살 딸, 10갤 아들… 부러울 게 없겠네요.

18 깝 비속어 '시팔'을 뜻하는 숫자. 댓글 작성 또는 채팅 중에 욕하고 싶을 때 이 숫자를 쓰면 된다. 밉상 정치인의 후원금 계좌에 18원을 입금하는 것도 같은 맥락에서 이뤄지는 행위다.

1빠 몡 첫 번째, 혹은 1등. 그러므로 두 번째는 '2빠', 세 번째는 '3빠'다.

1코노미 몡 1인+이코노미(economy). 즉 '1인 경제'다. 혼자 먹고, 혼자 마시며, 혼자 여행하고, 혼자 영화를 보는 등 이른바 '혼자' 문화가 확산되면서 생겨난 말로 자신만을 위한 소비 행위를 뜻한다. 젊은 층을 중심으로 한국 특유의 집단주의가 희석되면서 개인주의 성향이 높아지고 1인 가구가 급증하는 추세 속에서 대두된 새로운 경향.

2% 몡 괜찮은 수준이지만 완전히 만족스럽지는 못할 때 그 부족함의 정도를 표현하는 말. 관용적으로 "2% 부족하다"라고 한다. 롯데칠성음료에서 1999년 출시한 저당도·저칼로리 음료 '2% 부족할 때'가 히트를 치면서 퍼진 표현

2030세대 몡 20대와 30대를 아울러 부르는 말. 2000년대 들어 확산된 용어로 구세대인 장년층과 대비되는 의미, 즉 한국 사회를 변화시키는 새로운 세대라는 맥락에서 쓰였다.

22222 쉬 어떤 게시물이나 누군가의 댓글에 대해 '나 역시 그렇게 생각한다'는 동의의 표현. 댓글 등에서 자주 쓰인다. '2'의 개수가 많을수록 공감의 정도가 크다고 볼 수 있다. 계속해서 '3', '4' 순으로 그 뒤를 잇는다.

2중대 몡 어떤 집단이나 세력에 기생해 연명하는 그룹. 정치권에서 상대 그룹을 비난할 때 이 말을 흔히 쓰는데, 가령 '○○당은 정부 여당의 2중대에 불과하다'라는 식이 전형적이다. 비난을 넘어서 낙인을

찍어 경멸하는 표현으로, 감정적인 논박을 유발하는 비생산적 언술인 것을 누구나 인정하나 당분간은 사라질 가망이 없는 말이다.

2차가공 명 다른 사람이 촬영한 아이돌 사진 혹은 영상을 수정하여 사용하는 것. ¶ 출처 꼭 밝혀 주시고 2차가공 금지입니다.

2차창작 명 원작의 일부를 차용해 새로운 작품을 만들어 내는 행위. 가령 기존 작품의 등장인물을 주인공으로 하는 새로운 이야기, 또는 기존 작품의 세계관을 배경으로 하는 새로운 이야기를 창작하는 것을 말한다. 후조시(남성 간 동성애물을 애호하는 여성 마니아층) 커뮤니티에서는 만화, 애니메이션, 드라마 등의 남성 캐릭터들을 커플로 짝지어 새로운 글 또는 그림으로 2차창작을 하는 일이 일상적이다. 2차창작을 다른 말로 '연성'이라고도 한다.

386세대 명 30대, 80년대 학번, 60년대생. '삼팔육세대'라고 발음한다. 1990년대에 언론에서 쓰기 시작한 말로, 286 컴퓨터의 차세대 기종인 386 컴퓨터에서 연상한 조어이며 '차세대'라는 의미를 품는다. 1960년대에 출생하여 1980년대에

대학 생활을 했으며 1990년대 당시에 30대였던 사람들이다. 군부독재에 저항한 민주화 세대이자 당시 경제 호황의 수혜를 입은 세대이기도 하다.

3포세대 명 경제 불평등, 청년실업, 과노동, 저임금 등 최악의 사회 환경으로 인해 '연애 · 결혼 · 출산'을 포기할 수밖에 없는 젊은 세대. 저성장 시대의 한국에서 살아가는 20~30대 젊은이들의 현실을 자조하는 말이다.

486세대 명 40대 나이에 접어든 386세대(30대, 80년대 학번, 60년대생)를 지칭하는 말.

5060세대 명 50대와 60대를 아울러 부르는 말. 장년에서 노년에 걸쳐 있고, 사회에서 은퇴했거나 은퇴를 목전에 둔 세대.

5포세대 명 '연애 · 결혼 · 출산'을 포기하는 '3포세대'에 이어 '인간관계 · 내 집 마련'까지 추가로 포기할 수밖에 없는 젊은 세대.

68세대 명 1968년 5월 프랑스에서 촉발된 사회변혁 운동의 주도 세력을 포함하여, 당시 이에 동조해 각지에서 저항운동을 이끌었던 유

럽 및 미국의 젊은 세대.

69 [명] 성행위 체위 중 하나. 상호 구강성교 자세를 숫자로 은유한 것.

7080세대 [명] 1970년대 또는 1980년대에 20대를 보낸 세대. 정치적으로는 암울했지만 청바지와 통기타, 생맥주로 상징되는 젊음의 낭만을 만끽한 세대다. 대체로 대중문화의 맥락에서 회자되는데, 대표적으로 '7080 노래', '7080 가요 메들리' 따위를 들 수 있다. 대체로 중년들이 느끼는 추억의 정서가 배어 있는 용어다.

7포세대 [명] '연애 · 결혼 · 출산 · 인간관계 · 내 집 마련'을 포기하는 '5포세대'에 이어 '꿈 · 희망'까지 추가로 포기할 수밖에 없는 젊은 세대.

86그룹 [명] 80년대 학번, 60년대생인 운동권 출신 정치인. 즉, 정치권으로 진출한 386세대(30대, 80년대 학번, 60년대생) 운동권을 지칭한다.

88만원세대 [명] 경제학자 우석훈과 사회 비평가 박권일이 2007년 펴낸 책의 제목. 여기서 '88만 원'은 비정규직 평균임금인 119만 원에 20대의 평균 소득 비율 74%를 적용해 산출한 금액이다. 대한민국의 엄혹한 노동환경 속에서 탈출구 없는 현실을 받아들여야 하는 젊은 세대를 은유하는 말.

9988234 [관] 99세까지 팔팔(88)하게 살다 2, 3일만 앓고 죽는(死; 4) 것이 행복한 인생이라는 뜻. '구구팔팔이삼사'라고 읽는다. 자녀들에게 노환의 부담을 주지 않고 일생을 편안하게 마감하기 위해서는 노인 스스로 건강관리에 관심을 갖고, 질병 예방에 적극 힘써야 한다는 뜻이 함축되어 있다.

영어

ASKY ㉘ 안 생겨요. 각각 'A: 안, S: 생, K: 겨, Y: 요'로 읽으며, 애인이 절대 생기지 않는다는 뜻. 인터넷 커뮤니티 오늘의 유머(오유)에서 유행하기 시작한 이후 대중적으로 확산되었다.

BF ㊑ Best Friend(베스트 프렌드). 가장 친한 친구라는 뜻. '베프'라고도 한다.

BJ ㊑ Broadcasting Jockey(방송자키). 인터넷에서 개인 방송을 하는 사람으로, 인터넷 미디어 플랫폼 '아프리카TV'에서 유래된 용어다. DJ(Disc Jockey)에서 갈라져 나온 말로 보이지만 BJ는 콩글리시로, 구미에서는 'streamer'(스트리머)라고 한다.

BL ㊑ Boys' Love. 남성 간의 동성애를 소재로 한 만화, 애니메이션, 소설, 게임 등의 장르를 말한다. 여성 취향이라고 여겨지지만 간혹 이를 즐기는 남성도 있다. '장미물'이라 부르기도 한다. 한때는 '야오이'라는 말을 사용했다.

BMW ㊑ Bus+Metro+Walking. 버스, 지하철, 도보로 출퇴근하는 직장인을 가리키는 말.

BYOD족 ㊑ BOYD+족. 'Bring Your Own Device'를 줄인 BYOD는 개인의 스마트 기기를 일터에서 사용하는 것을 말하며, 이런 방식으로 업무에 임하는 이들을 가리켜 BYOD족이라 한다.

DB ㊑ 담배.

GG ㊑ Good Game(굿 게임). PC 게임 '스타크래프트'에서 게임을 마무리할 때 상대방에게 건네는 인사말이었던 것이 대결 구도의 경기에서 패배를 시인하는 말로 널리 사용되기 시작했다. 'ㅈㅈ'이라고 쓰기도 한다.

GL ㊑ Girls' Love. 여성 간의 동성애를 소재로 한 만화, 애니메이션, 소설, 게임 등의 장르를 말한다. '백합물'이라고도 하며 이쪽이 한국에서 더 널리 쓰이는 표현이다.

is 뭔들 ㉘ '○○(이)라면 무엇을 어찌한들 좋지 않겠느냐'라는 뜻. 한마디로, ○○이면 아무리 이러저러해도 무조건 좋다는 말이다. 주로 아이돌이나 연예인 뒤에 붙여 쓴다. ¶ 수지 is 뭔들.

JMT [명] 존맛탱. 음식이 매우 맛있을 때 쓰는 표현. '존나 맛있다'와 강조의 뜻을 더하는 '탱'의 각 앞 글자를 알파벳으로 바꾼 표현이다. 맛집 후기를 남기면서 해시태그 #JMT를 남기는 식으로 사용한다.

KTX라인 [명] K(국제중)-T(특목고)-X(스카이) 라인. 국제중과 특목고를 거쳐 스카이(SKY; 서울대, 고려대, 연세대) 대학에 들어가는 진학 단계를 가리킨다. 고속철도 KTX가 일반 열차나 버스보다 훨씬 빠르듯, 이 라인을 타기 위해서는 조기에 선행 학습이 이루어져야 한다는 뜻을 담고 있다. 학원가에서 주로 쓰이는 말.

NG족 [명] No Graduation+족. 졸업할 시기가 되었지만 취업을 하지 못해서 졸업을 유예하는 대학생들을 가리키는 말.

n포세대 [명] 3포(연애 · 결혼 · 출산), 5포(연애 · 결혼 · 출산 · 인간관계 · 내 집 마련), 7포(연애 · 결혼 · 출산 · 인간관계 · 내 집 마련 · 꿈 · 희망)에 이어 열 손가락으로는 세기 힘든, 삶을 구성하는 데 기본적이라고 할 수 있는 n개의 조건들을 모두 포기해야 하는 젊은 세대. 경제 불평등, 청년실업, 과노동, 저임금 등 저성장 시대의 한국에서 살아가는 20~30대 젊은이들의 현실을 자조하는 말이다.

OME [관] Oh, My Eyes. '으악, 내 눈'이라는 뜻. 눈 뜨고 보기에 너무 부담스럽거나 괴롭다는 말.

OMG [관] Oh, My God. '맙소사', '세상에' 정도의 뜻을 갖는다.

OTL [관] 좌절해 무릎을 꿇고 손을 땅에 짚은 채 머리를 숙인 모습을 표현하는 이모티콘. 2000년대 초 인터넷상에서 크게 유행했다. 비슷한 표현으로 'orz'가 있으며, 상대적으로 크기가 작아 아이처럼 보인다.

PC [명] Political Correctness(정치적 올바름). 문화적 맥락에서는 다문화주의에 근거하여 성차별이나 인종차별에 반대하는 운동을 뜻한다. 넓은 뜻으로는 정치 현안을 사익 추구 관점이 아니라 자유와 평등 등 진보주의적인 입장에서 바라보는 성향 따위를 포함한다.

RIP [명] Rest in Peace. 고인의 명복을 비는 표현으로 '평화롭게 잠드소서', '편히 쉬소서' 정도의 뜻이다. ¶ 수고했어요, 정말 고생했어요, RIP.

SC ㉖ '센 척'이라는 뜻. ¶ 뭘 믿고 SC?

TMI ㉖ Too Much Information. '너무 많은 정보'라는 뜻. 딱히 알고 싶지 않고, 알 필요도 없는 정보에 과도하게 노출되는 상황에서 쓸 수 있는 말이다. 가령 부장님의 시시콜콜한 개인사, 연예인에 대한 수많은 잡설, 소개팅남의 군대 무용담 등 하나도 도움이 안 되는 쓸데없는 정보다.

에센스 B국어사전
— 학부모, 교사, 직장인, 언론인, 노인,
탈북인, 다문화 이주민, 외국인을 위한
비표준 한국어 사전

초판 2019년 2월 1일

편저: 편집부
일러스트: 황상준
북디자인: 헤이조
교열: 김연주

프로파간다
서울시 마포구 양화로 7길 61-6
T. 02-333-8459
F. 02-333-8460
www.graphicmag.co.kr

ISBN 978-89-98143-66-4

황상준 (일러스트)
서울대학교, 골드스미스대학(런던)을 졸업했다.
서울에서 그림을 그리고 디자인도 한다.
만든 책으로 《A Figure of Speech: Stars》,
《Today's Weather》가 있다.